矿井风流流动与控制

王海宁　著

北　京
冶 金 工 业 出 版 社
2007

内容简介

本书在介绍矿井通风方面研究现状的基础上，阐述了矿井风流流动的基础理论、矿井通风网络基本性质、矿井通风构筑物及选型方法、矿用风机及选型方法、矿用空气幕的理论及应用、溜井风流控制及矿井通风节能技术及应用等内容。重点介绍了矿井风流调控新技术——矿用空气幕的隔断风流、引射风流和对风流增阻的理论模型及模拟分析、矿用空气幕的设计方法、矿用空气幕的多个工程应用实例。此外，还详细介绍了溜井漏风的特性及控制新技术和矿井通风节能的方法。

本书可供从事矿业开采研究与工程开发的科研院所、矿山企业的研究与工程技术人员阅读，也可作为高等院校采矿专业师生的教学参考书。

图书在版编目（CIP）数据

矿井风流流动与控制/王海宁著. —北京：冶金工业出版社，2007.1

ISBN 978-7-5024-4150-0

Ⅰ. 矿…　Ⅱ. 王…　Ⅲ. 矿井—矿山通风—研究
Ⅳ. TD72

中国版本图书馆 CIP 数据核字（2006）第 155330 号

出 版 人　曹胜利（北京沙滩嵩祝院北巷 39 号，邮编 100009）
责任编辑　张　卫（联系电话：010-64027930；电子信箱：bull2820@sina.com）
　　　　　张爱平（联系电话：010-64027928；电子信箱：zaptju99@163.com）
美术编辑　李　心　责任校对　朱　翔　李文彦　责任印制　丁小晶
北京兴华印刷厂印刷；冶金工业出版社发行；各地新华书店经销
2007 年 1 月第 1 版，2007 年 1 月第 1 次印刷
148mm×210mm；8.625 印张；254 千字；264 页；1－3000 册
30.00 元

冶金工业出版社发行部　电话：（010）64044283　传真：（010）64027893
冶金书店　地址：北京东四西大街 46 号（100711）　电话：（010）65289081

前　言

众所周知，采矿业是工业生产所需原料和能源的基础，在社会发展进程中占有极其重要的地位。与其他工业部门相比，矿山生产的安全问题历来就显得非常突出。尤其是地下开采的矿山，由于矿床类型和性质的不同，地质情况千差万别，开采技术条件千变万化，无固定生产模式，随着井下客观条件的变化，在生产过程中会不断出现新情况。因此，特殊的生产条件使采掘中的不安全因素增多，工作面空间狭小、工作面不断变化、采矿作业过程中产生的粉尘和有毒有害气体等对工作面环境的污染等带来了矿山安全的特殊性。尤其是大型机械化或井下地质条件不太好的矿山，矿井通风过程中存在着风流短路、漏风、无风死角、风流反向、污风循环等风流控制的难题，使矿井的有效风量率、风流分配等受到极大的影响，直接威胁到矿山井下的安全生产和工人的身体健康。多年来，矿井风流调节与控制技术的研究和开发一直受到高度重视，矿井漏风控制技术及设备，引射风流技术，无风墙辅扇通风技术，可控循环通风技术，井下风量、粉尘、有害气体、温度、湿度的自动检测技术，矿井通风自动控制技术，通风节能技术等方面的技术水平在不断发展。目前，国内在处理在主扇的作用下新鲜风流不能达到工作地点或通风网络中出现漏风、风流短路、风流循环等问题时，一般是采用人工通风构筑物、辅扇、引射器等措施对风流的大小和方向进行调控，而对于矿井运输巷道上的风流调控始终是一大难题。

近十年来，作者针对目前矿井通风中存在的风流控制难题，在矿用空气幕阻隔风流、引射风流和对风流增阻的理论模型的建立与理论数值分析、矿用空气幕特性实验室试验研究、高溜井漏风和冲击粉尘污染、矿井通风节能以及在一些特大型和大型矿山的现场应用方面开展了一系列研究，解决了大量的实际难题，具有开拓意义。在开展研究的同时，作者完成了博士学位论文，并获得国家安全生产监督管理局科技成果二等奖3项，实用新型专利两项，发表学术论文多篇。现将这些材料整理成书，希望它的出版有助于推动我国在相关领域的技术研究与开发，也希望能对矿山企业及同行有所帮助和应用。如果是这样，那将是对作者极大的肯定和鼓励。

本书能得以顺利完成，要感谢金川集团有限公司、铜陵有色金属(集团)公司、福建省马坑矿业股份有限公司、江西省科技厅、中南大学、江西理工大学等的大力资助和关心，感谢古德生院士、吴超教授的悉心指导，感谢张红婴、任如山、吕志飞、王花平等的大力帮助。

由于时间紧迫加之作者水平有限，书中存在的疏漏和不足，敬请读者批评指正。

王海宁

2006年9月

目　录

1 绪　论

矿井通风就是向井下供氧、排除有毒有害物质、排热和除湿、为寒冷矿井供暖等。矿井污染物超标可充分反映出矿井通风不足的问题。其预防方法一般是根据矿山通风系统的复杂性情况，而合理使用辅扇。对于生产中的矿井，其通风网络已经形成，主扇已定型，因此，若通风系统存在问题，一般靠加强通风构筑物及辅扇对风流的调控，以达到完善通风系统的目的。可见，矿山通风工作是矿山安全管理的重中之重。因为，矿山生产中的凿岩、爆破、放矿、装运、破碎等环节会产生大量的粉尘，其中凿岩生产是主要的产尘源之一，作业区的粉尘浓度随凿岩时间的增长而升高，一般作业半小时后，矿尘浓度可达 250 mg/m^3，3 h 后达 800 mg/m^3。而爆破作业的产尘量虽最大且飘散距离远，但含高浓度粉尘空气的持续时间较短。当然，若不及时采取有效的通风防尘措施，爆破数小时后，巷道内空气粉尘浓度仍比正常值高 10～20 倍。装运作业同样是主要的产尘源，一般人工装岩时的粉尘浓度可达 700～800 mg/m^3，机械装岩时可高于 1000 mg/m^3。此外，矿内爆破炮烟、柴油机尾气、火灾、硫化物的燃烧等会产生大量的有毒有害气体如 CO、H_2S、SO_2、NO_x 等；开采铀矿床及含铀、钍伴生的金属矿床时产生的氡等放射性气体污染；深井矿山开采时井下地热等对风流温度的影响，等等，均对井下作业人员、机械设备、安全生产以及巷道围岩的稳定性造成极大的危害。因此，矿山井下需要完善的通风系统，源源不断地将地表新鲜空气送到井下每一个作业面，排出污浊的空气。

然而，在当今国民经济发展十分迅速、矿产资源开发速度非常快和国家对企业安全生产特别重视的背景下，矿山企业在积极生产的同时，虽投入了大量的人力和财力进行矿山井下通风和安全方面的研究与应用，取得的不少成果已应用于生产，对安全生产起到了积极的作用，但是，在许多地下开采的矿山，尤其是大型机械化或井下地质条件较复杂的矿山，多年来，井下的通风过程中一直存在着风流控制的难题，如新鲜风流短路或漏风、无风死角、风流反向、污风循环等，特别是在主要的运输巷道中，此类问题解决的难度更加突出，常常出现井下作业面风量不足、污风不能及时排出等问题，这无疑对井下通风的有效风量率、风流的分配等影响很大，直接威胁到矿山井下的安全生产。因此，在矿山井下生产过程中加强风流调节和通风管理工作就显得十分重要。

1.1 国内外金属矿山通风研究与发展

矿井通风系统是由向井下各作业地点供给新鲜空气、排出污浊空气的通风网络和通风动力及通风控制设施等构成的工程体系。矿井通风系统与井下各作业点相联系，对矿井通风安全状况具有全局性影响，是搞好矿井防尘的基础工程。无论新设计的矿井或已生产的矿井，都应把建立和完善矿井通风系统作为搞好安全生产、保护矿工安全健康、提高劳动生产率的一项重要措施。矿井通风系统按服务范围分为统一通风和分区通风；按进风井和回风井在井田范围内的布局分为中央式、对角式和中央对角混合式；按主扇的工作方式分为压入式、抽出式和压抽混合式。此外，阶段通风网络、采区通风网络和通风构筑物，也是通风系统的重要构成要素。防止漏风，提高有效风量率，是矿井通风系统管理的主要内容。

一个完整的矿井通风系统必须包括通风网络、通风动力和通风控制设施等。通风网络是指由分支和节点构成的连通的物理网路。通风动力是指在通风系统中提供动力以克服通风阻力部分，扇风机是提供通风动力的主要设备，自然风压也可为矿井通风提供动力。矿井通风构筑物是矿井通风系统中的风流调控设施，用以保证风流按生产需要的路线流动。合理地安装矿井通风构筑物，并使其经常处于完好状态，是矿井通风技术管理的一项重要任务。

1.1.1 国内外矿井通风网络成果分析

数字计算技术用于矿井通风网络分析始于 1953 年。20 世纪 60 年代末，在世界范围内，计算机广泛地用于矿井通风系统的设计和分析。到目前为止，已有大量有关矿井通风的软件，用于解决地下开采中出现的不同问题。

从近几十年有关矿井通风网络分析方面的文献可以看出,矿井通风网络模拟变得越来越完善,也越来越有用。纵观矿井通风网络分析软件的研究进展大体经历了如下几个大阶段,如图 1-1 所示。

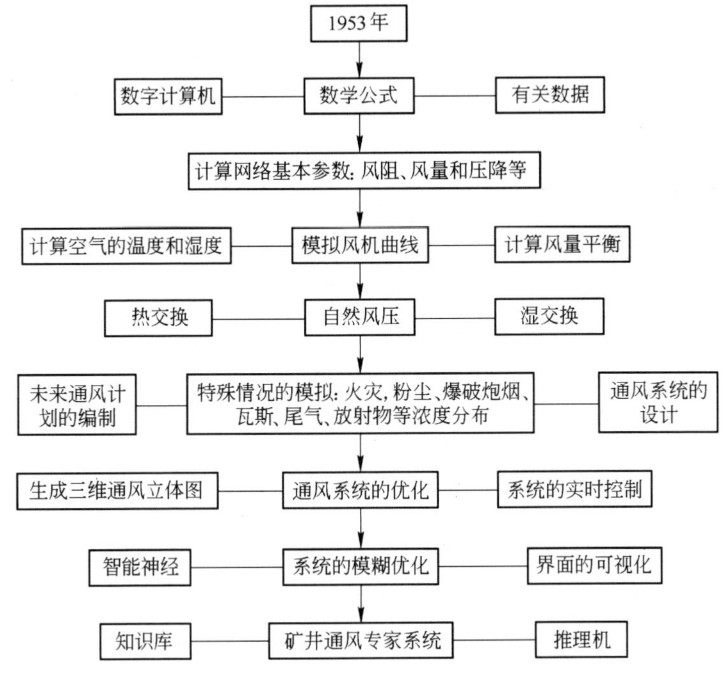

图 1-1 不同时期矿井通风系统分析软件的主要功能

1953 年,Scott 和 Hinsley 首先使用计算机来解决通风网络问题。1967 年 Wang 和 Hartman 开发出解算含多风机和自然通风的立体通风网络程序,该软件表明,用于解决矿井通风基本参数的应用程序走向一个成熟的阶段。从那之后,世界上很多通风研究人员开发出大量的用于更加复杂的通风系统的程序。

1974 年,宾夕法尼亚州州立大学的 Stefanko 和 Ramani 对通风系统网络分析的发展作了很大的贡献。他们的论文《矿井通风系统中柴油废气浓度的数值模拟》研究了井下柴油机对通风系统的影响,并提出了一系列的相关数学公式,这些公式的有效性得到了相关实测数据的检验。1981 年,Greue 发表了题为《矿井通风系统污染物和燃烧实时分布的计算》的文章，该软件是当矿井火灾时，污染模拟的最具代表性的程序之一。这个程序可以模拟矿井大气中的烟尘和其他污染物的运动情况，计算在给定点、给定时间的浓度，判定矿井中不同位置的总污染强度。同样，它可以处理多个污染源或污染源随时间变化的情况，还可以解决污风循环的问题。发达国家早期的通风软件也较多，以美国和法国为例，列出软件的主要参数如表 1-1 所示。

表 1-1 美国、法国早期通风网络程序的技术参数

机构名称	时 间	程序名称	编程语言	输入数据	输出数据
France; Cherchat	1987 年	PC Vent	Fortran77	节点号，节点数，固定风量，分支阻力，风机曲线	网络参数，风机工况
France; Cherchat	1987 年	Vendis	Fortran77	可用数值化仪输入	可计算风路的各种参数
Bethlehem Steel USA	1975 年		Fortran4		阻力，风量，优化风机安装角，转速调整
Colorado School of Mines	1979 年		Fortran		风量，风速，风流压降，风机工况
Control Data	1980 年	MIVENDES	Fortran	标高，分支长度，局部阻力，入口温度，固定风量	风阻，废气，风量，工况，瓦斯，放射性
Geomin	1981 年		HP Basic	最小风量	压力，风机风量，阻隔室的特征
Michigan Techn Univ	1981 年		Fortran4	网络参数，污染源，几何参数，地热条件	风量分配，污染物浓度
Virginia State Univ	1968 年	VENTSIM	Fortran4		阻力，风机曲线，功率，流速，风量调整
Virginia State Univ	1976 年		Fortran4		阻力和水头损失
Pennsylvania State Univ	1967 年		Fortran		
Pennsylvania State Univ	1971 年		Fortran4		瓦斯排放量
Pennsylvania State Univ	1973 年		Fortran	节点，阻力系数，巷道尺寸，风路类型	网络参数，风机特性曲线

续表 1-1

机构名称	时 间	程序名称	编程语言	输 入 数 据	输 出 数 据
Pennsylvania State Univ	1974 年		Fortran4		使用扩散法分析网络中柴油机废气浓度
Pennsylvania State Univ	1979 年		Fortran		
Pennsylvania State Univ	1979 年	PSU/MVS	Fortran		
Pennsylvania State Univ	1979 年		BASIC		压力损失,局部损失,速度调节,以及通风巷道的费用分析

注:自 20 世纪 90 年代以来,发达国家出现了专门从事开发用于采矿业的软件,其开发队伍庞大,资金雄厚,开发的软件功能相当完善。但价格较贵,一般的中小型企业难以承受,著名的有 MinTech 公司和 DataMine 公司等。

我国的科技人员在这方面也做了大量的工作。1984 年,沈斐敏等编写了讲义《微型电子计算机在矿井通风中的应用》,于 1992 年改编为采矿专业本科生的教材《矿井通风微机程序设计与应用》,为更多的人接触有关矿井通风网络解算的知识开了一扇方便之门。1987 年,原中南工业大学吴超在瑞典律勒欧工业大学做访问学者期间,完成专著《Mine Ventilation Network Analysis and Pollution Simulation》。该专著回顾了国内外通风网络分析的发展历史,阐述了通风网络基本理论并给出了相关的源代码,使用的计算机语言主要是 Fortran77。1991 年中国矿业大学的张惠忱编写了《计算机在矿井通风中的应用》,为计算机在矿井通风领域里进一步的应用提供了技术支持。

在发达国家,大多数的矿井通风系统网络解算的应用软件已经商品化,有自己的版权和商标,同时也有一个较大的客户群。而在国内,大多数通风方面的软件是由科研机构或研究所自行开发的,客户仅限于与他们有项目合作的工矿企业,没有正规的商业化的运作。软件的功能不是很完善,其发展也在一定的程度上受到制约,不利于该产业的进一步发展。

在检索了自 1989 年以来的国内有关矿井通风的软件文献后,发现只有一个软件较为正式,即通风专家 3.0 版。有正式的版本号,是低版本的升级版,功能较为完善,有一定的推广价值。该通风专家系统开发始于20世纪80年代中期,经历近10年的不断完善,是目前国内较为先进的采矿类应用软件,适用于各类井下开采矿山(煤矿、金属矿、非金属矿)矿井通风系统优化设计或相关系统设计。目前通过该系统设计的国内外大中型矿山已超过50座,如大红山铜矿、大红山铁矿、会东铅锌矿、大寨储煤矿、谦比西铜矿等,已投产的矿山大部分取得了较好的通风效果和经济效益。通风专家3.0版采用汇编语言、编译BASIC、数据库(FoxPro)等计算机语言综合编程,兼容DOS 6.22/Windows9x操作系统,软件系统全部为菜单结构,界面友好,使用简单,支持键盘以及鼠标操作、程序代码简洁,运算速度极快,不易被病毒攻击。通风专家系统主要有原始数据处理、通风网络计算、通风绘图、结果报表、风机数据库、知识库等六大模块组成,可对复杂通风系统进行网络生成、网孔圈定、风机优选、网络解算、结果报表生成等;系统可自动记录原始节点坐标、自动组建通风系统网络。此外,通风专家还可以采用任意角度和比例生成通风系统立体图以及通风平面图等大量辅助性报表。

其他与通风有关的软件,从不同的角度来反映、解决矿井通风中的不同问题,对完善矿井通风软件是有益的探索,充实了矿井通风的研究内容。根据检索结果,列举出软件的主要性能指标,如表1-2所示。

表1-2　国内通风软件一览表

作者	推出时间	语言数据库	主要结构及功能
赵以蕙	1992年	Fortran -77	根据多孔介质流体动力学理论,把采空区看作是非均匀的连续介质。风流在介质中的流动是过渡流,邻近层沼气稳定地均匀地(或非均匀地)涌入采空区,沼气在介质中的扩散符合Fick定律,由此建立了系列稳态条件下的数学模型
谢贤平	1995年	GwBASIC	计算机集散控制系统的管理程序,下级计算机的采样及控制程序。两者之间利用通讯软件相互联系,进行数据交换和信息传递
黄元平	1995年	C语言	软件的用户界面良好,使用方便;采用动态内存管理技术可以直接使用扩展内存,因而原则上可用于任意大小的网络优化问题

续表 1-2

作者	推出时间	语言数据库	主要结构及功能
范明训			程序为菜单式结构,具有汉字自动提示功能;巷道可按任意顺序排列和调整;具有网路解算和绘图功能;具有参数及图形修改功能;可实现网路解算与绘图的计算机自动控制
黄继声	1995 年		自动完成数据处理、通风网路解算、数据选择传递、编制风机风压计算表并绘制矿井通风系统立体图等一系列工作;操作简单,输入数据文件后,只需少量人机对话选择,其他一切皆自动完成;采用链式回路输入法、代码法、统计法和编辑输入法后,使输入数据量减少 80%以上
曾无畏	1994 年	Dbase	包含矿井通风管理中的矿井通风、矿井防突、瓦斯抽放、矿井防火、矿井防尘一、矿井防尘二、安全技措和矿井通风质量评比八个项目,每个项目中均具有编辑数据、修改数据、查询数据和打印数据功能
戚宜欣			利用专家系统技术,经火灾救灾专家经过多年实践得出的经验和教训收集起来,经过整理加工,形成有关控风措施的知识库;此外,根据巷道供风作用为巷道分类,从而形成数据库,最后编制成推理机
蒋军成	1995 年	Fortran	可用于生产矿井风量优化调节计算和新井通风设计时的调风计算;既可进行局部风网的风量调节计算,也可进行全矿规模的风量调节计算(包括多风机系统的风量调节计算)
刘师少	1994 年	Foxbase+ 2.10	程序设计模块化;舒适可靠的人机交互式工作环境;内存开销小;具有较强的图形处理功能
刘　剑	1993 年	Fortran CAD 系统	可查询采场剖分信息,根据漏风源汇位置坐标,可查询对应的单元号,是否为边界单元等;根据漏风源汇的漏风量,计算单元号,确定单元均质区号及渗透系数等;绘制二维或三维的采场区域图、均质区划分图、漏风源汇位置及编号图、采场剖分图、流线或流管图、等压线或等压面图等
谭国运		Fortran77 Dbase-Ⅲ	采用通路法进行风量调节,在计算风网调节的同时可以发现通风阻力最大的区段和地点,为降低阻力,改造通风系统提供途径;其次,该系统采用一体化通风管理方法,收到良好效果
杨　娟	2001 年	Visual C++ ODBC	主要包括动态调节系统、数据库系统与通风网络图绘制系统等模块

从表1-2可以看出,这些网络分析程序使用的语言各异,有Fortran,Visual Basic和Visual C++等。最常用的迭代方法是Hardy-Cross迭代法。这些程序可以处理多节点、多风机的复杂通风系统,有些还考虑自然通风的影响。主要数据输入有:摩擦阻力、断面尺寸(高度和宽度)、面积、周长及长度。局部阻力也是重要的输入数据之一。考虑自然通风的情况,就需要给出节点的空间位置。大多数程序中,风机的特征曲线是给定的。有些还考虑到巷道的漏风,有些还可以用数字化仪来输入网络数据。一般的输出数据为:各风路分支的风量、阻力和压降、固定风量分支的调节、风机的工况和最优的叶片安装角、各分支的温度、柴油机废气、放射性元素和瓦斯的浓度、相关费用、立体通风网络图、有关火灾等有价值的数据。一般来说,矿井通风软件有如下的一些功能:确定矿井通风系统的最优布局;评判通风网络中风流的稳定性和通风网络的调节;分析和估计通风网络参数,如阻力,风量,温度,湿度,主、辅扇参数,粉尘,爆破炮烟,甲烷,柴油机排放的废气浓度;对通风系统进行实时的控制,制订未来的通风计划;用计算机数值模拟矿井火灾的发生、发展过程,解算火灾时期矿井通风系统的风流状态,从而提出对火灾的救灾、避灾的决策,如MTU的升级版本MFIRE。之后,法国、波兰、原苏联、保加利亚、日本等国学者也相继投入大量的人力、物力和财力,对此问题展开研究,陆续提出了各具特色的矿井火灾模型及程序。

国内对火灾的计算机模拟研究始于20世纪80年代中期。1985年,中国矿业大学编制了矿井火灾时期瞬态模拟的计算机程序。1992年,淮南矿业学院在MFIRE软件设计研究中,实现了在通风系统网络图上在线显示火灾模拟结果。同年,中国矿业大学编制了二维非稳态火灾烟流流动状态的计算机模拟程序;煤炭科学研究总院抚顺分院、西安矿院对火灾模拟的计算方法、软件用户界面作了重要的改进。由于国外的相关软件较为专业,功能较强,价格也较为昂贵,加上各国的单位体系不同,界面汉化等问题,给用户带来了极大的不便。所以很多国家开发自己的通风网络软件,以解决自身的特殊问题,使通风网络软件形成百花齐放。时至今日,国内外对矿井火灾计算机模拟的研究工作方兴未艾。

1.1.2　矿井通风节能技术研究进展

我国金属矿矿井从20世纪50年代开始逐步建立机械通风系统。60年代，建立分区通风系统和棋盘式通风网络。70年代，出现梳式通风网络、爆堆通风，推广地温预热技术及云锡的排氡通风经验等。进入80年代，我国金属矿井通风技术以节约能耗为中心有了比较快的发展，取得的主要成就有高效节能风机的研制与推广；多风机多级机站通风新技术的应用；矿井通风网络的节能技术改造；建立矿井通风计算机管理系统和井下风流调控技术与手段的完善等。

我国金属矿井虽采用机械通风，但风机的运转效率一直较低。据统计，风机运转效率仅约40%，比设计的风机效率降低一半以上。通风能耗约占矿井总能耗的1/3，通风电费约占通风能耗的70%。大型矿井的风机装机功率高达数千千瓦，年通风电费达数百万元。造成矿井通风系统能耗高的主要原因是：(1)通风方法和设计手段；(2)风机性能；(3)管理水平。我国矿井通风系统设计多数采用统一的主扇通风系统，漏风系数取得大以及按最困难时期的最大风压选择风机，使选取的风机风压过高，通风系统建成后，由于金属矿井开采技术上的特点，致使主扇的工况点风压比设计的风压低得多。我国过去大多数金属矿井所使用的$70B_2$风机属于高、中风压和中流量风机，高效率区多在2000～3000 Pa范围内。而金属矿井当风量为40～90 m^3/s时，矿井总阻力多在600～900 Pa之间。风机等积孔与矿井通风网络等积孔不匹配，使风机长期在低效率区内运转。

多风机多级机站具有显著的优越性，它既可提高矿井有效风量率，又可节省电能消耗。我国自1983年开始对该通风技术进行试验研究以来，先后有几十个大中型非煤矿井采用此技术，改造原有的通风系统，都取得了明显的社会效益和经济效益。所谓多风机多级机站，即是由几级(至少是三级以上)风机站接力地将地表新风直接送到井下作业区，将污风抽排到地表。其需风点的风量调节基本上由风机控制，尽量避免用风窗调节，以提高系统的可控性，使矿井通风系统真正做到按需供风。多风机多级机站的一个显著特点是节能效果好。风机的功率与风量立方成正比。大型风机风量大、风压高、功率消耗大。多级机站采用机站间风机串联及机站内风机并联，这样所选的风机风量小、风压低，故功率也小；还可选用新型高效节能风机，因此，能耗低。实测证明，采用该通风技术改造的矿井，比原采用统一的 $70B_2$ 主扇通风系统，装机容量可降低 1/3～1/2，可大幅度地节约电能。

金属矿井的等积孔较大，选用风机时，应选择等积孔较大的大风量、低风压风机。目前我国可供金属矿井选择的风机型号有纺织用的 50A11、50A2、30K4、FZ 系列(现已不多用)，以及 K 系列和 FS 系列等风机。

风机选型是多风机多级机站通风系统设计的一个核心问题。1984 年在某矿通风系统改造过程中，当时可供选择的节能风机仅有 K45 系列，所选风机装机总容量为 429 kW，风量为 135 m^3/s，实测耗电为 335 kW，节能效果不理想。1985 年 K35 系列风机出现，这类风机比 K45 性能有所提高，所以风机选型主要为 K35 系列风机。1988 年又研制出 K40 系列风机，这类风机又比前两种好。1990 年又研制出无驼峰的 FS 系列风机，该风机采用了稳流环结构，消除了传统轴流风机在高风阻区出现的旋转失速现象，风压特性曲线比较平滑，较适合于多台风机联合运转。

综上所述，矿井通风节能技术研究的进展和方向主要是：(1)在矿井通风系统技术改造与建设中，不存在统一的技术模式，应根据各自系统的具体条件，沿着多种技术途径发展。这些途径主要是：分区通风系统、多风机多级机站通风系统、主－辅多风机系统、统一主扇通风系统。(2)新型、高效、节能矿用风机的研制与应用。(3)采用优化设计技术。(4)矿井通风系统的微机自动控制技术研究。

1.1.3　矿井通风网络优化调节

矿井通风网络是实际矿井通风系统的数学表达，是矿井风流路线及其有关参数的组合，是一个关联程度很高的复杂系统，其中一条分支的风量可能通过在多条分支中安设调节设施而改变。因此，满足通风需求的调节方案多种多样。如何确定一种既能满足通风需求和生产条件的限制、符合有关法规规定，又能使矿井通风所需费用最小的调节方案，是矿井通风学长期以来研究的热点和难点问题之一。

矿井通风网络优化调节可分为以下三种基本类型:

(1) 控制型分风网络:各分支的风阻已知,因一组余树分支的风量已给定,所以其他分支的风量也随之确定,所要确定的是风机所需的最小风压和如何调节才能使整个网络的风压损失平衡,以满足各分支风量的要求。

(2) 自然型分风网络:网络的风量是根据各分支风阻大小自行分配而不加任何调节控制设施。

(3) 一般型分风网络:网络中部分风量已知,部分风量待求,调节分支和调节量都用待求的风量调节,是最一般的网络优化调节。其部分分支风量要按生产需要进行分配而不是听其自然,即存在合理安设调节风窗和风机的问题。

控制型分风网络由于具有线性特点,其优化研究工作进展较快、较成熟和完善,已提出用工程网络、割集运算、最小费用流、线性规划、整数规划等寻求通风网络最优调节方案的方法。尽管这种网络在实际中很少见,但它是一般通风网络优化研究的基础,因此,研究将会继续深化。

Y. J. Wang 提出用工程网络的关键路径法求出一组最优解,然后通过割集运算求不同最优调节方案的方法。该法是将网络中节点和分支的通风参数和工程网络中的事件、活动和时间作类比,得出它们之间的对应关系。

工程网络计算的目的,是寻找完成一个具有相互关联的多种活动的工程至少所需时间;而控制型分风网络计算的目的是要找出最大阻力路径,即不需设调节风窗的分支。根据该路径阻力可确定风机所需最小风压,同时确定需要安设调节风窗的分支风道。关键路径和割集运算虽然简明,但对于多台风机、多入口和出口的网络,则显得复杂烦琐。

Thys. B. Johnson 提出用网络最小费用流求最优解的方法,并采用网络规划的 Out-of-Kilter 算法求解,Thys B Johnson 认为这一技术能更有效地处理含有多台风机和调节风窗的控制型分风网络,计算速度快,容易掌握。

S. Bhamidi Pati 提出包括使动力消耗、风机购置、安装及维护等通风费用最小的控制型分风网络线性规划和工程网络联合优化模型,求解方法是:首先在地表风机运行时用线性规划程序求得网络各分支的阻力,找出最大阻力路径;其次将风机逐台加入最大阻力路径各分支中,进行灵敏度分析,并分别计算其动力消耗费用和年度总费用,取其年度总费用最小方案;然后找出新的最大阻力路径,重复上述计算步骤,直到在新的最大阻力分支上加设风机使年度总费用上升时停止。根据年度总费用最小的方案,应设几台风机,设在哪一分支中的答案即可求出。

Thomas A. Morley 指出,应二次考虑整个网络风机的安设而不是逐次向最大阻力路径加设风机,因为后来安设的风机可能影响前面安设的风机的合理性;提出了使控制型分风网络年度总费用最小的混合整数规划模型,并用分枝定界法求解。求解前可事先根据安全规程和技术上的可能性,选定一些分支安设风机和调节风窗作为输入数据。该模型允许各个风机有不同的购置安装和维护费。但解算时间长,所需计算机内存容量较大。

原苏联学者 A. A. 斯阔奇柯基首先证明了多台风机联合作业的自然型分风网络动力消耗最小的条件,是各台风机的工作风压相等,此后又有把此结论推广到复杂网络的证明。

自然型分风网络的数值解算方法较多,其中以 Scott-Hinsley 法用得较为普遍,国内学者对核算法进行了改进,提高了收敛速度。李恕和提出用 Newton 法解算,可避免 Scott-Hinsley 法的收敛问题,收敛特性为二次收敛。Wang Y. J. 等用容度模型进行计算,能避免 Scott-Hinsley 法的不稳定收敛特性以及对复杂网络求解范围的局限性。刘驹生提出的节点风压法是一种有效的近似替代法。徐瑞龙对自然型分风网络的解算方法进行了比较研究。

一般型分风网络优化调节问题中的待求未知量个数多于约束方程数,因此是非定解问题。增加一定的优化目标函数后就构成了数学规划问题。由于回路风压平衡方程是非线性方程,因此这类问题属于非线性规划问题。

对于这种网络,一般采用分解解算法,即先对自然分风网络进行自然分配解算,再对需风分支加局部调节以求得全网络的平衡。很多研究已证明,这种解算法至少对用风窗调节不是最优的。黄翰文提出了多风井复杂通风网络中回风段角联巷道最优风阻的概念,指出角联巷道取最优风阻时,网络总功耗最小,这时各风机风压正好相等。刘承思提出一种递推法,方法是让角联巷道的风量自取以满足用风回路的风压平衡,以后逐渐向外回路递推,直至所有回路的分支风量均求出为止。这时回风井的风机风压虽不一定相等,但用风段消除了风窗(尤其是高阻风窗),解算结果表明,在某些情况下,还是经济的。卢新明针对非线性规划解算尚有许多难点,利用网络变换技术,得到了一个以分支阻力调节量为未知变量的线性规划模型,提出了一个直接优化算法。王振财提出了仅包含调节风窗的一般型分风网络优化解算法。方法是将网络分成三个主要区段:进风段、用风段和回风段。且用风段各分支风量为已知。寻找出独立的通过三区段的风流路径,增加低风压损失风流路径的阻力,同时减少高风压损失风流路径的阻力,使整个网络风流路径风压损失相等,达到所需功率最小。

随着多风机多级机站通风技术的推广,程历生、李高棋首先用约束条件和目标函数均为非线性的模型对多风机多级机站通风网络进行优化研究;赵梓成在研究中,综合考虑基建投资与年经营费用,分别建立分支阻力调节优化和风机调节优化的非线性规划模型。研究的算法已能用于实践。

虽然已进行了大量的研究,但矿井通风网络优化调节目前仍处在理论阶段,尤其是一般型分风网络,是最具难点的研究对象。由于它的研究对系统设计、计划管理具有理论和实际的指导意义,对节省能源、降低通风成本等经济效益将产生直接影响,因此,有关学者仍对此继续研究,也取得了较大的进展。例如,徐竹云证明了分解解算法的辅扇调节解是最优解中的一个解,并指出了分解解算法的定流分支风窗调节解不是最优解的实质,引用容度模型建立了矿井通风网络全局优化的非线性规划模型,研究了包括一般型分风网络在内的约束条件的提法,给出了基干分支的圈划原则。按所建模型编制了通风网络优化计算软件。张汉君通过实例对分解解算法和全局优化法的详细分析和比较研究后认为,网络优化的关键在于选出一棵最优树。阻力最小树虽可使系统的装机总功率在理论上达到最小,但其所对应的调节方案不但难以实现而且总费用不见得最少,阻力最小树一般不是最优树。现在还没有一种可直接找到最优树的方法。因而只能通过对各可行方案的计算、比较,综合经济性、方便性、适应性、稳定性等方面的因素,来判断树的优劣,再决定取舍。李湖生建立了以风机能耗和调节设施能耗为目标函数,以风量平衡方程、风压平衡方程、分支可调性、风量和调节量上下限等为约束方程的非线性规划模型,用于求解各种矿井通风网络优化调节问题。应用约束变尺度法求解该数学模型,用C语言编写了在Windows下运行的计算软件。

综上所述,由于提出的各种数学模型及采用的求解方法的局限性,因此在矿井通风方面还没有一个普遍适用的风量优化调节程序。事实上,由于我们所面临问题的复杂性,在矿井通风调节中应该使调节方案安全、经济、可行。虽然安全性和可行性一般可以在需风量、风量调节量的上下限及分支的可调性(如生产运输要求)中得到反映,但由于安全性和可行性概念的模糊性,因此,优化调节问题的目标函数单纯从经济方面考虑,即使通风总费用最小,我们认为也是不全面的。实际上,矿井通风网络优化问题是一个典型的定性与定量相结合的多目标模糊优化决策问题。

1.1.4　矿井通风系统优化设计

建立完善的矿井通风系统是矿井安全生产的基本保证。矿井通风系统设计是矿井设计的主要内容之一,是反映矿井设计质量和水平的关键因素之一。它不仅关系着矿井建设速度、投产时间、基建投资的多少,而且对矿井投入生产后的生产面貌和经济效益也有着长远的影响。生产矿井由于生产布局的变化、自然条件的影响及生产能力的提高,必须进行矿井通风系统的改造。

矿井通风系统改造是生产矿井改造的重要内容之一。因此,矿井通风系统的优化设计问题,一直是矿井通风专业人员所关注的研究课题之一。尽管对这一课题进行了大量研究,而且在风量调节优化、井巷断面优化、风机优化选择、通风系统中进排风井个数、井筒布置方式、通风方式选择等方面已取得一定的进展;矿井通风系统立体图绘制和网络图绘制已初步计算机程序化,但是至今尚有许多关于矿井通风系统优化设计方面的问题没有解决,有的问题还没有涉及。

迄今为止,国内外研究还很少涉及矿井通风系统的可靠性优化研究。目前,矿井通风系统的可靠性研究面临着以下几个问题:(1)风流分支与通风网络的可靠性概念;(2)风流分支、通风网络及通风构筑物的可靠性指标计算;(3)如何利用可靠性参数设计出具有较高可靠性的系统;(4)生产矿井如何利用可靠性理论来制定出合理的管理、使用与维护措施,保证系统正常工作,提高其可靠性。

已有的研究工作仅局限于前两个问题,即如何计算风流分支的可靠度和网络的可靠度,而且不成熟。矿井通风网络中风流分支的可靠性与一般网络(如电力网络)中元件的可靠性有本质区别,因为一般网络中的元件可靠度是各自固有的特性,与其他元件及网络的关联性质无关。而矿井通风网络则不然,根据平衡定律可知,各分支的可靠度不仅要体现自身的属性,而且与其他分支及网络的关联性质都是密切相关的。这正是矿井通风系统可靠性研究的困难之处。对风流稳定性的研究,进展也不大,已有的研究工作也局限于某些特定的典型网络。

采用传统的凭人工统计经验决策对矿井通风系统进行管理的方法越来越不能满足矿井安全开采的要求。实现矿井通风系统的优化管理和自动监控,在系统的适当位置上布置一定数量的监测点,提供必要的数量信息,以反映和估计系统的运行状态,是计算机在线优化管理的一个重要环节。对大规模的复杂系统,确定监测点的数量和位置,既与优化管理有关,又与投资费用有关。对这个问题的研究,也是刚刚涉及外,至今未见文献报道,国内有少数文献定性分析了测点设置问题,但主要靠经验,往往难以达到最优设置的目的,而且是针对给水管网系统为案例。

一个合理的矿井通风系统设计,应包括:(1)进、回风井个数及布置方式的确定;(2)通风方式(包括风机安装地点)的选择;(3)中段通风网络的选定;(4)风量调节装置及位置的确定;(5)网络计算给出分风结果;(6)优化调节方案。

实际上,上述(1)~(3)的内容属于系统选择问题,(4)~(6)则属于网络优化问题。矿井通风系统优化可分为两类:第一类优化问题,称之为方案内部优化,或参数优化,其实质就是上述的网络优化问题;第二类优化问题,称之为方案外部优化,或原理方案的优化,其实质就是在可能的系统方案中选择最优的方案。从目前的现状看,第一类优化问题研究得较充分,已在前面进行了讨论;而第二类优化问题研究得较肤浅,对此,在下面进行阐述。

常规通风系统设计解决的主要问题:(1)矿井通风系统选择;(2)全矿所需风量计算及风量分配;(3)全矿总风压计算;(4)通风设备的选择;(5)编制通风设计的经济部分。这些问题包括定量参数和定性参数,它们构成了通风设计的决策状态空间。

从系统科学的角度出发,认识到矿井通风系统设计具有以下特点。

(1) 设计过程在数学上是不可描述的。这是工程设计问题所具有的共同特征。它充分体现了设计过程的复杂性。一般说来,单目标或相互一致的多目标优化在数学上是可行的,在实际上是少有的。

(2) 设计的方法往往是基于知识的逻辑产生而非严格的数学归纳或演绎,设计过程中的许多方案是由设计者依据自己的知识和经验结合过去成功或失败的案例来产生的。例如,矿井规模的扩大以及风机的出现,提出了计算通风需风量以及向巷道和作业面送风的方法等问题。历史上第一个通风计算方法是以井下作业人数为依据的。后来,计算方法进一步发展,以采出矿岩量为依据,在很久以后,计算方法又以矿井的瓦斯含量为依据。

(3) 设计的处理对象往往是用图形或用数学方法难以描述的知识或经验,而这些处理对象有时往往成为确定设计方案的关键内容,因此,处理这类对象的方法已成为目前人工智能领域的重点研究内容。最典型的例子如在多风机多级机站通风系统设计中,机站级数的确定及划分、机站内风机台数、机站位置确定等,目前仍是靠设计者的经验来确定。

(4) 整体相异与局部相似性是从整个矿井出发,实际很难找到两个条件完全相同的矿井,但是局部系统却存在着这种相似性。

(5) 设计环境的复杂多变性影响矿井通风系统选择,主要有:地质地形条件、采矿方法、矿岩特性等。这些因素的主要特点是:与矿井通风系统的关系很难表达成确切的函数形式,而且有些因素具有模糊性、不完备性。设计环境的复杂多变性导致设计参数也会有很大的差异。

(6) 不确定信息繁多。

(7) 系统的开放性。

(8) 系统的动态性。

根据这些特点,可以说矿井通风系统是一个开放的复杂大系统。

1.1.5 矿井通风控制技术

矿井通风控制是一个范围很广的研究领域,长期以来人们从各个方面对此进行了大量研究。从早期局部风流流动规律的定性研究,到全矿井通风系统进行自动控制的构想,凝结着几代矿井通风安全工作者的汗水与智慧。

M. A. Tuck 从矿井通风自动控制的角度,提出了一个智能型通风控制系统的构想框架;周心权提出了矿井通风和救灾系统的构想框架。虽然这两种系统的内容有较大的差别,但它们都包括了矿井通风控制的三个主要组成部分:(1)矿井通风网络状态的监测与模拟;(2)控制方案的决策;(3)控制方案的实施。对矿井通风控制的大量研究也都可以归结为对这三个方面的研究。

国外早已实现井下风量、粉尘、有害气体、温度、湿度的自动检测,并已形成计算机管理系统,在矿井通风自动化上已取得可喜的成果。例如,瑞典布利登矿产公司(Boliden Mineral AB)在其莱斯瓦尔(Laiswall)铅锌矿,安装一套 PowerVent 计算机辅助全矿通风控制系统,地面计算机的专用矿井通风软件可直接控制与监视全部矿井的风机状况,并使风机的运转工况符合日常通风的需要,还可降低矿井电耗1/3,而且不到一年便收回了投资。相比之下,我国矿井通风系统的自动化水平是较低的。20 世纪 80 年代锡矿山矿务局南矿建立了一个包括遥控、自动检测和调节风量的集中监控系统,并采用计算机进行控制,全部投资已由所节约的电费收回。目前我国大多数矿井的通风控制仍主要是由人工进行的。有些矿井安装了遥控风门,可远距离控制风门的开与关。由人工遥控,其目的主要是为了当发生灾变时能迅速实现局部反风。现有的矿井自动风门主要是相对于行车与行人而言的,并不是根据通风控制的要求进行自动控制。风机与风窗的调节也主要靠人工完成。瓦斯、风、电闭锁与监测系统遥控则属于局部反馈控制。它们都是通过检测一些环境变量(如瓦斯浓度)的设定值来控制的。当检测值超过设定值时,则自动切断某些设备的电源,而不是控制风量的大小。

矿井通风的全自动控制是技术发展的目标。但由于自动控制系统的高昂代价和技术上还有许多问题没有解决,因此,矿井通风自动控制系统在实际矿井获得应用还有很大困难。一方面,进行全自动控制,应具备三个条件:(1)完善的风流状态监测系统;(2)性能完善的通风控制方案决策软件和计算机系统;(3)可自动控制的调节设施及控制执行系统。由于矿井生产条件复杂,作业地点分散,情况变化频繁,使通风系统不断变化,其控制系统也要随之改变。这样复杂的一个系统,不仅设备的安装、维护和管理部很费钱、费力,而且系统的可靠性也难以保证。另一方面,对矿井正常通风来说,人工安置一些简单的通风构筑物,一般就可以满足工作地点的风量要求,因此建立自动的通风控制系统,对大多数矿井来说并不是十分迫切的;对矿井灾变通风来说,由于灾变可能由许多偶然因素引起,即使建立了通风自动控制系统,也很难保证不发生事故;而且灾变对通风控制系统还有较大的破坏性,一旦控制系统受到破坏,也不能对风流状态进行有效的控制。由此看来,矿井通风的全自动控制系统在可预见的一个时期内仍将处于试验研究阶段。

目前,在国内对于在主扇的作用下新鲜风流不能达到工作地点或通风网络中出现漏风、风流短路、风流循环等问题时,一般是人工采取措施对风流的大小和方向进行调控。控制风流的措施主要有通风构筑物、辅扇、引射器等。

1.1.6 人工智能在矿井通风中的应用

矿井通风系统是一个开放的复杂大系统,若将以往对这一系统的研究方法进行归纳,可分为基于案例的求解模式、基于数学模型的求解方式和基于逻辑的求解模式三种。

(1) 基于案例的求解模式:这种方法的基本思想是根据问题的客

观环境,结合以往成功或失败的实例及设计者的知识和经验,从已有的模式中选择一个合理的方案。这种求解模式已为人们所熟知,且目前在实际设计中仍被采用。在20世纪70年代以前,矿井通风系统设计方法的研究基本上有两个方面:关于设计的准则和关于设计的案例。风机选型设计中的“最困难时期的最大风压路线”和风机反风设计中的风机反风量大于60%,似是设计准则研究的典范。大量的设计准则被写进了安全技术规范和标准,有些甚至具有法律效力,如禁止循环风的使用。设计准则一般不能作为初始方案的产生器,而只能作为给定方案的评估器。要产生设计,最有效的手段是借鉴已有的成功案例。例如,南京梅山铁矿多级机站通风系统明显地借鉴了瑞典基鲁纳铁矿的通风经验。

(2) 基于数学模型的求解模式:运筹学、系统科学和计算机的出现导致了基于数学模型的设计。在这种方法中,设计问题被看成问题求解。一个实际矿井通风系统设计问题的主要组成部分常常以简化的数学模型来代替,这个理性替代中的元素和关系必须保持原问题中所出现的主要元素和变化规律。先从这一抽象模型中求出问题的一个解答,然后把这个解答回到原问题中重新解释。建立模型的过程要重复多次,直到得出一个能提供合理的、有意义的、令人满意的解答的模型。

这种设计方法从20世纪70年代起国内外进行了广泛的研究。基于数学模型的矿井通风求解模式,就目前来看,最为活跃的体现在两个方面:矿井通风网络的优化;矿井火灾时期风流稳定性控制的定量分析。

在基于数学模型的矿井通风系统优化设计的求解模式中,各种各样的优化模型都是以研究系统某一局部问题为对象的,并且许多模型已成为解决局部问题的理想方法。矿井通风系统是一个有机的整体,优化模型的建立应以整体为对象,这是某些单一的数学方法所不能解决的。为此我们提出了将各种优化方法综合到一起的优化决策模型体系,但目前这一体系还只是各种运筹学分支的简单组合,并不完整,同时也没有考虑专家知识和经验的处理,而这部分内容又是矿井通风系统设计的重要组成部分,所以这一体系还有待于进一步完善。

(3) 基于逻辑的求解模式:基于数学模型的设计方法是定量的系

统化方法，研究者们很快发现，存在着一大类较高层次的设计问题，它们的数学模型很难建立，例如绝大多数用基于案例的方法求解过的设计问题。于是人们转而去探索定性化的工程决策方法，其结果产生了基于逻辑的设计方法，其研究思路始于20世纪80年代初期，其目的是使机器再现人类设计专家的决策行为和结果，人工智能构成了这类设计方法和实际系统的理论基础。

在矿井通风系统设计中有许多专家知识和经验需要处理，因此以知识推理为手段的优化设计方法近年来受到了人们的普遍重视，目前实现这一功能的主要是专家系统和智能型决策支持系统。

近十年来关于矿井通风系统选择方面的知识和经验，建成了一个适合我国冶金矿山矿井通风系统选择的专家系统。王省身、黄元平、周心权、李湖生和戚宜欣等对煤矿矿井火灾救灾专家系统的研究认为，专家系统在矿井通风安全决策中的应用比其他领域有较大的难度。救灾决策时，对灾变环境常常无法全面了解，所以积累的经验可能有较大的片面性。而灾变状况重复率低，火灾状态的千变万化使救灾专家积累、验证经验并使之趋于完善比较困难，其经验的规律性和普遍适用性较差。但是，毫无疑问，专家系统为矿井通风领域引入了一强有力的工具，把矿井通风系统研究推向深入。

CAD技术是AI领域中的一个重要方面。随着计算机软、硬件技术的提高，CAD技术得到了飞速发展。在矿井通风中的应用突出表现在矿井通风网络图和系统立体图的绘制及其通风管理的计算机系统上。矿井通风系统立体图的计算机绘制通过探索研究，无论是在绘图算法的基础理论方面，还是在采用计算机硬件设备及软件支持方面，均解决得比较好。对于矿井通风网络分析而言，应用网络图是方便的。近年来，国内外出现了计算机绘制网络图方面的研究成果。这样就可以把网络解算结果与通风网络图一并输出，并把结果标在图上。不过，矿井通风网络图真正自动化的计算机绘制，还没有达到令人满意的程度，其难度比绘制立体图难。通风管理计算机系统（VMCS）的主要任务是收集、整理实测资料，计算和分析数据与信息，把一些分散的、孤立的、表面看来无关紧要的信息和数据，提高到系统的、相互联系的精确到计算机水平上来，从而使决策人员通过VMCS对所处理问题能敏感地做出反映，修改和调整通风计划，及时处理存在的问题，消灭事故隐患，保证生产安全正常地进行。

近年来，计算机数据库技术、专家系统技术和图形处理技术的发展，为研究矿井通风问题开辟了新途径。当前，矿井通风系统优化综合决策技术计算机方法的研究前沿在于多种方法的综合集成，并取得了一些进展，有的方法已得到实际应用，但远不成熟。

综合集成在工程技术最终转化为生产力过程中发挥着关键作用。综合集成包括：(1)系统工程；(2)软件集成；(3)综合集成演示；(4)科学的计划管理。综合集成方法的实质是把科学理论和经验知识结合起来，把人脑思维和计算机分析结合起来，把个人决断与群体智慧结合起来，发挥综合系统的整体优势。

仔细分析近年来矿井通风系统优化综合决策技术的研究动态，可以发现，对多种优化决策方法加以集成以提高系统的可靠性，正逐渐引起大家的关注。一般来说，在一个多决策方法构成的系统中，各个决策方法的优化结果是会存在矛盾的，集成的过程，就是解决这些矛盾的过程网。而综合集成法则不仅仅是这样一个简单的过程，这种过程不仅需要考虑在系统中出现矛盾时的处理办法，而且还将人作为系统中的一员来加以集成。综合集成与集成的本质区别在于，前者强调在智能系统中人作为被集成对象的重要性，其本质是将传统的对完全自主系统的追求转变成研究人机协作为目标的智能系统。

综上所述，为全面提高矿井通风系统优化、控制和环境灾变预测的科学性及手段的先进性，有必要在已有研究的基础上，对矿井通风系统优化控制决策技术的规律性进行更全面、深入的研究，探索具有普遍意义的矿井通风系统优化控制的综合技术，建立相应的计算机辅助决策支持系统。这些研究不仅可为矿井安全开采决策提供新知识、新技术和新手段，而且还可推动矿井安全工程学科从传统的经验技术向高新的科学技术发展。

1.2　矿井通风不良的危害与防治

矿井通风系统与井下各作业地点相互联系，它对全矿通风安全状况具有全局性影响，它是搞好井下通风防尘工作的基础。我国金属矿山,于 1953 年在华铜铜矿建立了第一个机械通风系统,开始了由自然通风向机械通风的技术改造过程。20 世纪 50 年代中期,大部分金属矿山相继建立了机械通风系统,对发展生产和保护矿工安全健康,起了积极作用。但是,采用机械通风之后,如何在原有自然通风的基础上,建立起完善的机械通风系统,还缺乏经验。当时,主要是学习苏联和借鉴煤矿通风的经验,对我国金属矿山的具体条件考虑较少。因此,出现了许多与生产条件不相适应的情况。通风系统存在的突出问题是漏风大和风流串联污染,致使采矿作业面有效风量低,通风效果不佳。20 世纪 60 年代初期,许多矿山与大专院校、科研院所合作,开始针对我国金属的实际情况,探索适合矿体赋存条件和开采技术特点的合理通风系统。西华山矿的分区通风,锡矿山矿的棋盘式通风网路以及其他加强通风系统严密性和可靠性的一系列行之有效的技术措施,应运而生。1965 年召开的中国金属学会第一届矿井通风会议上,提出百余篇技术报告和研究论文,总结了通风技术经验,促进了通风技术的发展。20 世纪 70 年代中期以后,金属矿山通风系统出现了盘古山矿的梳式通风网路,大冶铁矿尖林山矿的爆堆通风网路。通风系统的研究又出现了新的发展。

1.2.1 矿井通风不良的危害

矿山生产过程中会产生大量有毒、有害气体和粉尘,矿岩中还能析出放射性和爆炸性气体。此外,由矿井通风不良所形成的高温、高湿,这些不利因素,对矿工的安全和健康造成极大的威胁。

1.2.1.1 有毒有害气体的来源

(1) 爆破时所产生的炮烟:炸药在井下爆炸后,产生大量的有毒有害气体,其种类和数量与炸药的性质、爆炸的条件与介质有关。在一般情况下,产生的主要成分大部分为一氧化碳和氮氧化合物。如果将爆破后产生的二氧化氮按 1 L 二氧化氮折合 6.5 L 一氧化碳计算,则 1 kg 炸药爆破后所产生的有毒气体(相当于一氧化碳量)为 80～120 L。

(2) 柴油机工作时产生的废气:柴油机的废气成分很复杂,它是柴油机在高温高压下燃烧时所产生的各种有毒有害气体的混合体。一般情况下有氮氧化物、含氧碳氢化合物、低碳氧化合物、油烟等，但其中的主要成分为氧化氮、一氧化碳、醛类和油烟等。柴油机排放的废气量由于受各种因素的影响，变化较大，没有统一的标准。1957年冶金工业部等召开的废气净化座谈会上，提出了坑内矿用柴油机废气排放指标，如表1-3所列。当管理不善时，柴油机释放的废气往往超过表1-3的指标，恶化井下空气。

表1-3 坑内柴油机废气排放指标

成 分	135系列柴油机/g·(kW·h)$^{-1}$	105系列柴油机/g·(kW·h)$^{-1}$
CO	10.6	10.06
NO_x	6.71	8.05
CH	1.34	1.34

(3) 硫化矿物的氧化：在开采高硫矿床时，由于硫化矿物的缓慢氧化除产生大量的热外，还会产生二氧化硫和硫化氢气体（SO_2、H_2S），如：

$$FeS_2 + 2H_2O \rightarrow Fe(OH)_2 + H_2S + S$$

$$CaS + H_2O + CO_2 \rightarrow CaCO_3 + H_2S$$

在含硫矿岩中进行爆破工作时，或硫化物矿尘爆炸、坑木腐烂以及硫化矿物水解都会产生二氧化硫和硫化氢气体。

(4) 井下火灾：当井下失火引起坑木燃烧的时候，会产生大量一氧化碳，如一架棚子（直径为0.18 m，长2.1 m的立柱两根和一根长2.4 m的横梁，体积为0.17 m^3）燃烧所产生的CO约为97 m^3，它足以使长2 km、断面4～5 m^2的巷道内的空气中CO含量达到使人致命的浓度。

在煤矿中瓦斯和煤尘爆炸，也会产生大量的一氧化碳，往往成为重大事故的主要原因。

1.2.1.2 有毒有害气体的性质

A 一氧化碳 CO

一氧化碳是无色、无味、无臭的气体，密度为0.97 g/cm^3，故能均匀地散布于空气中，不用特殊仪器不易察觉。一氧化碳微溶于水，一般化学性质不活泼，但其质量浓度在13%～75%时能引起爆炸。

一氧化碳极毒，当空气中CO质量浓度为0.4%时，在很短时间内人就会失去知觉，抢救不及时就会中毒死亡。

日常生活中的“煤气中毒”就是CO中毒。一氧化碳的毒性是因为：人体血液中的血红素是专门在肺部吸收空气中的氧气以维持人体的需要，而血红素与一氧化碳的亲和力超过它与氧的亲和力的250～300倍。由此，当人体吸入含一氧化碳的空气后，一氧化碳很快与血红素相结合，这就大大降低了血红素吸收氧的能力，使人体各部分组织和细胞产生缺氧的现象，引起窒息和血液中毒，严重时造成死亡。

一氧化碳的中毒程度和中毒快慢与下列因素有关。

(1) 空气中一氧化碳的浓度。人处于静止状态时，CO浓度与人中毒程度关系如表1-4所列。

表1-4　一氧化碳浓度与人体中毒程度的关系

中毒程度	中毒时间	CO质量浓度/$mg \cdot L^{-1}$	中毒特征
无征兆或有轻微征兆	数小时	0.2	
轻微中毒	1 h以内	0.6	耳鸣、心跳、头晕、头痛
严重中毒	0.5～1 h	1.6	头痛、耳鸣、心跳 四肢无力、哭闹、呕吐
致命中毒	短时间	5.0	丧失知觉、呼吸停顿

(2) 与含有CO的空气接触的时间。接触时间愈长，血液内CO量就愈大，中毒就愈深。

(3) 呼吸频率与呼吸深度。人在繁重工作或精神紧张时，呼吸急促，频率高，呼吸深度也大，中毒就快。

(4) 与人的体质和体格有关。人们经常处于CO略微超过允许浓度的条件下工作时，虽然短时间不会发生急性病兆，但由于血液和组织长时期轻微缺氧，以及对神经中枢的伤害，会引起头痛，胃口不好，记忆力衰退及失眠等慢性中毒病症。

B　氮氧化物NO_x

炸药爆炸可以产生大量的一氧化氮和二氧化氮，其中的一氧化氮极不稳定，遇空气中的氧即转化为二氧化氮。

二氧化氮是一种褐红色有强烈窒息性的气体。密度为1.57 g/cm^3，易溶于水，而生成腐蚀性很强的硝酸。所以它对人的眼、鼻、呼吸道及肺组织有强烈腐蚀作用，对人体危害最大的是破坏肺部组织，引起肺水肿。

二氧化氮中毒之后有较长的潜伏期，初期没有什么感觉(经过4～12 h甚至24 h以后才发生中毒征兆)，即使在危险的浓度下，初期也只是感觉呼吸道受刺激，开始咳嗽黄痰，呼吸困难，以致很快死亡。

当空气中二氧化氮质量浓度为0.004%时，2～4 h还不会引起中毒现象；当浓度为0.006%时，就会引起咳嗽，胸部发痛；当质量浓度为0.01%时，短时间内对呼吸器官就有很强烈刺激作用，咳嗽、呕吐、神经麻木；当质量浓度为0.025%时，可以很快使人窒息死亡。

C　硫化氢 H_2S

硫化氢是一种无色有臭鸡蛋味的气体。密度为1.19 g/cm^3，易溶于水。通常情况下，一个体积的水中，能够溶解2.5个体积的H_2S，故它常积存于巷道的积水中。硫化氢能燃烧，当其质量浓度达到6%时，具有爆炸性。

硫化氢具有很强的毒性，能使血液中毒，对眼睛黏膜及呼吸道有强烈的刺激作用。当空气中硫化氢的质量浓度达到0.01%时，就能使人嗅到气味，流唾液，流清鼻涕；达到0.05%时，经过0.5～1h，就能引起严重中毒；达到0.1%时，在短时间内就会有生命的危险。

D　二氧化硫 SO_2

二氧化硫是一种无色、有强烈硫磺味的气体，易溶于水，密度为2.2 g/cm^3，常存在于巷道的底部，对眼睛有强烈的刺激作用。

SO_2与水蒸气接触生成硫酸，对呼吸器官有腐蚀性，使喉咙和支气管发炎，呼吸麻痹，严重时引起肺水肿。当空气中含SO_2质量浓度为0.0005%时，嗅觉器官就能闻到刺激味；0.002%时，有强烈的刺激，可引起头痛和喉痛；0.05%时，引起急性支气管炎和肺水肿，短时间内即死亡。

E　氡及氡子体的危害

氡是一种无色、无味、透明的放射性惰性气体，其半衰期为

3.825d。一般不参加化学反应。

放射性物质在衰变过程中，会产生一定量的 α、β、γ 射线。由于这三种射线的特性不同，对人类的损伤表现也不同。α 射线穿透能力差，但电离本领很强。当它从口腔、鼻腔进入体内照射时，这种照射叫做内照射，对人体组织的危害较大，多表现为呼吸道系统疾病。β、γ 射线的穿透能力较强，它能穿透人的机体，在体外就能对人体进行照射，这种照射称为外照射。外照射所引起的损伤多表现为神经系统和血液系统的疾病。当 γ 射线的剂量很高时，还会造成死亡，但一般含铀金属矿山，含铀品位低于 0.1% 以下，γ 射线剂量不会对人体产生明显的危害。因此，对含铀矿山来说，外照射不是主要危害，主要放射性危害是内照射。

井下天然放射性元素对人体的危害，主要是氡及其氡子体衰变时所产生的 α 射线。这些含氡空气进入肺部，大部分子体沉积在呼吸道上，此时能释放 α 放射性的镭 A、镭 C 成为肺组织受到辐射剂量的直接来源，而镭 B、镭 C 的 β、γ 射线所造成的辐射剂量是微不足道的。

氡子体对肺部组织的危害，是由于沉积在支气管上的氡子体在很短的时间内把它的 α 粒子全部潜在的能量释放出来，其射程正好轰击到支气管上皮基底细胞核上，这正是含铀矿山工人患肺癌的原因之一。氡和氡子体对人体的危害程度不同，根据统计氡子体对人体所贡献的剂量，比氡对人体所贡献的剂量大 19.8 倍。因此，氡子体的危害是主要的。但氡是氡子体的母体，而没有氡就没有氡子体，从某种意义上讲，防氡更有意义。

1.2.1.3　井下污风的危害

井下污风的危害包括其对人体的危害、对机械设备的危害、对安全的影响和对巷道围岩的危害等。

A　对人体的危害

由上述可知，井下污风危害包括矿尘危害、有毒有害气体危害、放射性危害和高温高湿对人体的危害等。

矿尘对人体的危害是多方面的，其中最为普遍且最为严重的危害是尘肺病。几乎所有的粉尘都会引起尘肺病。当人体吸入粉尘后，其少部分沉积于肺泡中，在肺组织中形成纤维性病变和结节；逐步发展，肺组织部分失去弹性，则呼吸功能减退，出现咳嗽、气短、胸闷、无力等症状，严重时丧失劳动能力甚至危及生命。此外，有毒或放射性矿尘对眼、黏膜或皮肤有刺激作用。

在开采铀矿床及含铀、钍伴生的金属矿床时，放射性危害是铀矿山工人患肺癌的主要原因之一。

高温、高湿在短时间内对人体不会有什么危害，但长期接触，则会对人体产生不良影响，甚至引起病损，但一般情况下多为功能性改变，脱离接触后可以恢复，但严重时也能引起永久性不可恢复的损害。有些潮湿的深矿井内气温可达 30℃ 以上，相对湿度达 95% 以上，由于矿工长期在井下工作，对其身体健康有较大影响。长期在高温，高湿环境下劳动可使工人患湿疹或中暑，严重时会危及生命。

B 对机械设备的危害

矿井污风对机械设备的影响也是非常严重的。高浓度粉尘能加速机械的磨损，缩短精密仪器的使用寿命。井下的有毒有害气体大多呈酸性，溶于水后对机械设备有极大的腐蚀作用；而风流中氧含量的降低将影响柴油机设备的燃烧，降低其运转效率。

C 对安全的影响

在行车频繁的运输巷道中，若粉尘和有毒有害气体浓度过高会使巷道能见度降低，行车事故率升高。而矿内高温高湿的作业环境，往往使矿工处于昏昏欲睡的状态，机警能力降低，从而使事故发生率上升。据南非某金矿统计资料显示：在矿内气温为 27℃ 时，每年每 1000 人的工伤事故频率为零，而 32℃ 时则为 45。据北海道 7 个矿井的调查资料，工作面事故发生率，30℃ 以上比 30℃ 以下高 1.5～2.3 倍。

D 对巷道围岩的危害

井下湿度的升高，使得巷道围岩的壁面潮湿，从而使巷道的冒顶片帮率升高，增加了巷道的返修率，提高了矿石的开采成本。

1.2.2 矿内空气中有毒有害气体的允许浓度

井下作业地点（不采用柴油设备的矿井）有毒、有害气体浓度不得超过表 1-5 所规定的标准。

表 1-5　矿内空气中有毒有害气体最大允许浓度

气体名称	体积浓度		质量浓度
	%	ppm	$mg \cdot m^{-3}$
一氧化碳(CO)	0.0024	24	30
氮氧化物(换算为二氧化氮 NO_2)	0.00025	2.5	5
二氧化硫(SO_2)	0.0005	5	15
硫化氢(H_2S)	0.00066	0.6	10

使用柴油设备的矿井,井下作业地点有毒有害气体的浓度应符合以下规定:

一氧化碳小于 $5\times10^{-3}\%$ (50 ppm);二氧化碳小于 $5\times10^{-4}\%$ (5 ppm);甲醛小于 $5\times10^{-4}\%$ (5 ppm);丙烯醛小于 $12\times10^{-6}\%$ (0.12 ppm);铀矿山,井下空气中氡的子体潜能值不应大于 8.3×10^{-6} J/m^3。

1.2.3　矿井通风不良的防治

矿山通风的基本任务就是不断地向作业地点供给足够数量的新鲜空气,稀释和排出各种有毒、有害气体、放射性和爆炸性气体以及粉尘,调节气候条件,确保作业地点良好的空气质量,造成一个安全、舒适的工作环境,保证矿工安全和健康,提高劳动生产率。具体的防治措施如下。

(1) 矿山有毒有害气体的防治措施主要有污染源的控制和通风排除,其中污染源的控制有:1) 采用水封爆破或爆破前后在工作面喷雾洒水,控制炮烟;2) 密闭废弃巷道和采空区,密闭火区,防止有毒有害气体进入工作面;3) 柴油尾气控制。

通风排除即保持完善的矿山通风系统,它是控制矿山空气中有毒有害气体浓度的最主要、最有效的方法,也是治理有毒有害气体的首要措施。

(2) 矿尘的防治措施主要是采取综合防尘措施。由于矿井或个别尘源靠单一的防尘措施一般不能达到防尘的目的,难以确保良好的劳动环境,因此,我国科技工作者总结出防尘工作的经验,归纳了综合防尘的技术与管理措施,包括:1) 通风除尘;2) 湿式作业;3) 密闭和抽尘、净化空气;4) 改革生产工艺;5) 个体防护;6) 科学管理;7) 经常测尘,定期检查;8) 宣传教育。

(3) 矿井高温、高湿的防治措施是主要通过加强矿井通风来降低工作环境的温度与湿度。

(4) 防止矿井内爆炸性气体爆炸的措施主要有加强矿井通风和在矿井内严格控制火源两种。

2 矿井风流流动基础理论

2.1 矿井风流流动基本定律

矿井内的风流流动一般遵循风量平衡定律、风压平衡定律和阻力定律。

2.1.1 风量平衡定律(风量连续定律)

在通风网路中,流进节点或闭合回路的风量等于流出节点或闭合回路的风量,即任一节点或闭合回路风量的代数和为零,如图 2-1 和图 2-2 所示。

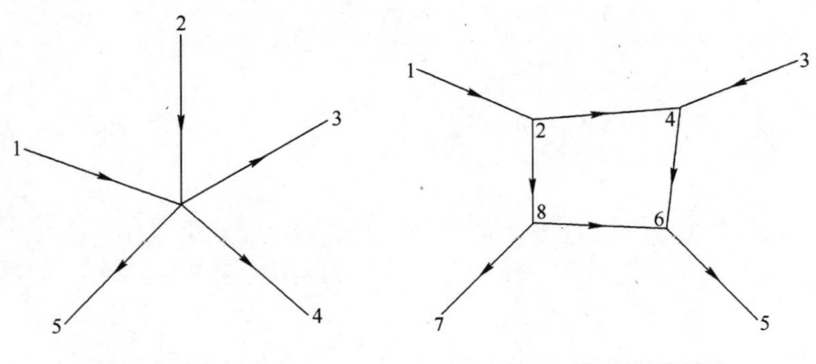

图 2-1 节点风流　　图 2-2 闭合回路风流

$$Q_1 + Q_2 = Q_3 + Q_4 + Q_5$$

或
$$Q_1 + Q_2 - Q_3 - Q_4 - Q_5 = 0 \tag{2-1}$$

$$Q_{1\sim2} + Q_{3\sim4} = Q_{6\sim5} + Q_{8\sim7}$$

或
$$Q_{1\sim2} + Q_{3\sim4} - Q_{6\sim5} - Q_{8\sim7} = 0 \tag{2-2}$$

用数学公式表示为:
$$\sum Q_i = 0 \tag{2-3}$$

式中 Q_i——流入或流出某节点的风量,m^3/s,以流入为正,流出为负。

2.1.2 风压平衡定律

在任一闭合回路中，无扇风机工作时，各巷道风压降的代数和为零，即顺时针的风压等于反时针的风压降。有扇风机工作时，各巷道风压的代数和等于扇风机风压与自然风压之和。

如图 2-3(a)所示，无扇风机工作时，则

$$h_1+h_2+h_4+h_5=h_3+h_6+h_7$$

或
$$h_1+h_2+h_4+h_5-h_3-h_6-h_7=0 \tag{2-4}$$

可用下式表示：

$$\sum h_i=0 \tag{2-5}$$

式中 h_i——闭路和回路中任一巷道风压损失，Pa，顺时针时为正，逆时针时为负。

如图 2-3(b)所示，有扇风机工作时，则

$$h_1+h_2+h_3-h_4-h_5=-h_{\mathrm{f}} \tag{2-6}$$

既有扇风机又有自然风压工作时，可用下式表示：

$$\sum h_i=\sum H_{\mathrm{f}}+\sum H_n \tag{2-7}$$

式中 H_{f}——扇风机风压，Pa；

H_n——自然风压，Pa。

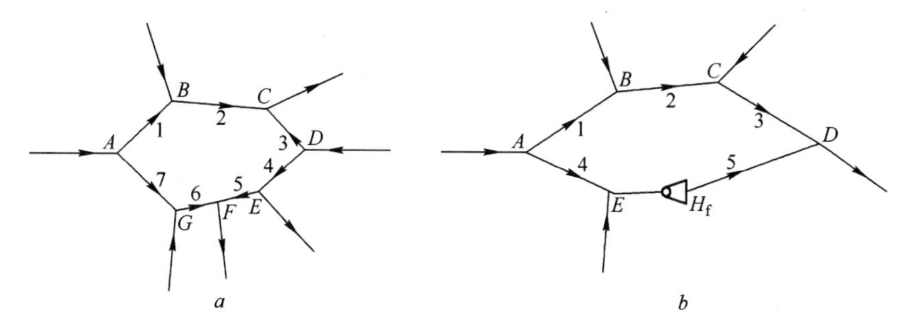

图 2-3 无扇风机闭合回路(a)和有扇风机闭合回路(b)

2.1.3 阻力定律

风流在通风网路中流动遵守阻力定律，即

$$h_i = R_i Q_i^2 \tag{2-8}$$

式中　h_i——巷道的风压降，Pa；

R_i——巷道的风阻，$N \cdot s^2/m^8$；

Q_i——巷道的风量，m^3/s。

2.2　串并联通风网路的基本性质

通风网路连接形式多种多样，其基本连接形式可分为：串联、并联和角联。

2.2.1　串联通风网路

一条巷道连接着另一条巷道，中间没有分岔，称为串联通风网路，如图 2-4 所示。串联通风网路的性质如下所述。

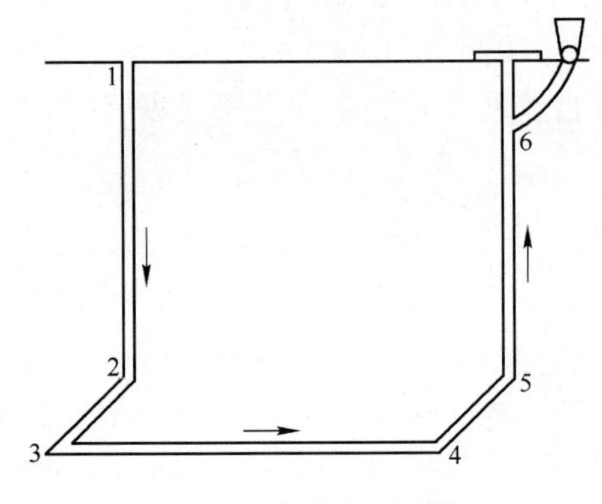

图 2-4　串联通风网路

(1) 根据风量平衡定律，在串联通风网路中，各条巷道的风量相等，即

$$Q_0 = Q_1 = Q_2 = Q_3 = \cdots = Q_n \tag{2-9}$$

(2) 根据风压损失叠加原理，串联通风网路的总风压降为各巷道风压之和，即：

$$h = h_1 + h_2 + h_3 + h_4 + \cdots + h_n \tag{2-10}$$

(3) 根据阻力定律，$h_i = R_i Q^2$。串联通风网路的总风阻等于各条巷道风阻之和。因为

$$R_0Q_0^2 = R_1Q_1^2 + R_2Q_2^2 + \cdots + R_nQ_n^2 \tag{2-11}$$

所以
$$R_0 = R_1 + R_2 + R_3 + \cdots + R_n \tag{2-12}$$

当矿井风阻用等积孔表示时,因为

$$R = \frac{1.42}{A_i^2}$$

所以
$$\frac{1.42}{A_0^2} = \frac{1.42}{A_1^2} + \frac{1.42}{A_2^2} + \frac{1.42}{A_3^2} + \cdots + \frac{1.42}{A_n^2}$$

$$\frac{1}{A_0^2} = \frac{1}{A_1^2} + \frac{1}{A_2^2} + \frac{1}{A_3^2} + \cdots + \frac{1}{A_n^2}$$

或
$$A_0 = \frac{1}{\sqrt{\frac{1}{A_1^2} + \frac{1}{A_2^2} + \frac{1}{A_3^2} + \cdots + \frac{1}{A_n^2}}} \tag{2-13}$$

串联是一种最基本的联接方式,但串联通风网路有以下缺点:

1) 总风阻大,等积孔小,通风困难。

2) 串联通风网路中各条巷道的风量是不能调节的,而且前面工作面进行作业所产生的炮烟和矿尘直接影响后面的工作面;一旦某巷道发生了火灾,就会影响其他巷道,且不易控制。因此,在进行通风设计时,或在通风管理中,应尽量避免串联通风。当条件不允许而又必须采用串联时,也应采取相应的措施,如净化风流及严格放炮制度等。

2.2.2 并联通风网路

如果一条巷道在某一节点分为两条或两条以上分支巷道,而在另一节点汇合,在通风网路中,这种连接方式称为并联通风网路。并联通风网路分为简单并联通风网路(如图 2-5 所示)和复杂并联通风网路(如图 2-6 所示)。

2.2.2.1 并联通风网路的性质

(1) 根据风量平衡定律,并串联通风网路的总风量为各分支风量之和,即

$$Q_0 = Q_1 + Q_2 + Q_3 + \cdots + Q_n \tag{2-14}$$

(2) 根据风压平衡定律,并联通风网路的总风压降等于各分支巷道的风压降,即:

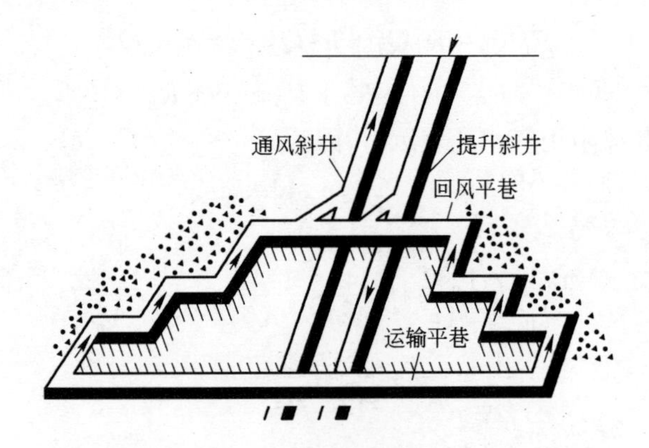

图 2-5　并联通风网路

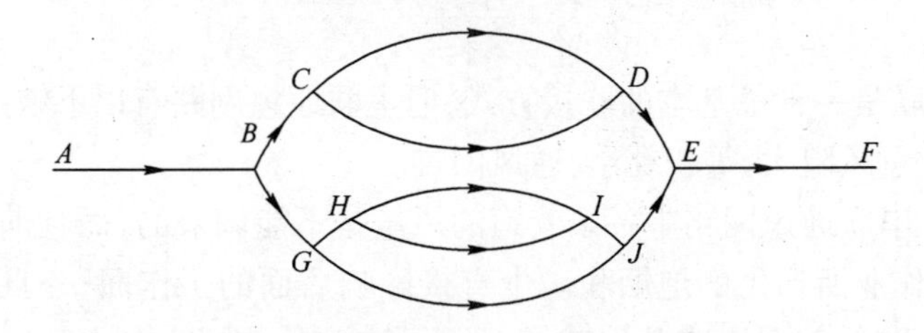

图 2-6　复杂并联网路

$$h = h_1 = h_2 = h_3 = h_4 = \cdots = h_n \tag{2-15}$$

(3) 根据阻力定律，$h_i = R_i Q_i^2$

$$Q_i = \sqrt{h_i / R_i} \tag{2-16}$$

将式(2-16)代入式(2-14)，得

$$\frac{\sqrt{h_0}}{\sqrt{R_0}} = \frac{\sqrt{h_1}}{\sqrt{R_1}} + \frac{\sqrt{h_2}}{\sqrt{R_2}} + \frac{\sqrt{h_3}}{\sqrt{R_3}} + \cdots + \frac{\sqrt{h_n}}{\sqrt{R_n}}$$

$$\frac{1}{\sqrt{R_0}} = \frac{1}{\sqrt{R_1}} + \frac{1}{\sqrt{R_2}} + \frac{1}{\sqrt{R_3}} + \cdots + \frac{1}{\sqrt{R_n}} \tag{2-17}$$

$$R_0 = \frac{1}{\left(\frac{1}{\sqrt{R_0}} = \frac{1}{\sqrt{R_1}} + \frac{1}{\sqrt{R_2}} + \frac{1}{\sqrt{R_3}} + \cdots + \frac{1}{\sqrt{R_n}}\right)^2} \tag{2-18}$$

对于两条巷道组成的并联，则

$$R_0 = R_1 / (\sqrt{R_1} / \sqrt{R_2} + 1)^2 \tag{2-19}$$

或
$$R_0 = R_2/(\sqrt{R_2}/\sqrt{R_1}+1)^2$$
当 $R_1 = R_2$ 时，则
$$R_0 = R_1/4 \quad 或 \quad R_0 = R_2/4$$
并联网路的总风阻比任一并联分支巷道的总风阻为小。

(4) 以等积孔表示井巷风阻时，则
$$A_0 = A_1 + A_2 + A_3 + \cdots + A_n \tag{2-20}$$

2.2.2.2　并联通风网路的风量自然分配

(1) 并联通风网路的风量自然分配如图 2-7 所示，根据 $h_1 = h_2$，$R_1Q_1^2 = R_2Q_2^2$ 或 $\sqrt{R_1/R_2} = Q_2/Q_1$，

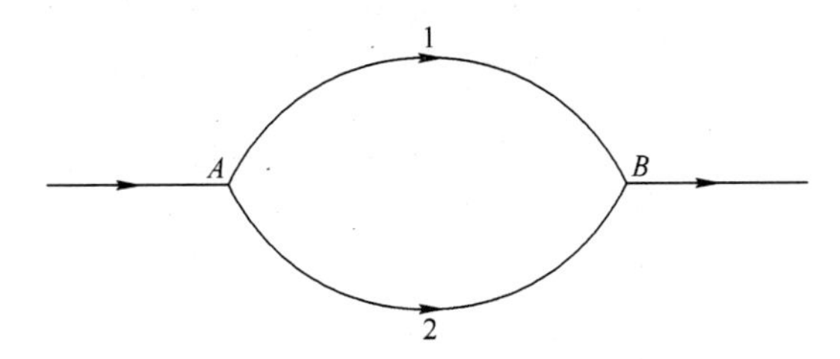

图 2-7　并联通风网路

上式左右两边各加 1，则
$$\sqrt{R_1/R_2} + 1 = Q_2/Q_1 + 1$$
$$\sqrt{R_1/R_2} + 1 = Q_0/Q_1$$
所以
$$Q_1 = Q_0/(\sqrt{R_1/R_2} + 1)$$
同理
$$Q_2 = Q_0/(\sqrt{R_2/R_1} + 1)$$
(2) 多条并联巷道的风量自然分配
$$Q_1 = \frac{Q_0}{1 + \sqrt{R_1/R_2} + \sqrt{R_1/R_3} + \cdots + \sqrt{R_1/R_n}} \tag{2-21}$$

并联通风网路与串联通风网路相比较，有很多优点。首先，并联通风网路的总风阻，比任一分支巷道的风阻要小；其次，各分支巷道的风流是独立的，通风效果好，并能进行风量调节；当某一分支巷道发生火灾时，易于控制，因此在实际工作中，应尽量采用并联通风网路。

2.2.3 角联通风网路

角联通风网路是在两并联巷道中间有一条联络巷道，使一侧巷道与另一侧巷道彼此相连所构成的网路，如图 2-8 所示。起联接作用的巷道称为对角巷道，如图 2-8 中的 *BC* 巷道。

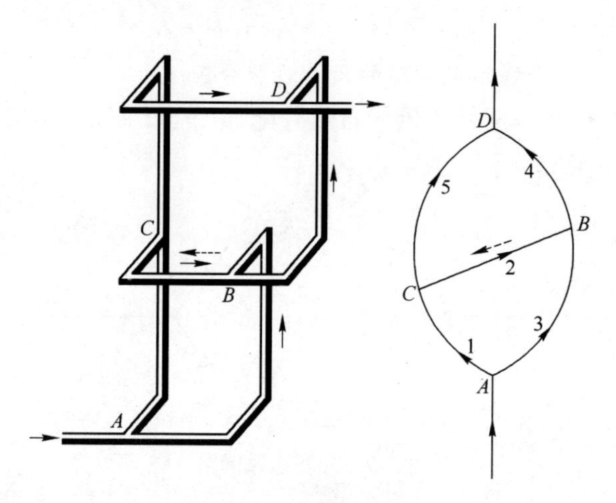

图 2-8 简单角联

构成角联通风网路的两支并联巷道，称为边缘巷道。如图 2-8 中巷道 *AB*、*BD*、*AC*、*CD* 以及图 2-9 中的巷道 *AB*、*BC*、*CD*、*AE*、*EF*、*FD* 都是边缘巷道。仅一条对角巷道的通风网路，称为简单角联通风网路；有两条以上对角巷道的通风网路则为复杂角联网路。

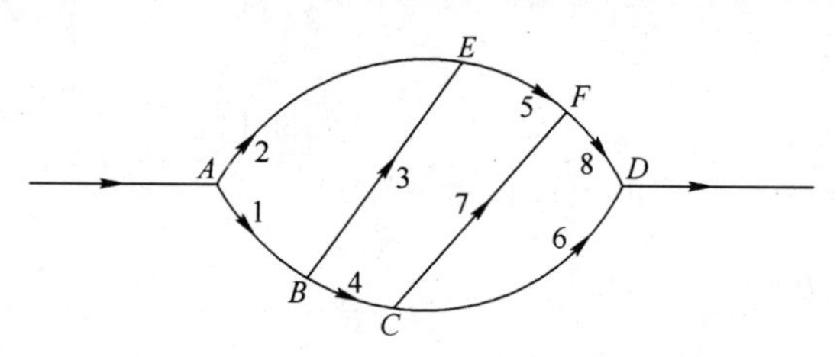

图 2-9 复杂角联通风网路

边缘巷道风流方向是稳定的，而对角巷道中风流方向是不稳定的，它随着两侧边缘巷道风阻的变化而变化，可能出现无风和反风的现象，因此给通风管理工作带来了不少麻烦。在通风网路设计中应设法避免，在日常通风管理中应注意控制。

2.2.3.1　对角巷道风流方向的判断

对角巷道风流方向的判断是解算角联通风网路重要的一步。对角巷道风流方向有以下三种情况：

(1) 在图 2-8 的对角巷道中，当 B、C 两点的压力相等(或者说 B、C 两点无风压差存在)时，B、C 间无风流流动，即

$$h_{AC}=h_{AB};\ h_{BD}=h_{CD}$$

以上两式相除得

$$\frac{h_{AC}}{h_{BD}}=\frac{h_{AB}}{h_{CD}}$$

或

$$\frac{R_3Q_3^2}{R_4Q_4^2}=\frac{R_1Q_1^2}{R_5Q_5^2}$$

因 $Q_2=0$，所以 $Q_3=Q_4$，$Q_1=Q_5$ 则

$$R_3/R_4=R_1/R_5 \tag{2-22}$$

由上式得出：当角联通风网路中左侧边缘巷道在对角巷道前的风阻与对角巷道后的风阻之比等于右侧边缘巷道相应的巷道风阻之比时，则对角巷道中无风流流动。

(2) 对角巷道中，当 B 点的压力大于 C 点的压力，或巷道 AC 的风压降大于巷道 AB 的风压降时，风流由 B 点流向 C 点。

在 ABC 回路中，　　$h_{AC}=h_{AB}+h_{BC}$

即 $h_{AC}>h_{AB}$；$R_1Q_1^2>R_3(Q_2+Q_4)^2$

或

$$\frac{R_1}{R_3}>\frac{(Q_2+Q_4)^2}{Q_1^2} \tag{2-23}$$

在 BCD 回路中，　　$h_{BD}=h_{CD}+h_{BC}$

即 $h_{BD}>h_{CD}$；$R_4Q_4^2>R_5(Q_1+Q_2)^2$

或

$$\frac{Q_4^2}{(Q_1+Q_2)^2}>\frac{R_5}{R_4} \tag{2-24}$$

由不等式(2-23)和式(2-24)得出：$(Q_2+Q_4)^2>Q_4^2$，$(Q_1+Q_2)^2>Q_1^2$

则
$$\frac{(Q_2+Q_4)^2}{Q_1^2}>\frac{Q_4^2}{(Q_1+Q_2)^2}$$

所以

$$R_1/R_5>R_3/R_4 \quad 或 \quad R_1/R_3>R_5/R_4 \tag{2-25}$$

(3) 对角巷道中,当风流由 C 点流向 B 点时,同上可得:

$$R_1/R_3>R_5/R_4 \quad 或 \quad R_1/R_3>R_3/R_4 \tag{2-26}$$

由此可得结论,当角联通风巷道的一侧分流中,对角巷道前的巷道风阻与对角巷道后的巷道风阻之比,大于另一侧分流相应巷道风阻之比,则对角巷道中的风流流向该侧;反之,流向另一侧。

从式(2-22)～式(2-26)三式可看出,确定对角巷道风流方向,主要取决于对角巷道前后各边缘巷道风阻的比值,而与对角巷道本身风阻大小无关。因此,要改变对角巷道的风流方向,应改变边缘巷道风阻的配比关系,才能达到目的。

2.2.3.2 角联网路的利弊

根据我国冶金矿山多年来的实践经验,从实际通风效果来看,可以把对角巷道分为无害角联和有害角联。

当通风网路中对角巷道方向改变时,并未引起工作面风流方向改变或未造成一般在回风道与回风道之间,进风道与进风道之间的对角巷道,如图 2-10 中的巷道 1-2 和巷道 3-4 都是无害巷道。

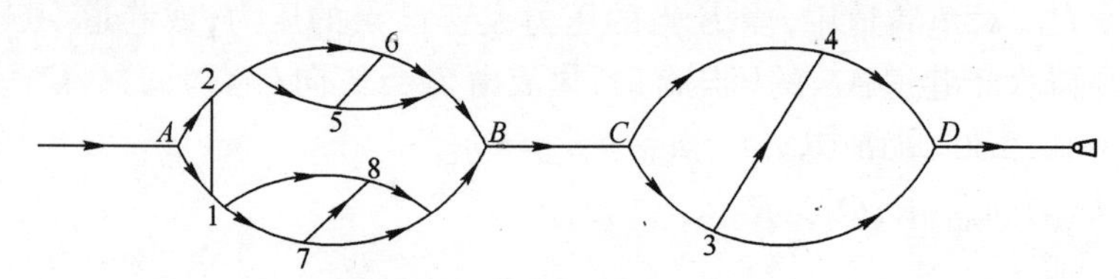

图 2-10 有害角联和无害角联

由于边缘巷道风阻比例关系变化,会引起工作面风流方向改变或造成灾害性影响的角联巷道,称为有害角联。在进风道(或回风道)与工作面之间,工作面与工作面之间的对角巷道(如图 2-10 中的巷道 5-6、7-8),都是有害角联。

在分析通风网路时无害角联可以保留,而有害角联应当尽量避免。当出现有害角联时,应采取以下措施:

(1) 改变边缘巷道的风阻配比(如扩大断面,清理障碍物,加风窗等),以保持对角巷道风流方向的稳定性。

(2) 利用辅扇扭转风流方向。

(3) 改变网路结构,变角联通风网路为并联通风网路。

2.3 流体流动的能量方程及应用

矿内风流运动的能量方程式是研究矿井通风动力与阻力之间的关系以及进行矿井通风阻力测算的理论基础。

2.3.1 不可压缩性实际流体能量方程式及其在矿井通风中的应用

气体是可压缩的。气体的可压缩性表现在密度发生变化。矿内风流的压缩与膨胀主要是由于井筒深度变化而引起的。千米深的矿井,空气密度的变化约为6%~8%。在一般情况下,将矿内风流视为非压缩性流体来对待,在通风工程计算中,不会引起明显的差错。对于深热矿井,则需考虑风流的压缩性及其热力变化过程。

实际流体具有黏性,在流动中有阻力,因而造成风流流动过程中的能量损失。在管路中单位体积实际流体的运动微分方程式有如下形式:

$$\frac{\mathrm{d}p}{\mathrm{d}l}+\frac{\mathrm{d}}{\mathrm{d}l}\left(\frac{\rho v^2}{2}\right)+\frac{\mathrm{d}(\rho g z)}{\mathrm{d}l}=\frac{\mathrm{d}h}{\mathrm{d}l} \tag{2-27}$$

式中 p——单位体积流体的压能,表现为静压,Pa;

v——流体的平均流速,m/s;

z——流体距某一基准面的垂直高度,m;

l——流体流经的路程,m;

g——重力加速度 $\mathrm{m^2/s}$;

ρ——流体的密度,$\mathrm{kg/m^3}$;

h——单位实际流体的压力损失,或称阻力,Pa。

不可压缩性流体的密度可视为常量。将式(2-27)沿管路长度进行积分,可得单位体积不可压缩性实际流体的能量方程:

$$(p_1-p_2)+\left(\frac{\rho \bar{v}_1^{2}}{2}-\frac{\rho \bar{v}_2^{2}}{2}\right)+(\rho g z_1-\rho g z_2)=h_{1、2} \tag{2-28}$$

式中符号同前。$h_{1、2}$表示单位体积流体在1、2两断面间克服阻力所损失的能量,在矿井通风中称为通风阻力。

上式适用于在同一断面上风速保持均匀一致,在这种情况下,通常以断面平均流速计算动能。按平均流速计算的动能总和与按断面上各点实际流速计算的动能总和的之间是有差别的。为了校正这个差别,在能量方程的动能项上应乘以校正系数 K。动能校正系数 K 的数值,通常变化于 1.05~1.10,其大小决定于管道的粗糙度。在矿井通风的应用上,由于动能项在三项能量中的数值并不大,可近似取 $K=1$,即可以不进行上述校正。

如上所述,矿内空气密度的变化较小,在矿井通风工程计算中,可以把它看作常量。但是,为了更真实地反映出各地点的能量值,在 1、2 两不同断面处(图 2-11),各用不同的空气密度 ρ_1、ρ_2 代替平均密度 ρ,用以分别计算该断面上风流的平均动能;而以 1、2 两断面到基准面空气柱的平均密度 ρ_{m1}、ρ_{m2}分别计算各该断面风流的平均能量。可将式(2-28)改写成适合矿井通风应用的形式。

$$(p_1-p_2)+\left(\frac{\rho_1 v_1^2}{2}-\frac{\rho_2 v_2^2}{2}\right)+(\rho_{m1}gz_1-\rho_{m2}gz_2)=h_{1、2} \quad (2\text{-}29)$$

式中 p_1、p_2——断面 1、2 处单位体积流体的压能,表现为静压,Pa;

$\frac{\rho_1 v_1^2}{2}$、$\frac{\rho_2 v_2^2}{2}$——断面 1、2 处单位体积流体的动能,表现为动压,Pa;

$\rho_{m1}gz_1$、$\rho_{m2}gz_2$——断面 1、2 处单位风流的位能,Pa。其中 ρ_{m1}、ρ_{m2}是 1、2 两断面到基准面之间空气柱的平均密度,z_1、z_2 是两断面距基准面的垂直高度。

上式表明,两断面之间的压能、动能与位能之差的总和,等于风流由断面 1 到断面 2 克服井巷阻力所损失的能量。风流总和是由总能量大的地方流向总能量小的地方。风流的静压和动压可用压力计直接测得其值。但是风流位能却是一种潜在的能量,不能直接表现为某一压力值,也无法用压力计直接测得其大小,只能根据该断面到基准面的垂直高度,即由该断面到基准面间空气柱的平均密度进行计算,或者用胶皮管和压差计间接地测定两断面的位能差。

当风流由井巷某一断面流到另一断面时,因克服井巷阻力而损失一部分能量。损失的能量实质上转化为由于风流摩擦和冲击而产生的

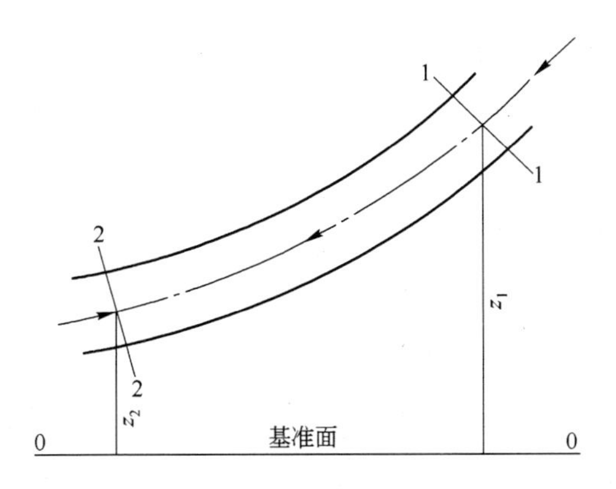

图 2-11 风流的能量关系

热能,并传给井巷和风流本身。风流沿井巷的流动过程,就是通风压力与通风阻力之间转化的过程。

2.3.2 可压缩性实际流体能量方程

在管路中单位质量实际流体微分方程式有如下形式:

$$\frac{1}{\rho}\times\frac{\mathrm{d}p}{\mathrm{d}l}+\frac{\mathrm{d}}{\mathrm{d}l}\left(\frac{v_2}{2}\right)+\frac{\mathrm{d}}{\mathrm{d}l}(gz)=\frac{\mathrm{d}w}{\mathrm{d}l} \tag{2-30}$$

式中 w——单位质量流体的能量损失,J/kg。

可压缩性气体的密度 ρ 是一个变量,它是气体压力的函数。沿风流流动方向,对距离为 1 的任何两断面 1、2 进行积分,可得:

$$-\int_1^2\frac{\mathrm{d}p}{\rho}+\frac{\bar{v}_1^2-\bar{v}_2^2}{2}+g(z_1-z_2)=w_{1、2} \tag{2-31}$$

式中,$-\int_1^2\frac{\mathrm{d}p}{\rho}$ 项是质量为 1 kg 的空气,从断面 1 的热力状态变化到断面 2 的热力状态,其总压能的变化量等于流动过程中压能的变化量与风流因压缩或膨胀而引起的能量变化的总和。由于在不同的热力变化过程中,p 与 ρ 之间存在着不同的变化关系,因此,只有确定了风流运动属于何种热力过程以后,才能求解积分项 $-\int_1^2\frac{\mathrm{d}p}{\rho}$。一般地说,对于较深的矿井,其热力变化多属于多变过程,即 p 与 ρ 之间存在如下关系:

$$\frac{p}{\rho^m}=C \tag{2-32}$$

式中　m——多变指数(在矿内,m 变化于 1~1.41 之间);

C——常数。

上式可变换成　　$\frac{1}{\rho}=C^{\frac{1}{m}}p^{-\frac{1}{m}}$

将此关系代入方程式(2-31)左边第一项,则

$$-\int_1^2\frac{\mathrm{d}p}{\rho}=\frac{m}{m-1}\times\frac{p_2}{\rho_2}\left[\left(\frac{p_2}{\rho_2}\right)^{\frac{m-1}{m}}-1\right]\tag{2-33}$$

由此可得单位质量风流在多变过程中的能量方程式:

$$\frac{m}{m-1}\times\frac{p_2}{\rho_2}\left[\left(\frac{p_2}{\rho_2}\right)^{\frac{m-1}{m}}-1\right]+\frac{v_1^2-v_2^2}{2}+g(z_1-z_2)=w_{1、2}\tag{2-34}$$

此外,空气密度 ρ 与比容 V 之间成倒数关系,即 $-\int_1^2\frac{\mathrm{d}p}{\rho}=-\int_1^2V\mathrm{d}p$。也可用以 p 与 V 为坐标的热力图形的面积来求算风流总压能的变化量,如图 2-12 所示,横坐标以 V 量度,纵坐标以 p 量度。假若空气在井巷中从 1 点到 2 点自下而上流动($\mathrm{d}p<0$),则图中条带状微小面积为:$\mathrm{d}L=-V\mathrm{d}p$,积分后可得:

$$L=-\int_1^2V\mathrm{d}p\tag{2-35}$$

上式中 L 为 1 kg 空气由 1 点状态变化到 2 点状态后因空气总压能变化所做的功。$L=w_{1、2}$。L 值的大小可由热力变化图形中画有斜线部分面积而求得。

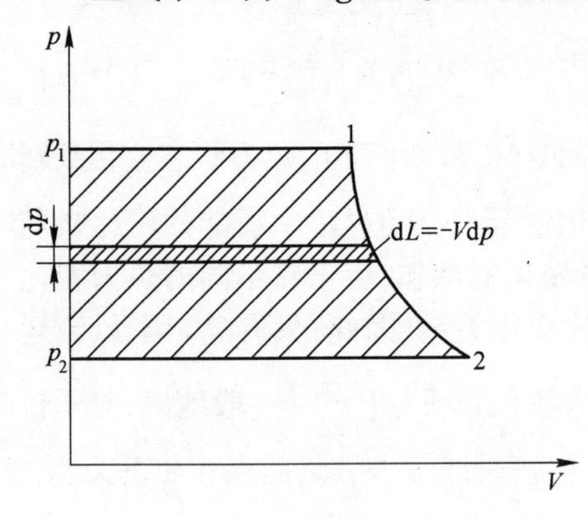

图 2-12　风流的热力变化图

虽然在已知压力 p_1、p_2 及比容 V_1、V_2 条件下,可在热力变化图形上确定 1、2 两点的位置,但是,由于 1、2 两点间曲线的形状不同,即热力变化过程的不同,其所做的功 L 值的大小也会有所不同。在矿井

通风中,由于相邻测点间的压力 p 与比容 V 变化范围有限,所以无论按哪一种热力变化过程,其代表热力变化过程的曲线,实际上与直线相差无几。因此,在热力变化图形上确定了1、2点的位置后,以一个连接两点的直线来代替热力变化过程曲线,对于计算结果影响不大。

2.4 矿山井巷中的风流结构

矿山风流属于紊流运动状态,遵循非压缩性流体紊流运动的基本规律。本节应用紊流运动分析研究矿山井巷中的风流结构。

紊流运动中,流速与压力都随时间不断改变,出入于某一平均值的上下。对于紊流流动的计算,通常不依给定瞬时流动要素的实际值,而是按这些流动要素的某种平均值(时均值)来进行。流体力学中,对于紊流运动,采用时均化原则。

2.4.1 流速的时均化

在时均化时期 t_0 内,选择一种常值流速作为一点处的时均流速 $\bar{v}$。在时均化时期内,以该流速通过给定点的基元面积的流体体积,等于同一时期通过同一面积的真实流体体积,则时均流速 $\bar{v}$ 为:

$$\bar{v} = \frac{\int_0^{t_0} v \mathrm{d}t}{t_0} \tag{2-36}$$

式中 v——真实流速,m/s;

$\mathrm{d}t$——时间增量,s。

2.4.2 应力的时均化

在时均化时期 t_0 内,选择一种常值压力作为一点处的时均压力 $\bar{p}$。在时间 t_0 内,以该压力作用在给定点附近基元面积上的法向作用力的冲量,等于在同一时期内作用在同一面积上法向作用力的真实冲量,时均切应力为:

$$\bar{p} = \frac{\int_0^{t_0} p \mathrm{d}t}{t_0} \tag{2-37}$$

类似于时均压力,时均切应力 $\bar{\tau}$ 也可以用同样方法求得:

$$\bar{\tau} = \frac{\int_0^{t_0} \tau \mathrm{d}t}{t_0} \tag{2-38}$$

式中 p——瞬时的真实压力，Pa;

τ——瞬时的真实切应力，Pa。

与上述时均化相联系,还需引入脉动增量的概念。在给定瞬时,一点处的真实流速 v 与该点处的时均流速 $\bar{v}$ 之差,称为流速的脉动增量或简称脉动流速 v'。即 $v' = v - \bar{v}$ 或 $v = \bar{v} + v'$;应力和切应力的脉动增量 $p' = p - \bar{p}$,$\tau' = \tau - \bar{\tau}$。脉动增量的时均值恒等于零。

流体由层流转变到紊流,其力学性质并不改变。对层流运动的纳维－斯托克斯(Naviar-Stokes)方程的各项参数进行时均化后得可用于紊流运动不可压缩流体的纳维－斯托克斯方程:

$$\frac{\mathrm{d}v}{\mathrm{d}t} = X - \frac{1}{\rho} \times \frac{\partial p}{\partial x} + \nu \nabla^2 v \tag{2-39}$$

式中 X——在 x 轴方向单位质量流体的质量力,m/s²;

$\frac{1}{\rho} \times \frac{\partial p}{\partial x}$——单位质量流体的法向表面力,m/s²;

$\frac{\partial p}{\partial x}$——压力梯度,Pa/m;

$\nu \nabla^2 v$——单位质量流体的黏性力,m/s²;

ν——流体的运动黏性系数,m²/s;

∇^2——拉普拉斯算子,$\nabla^2 = \frac{\partial^2}{\partial x^2} + \frac{\partial^2}{\partial y^2} + \frac{\partial^2}{\partial z^2}$;

$\frac{\mathrm{d}v}{\mathrm{d}t}$——单位质量流体的惯性力,m/s²。

将上式左边惯性力项展开,并加以变换,得:

$$\begin{aligned}\frac{\mathrm{d}u}{\mathrm{d}t} &= \frac{\partial u}{\partial t} + u\frac{\partial u}{\partial x} + v\frac{\partial u}{\partial y} + w\frac{\partial u}{\partial x} \\ &= \frac{\partial u}{\partial t} + \frac{\partial}{\partial x}(uu) + \frac{\partial}{\partial y}(uv) + \frac{\partial}{\partial z}(uw) - u\left(\frac{\partial u}{\partial x} + \frac{\partial v}{\partial y} + \frac{\partial w}{\partial z}\right)\end{aligned} \tag{2-40}$$

式中 u、v、w——在 x、y、z 轴向上的流速分量,m/s。

对于非压缩性流体

$$\frac{\partial u}{\partial x} + \frac{\partial v}{\partial y} + \frac{\partial w}{\partial z} = 0 \tag{2-41}$$

因此,式(2-40)右边最后一项为零。将该式代入式(2-39),可得纳维-斯托克斯方程另一表达形式:

$$\frac{\partial u}{\partial t}+\frac{\partial}{\partial x}(uu)+\frac{\partial}{\partial y}(uv)+\frac{\partial}{\partial z}(uw)=X-\frac{1}{\rho}\frac{\partial p}{\partial x}+v\,\nabla^2 u \quad (2\text{-}42)$$

对式(2-42)中各项参数进行时均化,整理后可得:

$$\frac{\partial}{\partial x}(\bar{u}\bar{u})+\frac{\partial}{\partial y}(\bar{u}\bar{v})+\frac{\partial}{\partial z}(\bar{u}\bar{w})+\frac{\partial}{\partial x}(\bar{u}'\bar{u}')+\frac{\partial}{\partial y}(\bar{u}'\bar{v}')+\frac{\partial}{\partial z}(\bar{u}'\bar{w}')=\bar{X}-\frac{1}{\rho}\frac{\partial p}{\partial x}+v\nabla^2\bar{u} \quad (2\text{-}43)$$

将上式中黏性力项 $v\nabla^2\bar{u}$ 展开,并考虑到非压缩性流体的密度为常量,经整理后可得非压缩性黏性流体紊流运动的微分方程式如下:

$$\begin{aligned}
&\frac{\partial}{\partial x}(\bar{u}\bar{u})+\frac{\partial}{\partial y}(\bar{u}\bar{v})+\frac{\partial}{\partial z}(\bar{u}\bar{w})\\
&=\bar{X}-\frac{1}{\rho}\frac{\partial \bar{p}}{\partial x}+\frac{1}{\rho}\frac{\partial}{\partial x}\left(\mu\frac{\partial \bar{u}}{\partial x}-\rho\overline{u'u'}\right)+\frac{1}{\rho}\frac{\partial}{\partial y}\left(\mu\frac{\partial \bar{u}}{\partial y}-\rho\overline{u'v'}\right)\\
&\quad+\frac{1}{\rho}\frac{\partial}{\partial z}\left(\mu\frac{\partial \bar{u}}{\partial z}-\rho\overline{u'w'}\right)+\frac{\partial}{\partial x}(\bar{v}\bar{u})+\frac{\partial}{\partial y}(\bar{v}\bar{v})+\frac{\partial}{\partial z}(\bar{v}\bar{w})\\
&=\bar{Y}-\frac{1}{\rho}\frac{\partial \bar{p}}{\partial y}+\frac{1}{\rho}\frac{\partial}{\partial x}\left(\mu\frac{\partial \bar{v}}{\partial x}-\rho\overline{u'v'}\right)+\frac{1}{\rho}\frac{\partial}{\partial y}\left(\mu\frac{\partial \bar{v}}{\partial y}-\rho\overline{v'v'}\right)\\
&\quad+\frac{1}{\rho}\frac{\partial}{\partial z}\left(\mu\frac{\partial \bar{v}}{\partial z}-\rho\overline{v'w'}\right)+\frac{\partial}{\partial x}(\bar{w}\bar{u})+\frac{\partial}{\partial y}(\bar{w}\bar{v})+\frac{\partial}{\partial z}(\bar{w}\bar{w})\\
&=\bar{Z}-\frac{1}{\rho}\frac{\partial \bar{p}}{\partial z}+\frac{1}{\rho}\frac{\partial}{\partial x}\left(\mu\frac{\partial \bar{w}}{\partial x}-\rho\overline{w'u'}\right)+\frac{1}{\rho}\frac{\partial}{\partial y}\left(\mu\frac{\partial \bar{w}}{\partial y}-\rho\overline{w'v'}\right)\\
&\quad+\frac{1}{\rho}\frac{\partial}{\partial z}\left(\mu\frac{\partial \bar{u}}{\partial z}-\rho\overline{w'w'}\right)+\frac{\partial}{\partial x}(\bar{u}\bar{u})+\frac{\partial}{\partial y}(\bar{u}\bar{v})+\frac{\partial}{\partial z}(\bar{u}\bar{w})
\end{aligned}$$

式中 $\bar{u}$、$\bar{v}$、$\bar{w}$——在 x、y、z 轴向,时均流速的分量,m/s;

$\bar{u}'$、$\bar{v}'$、$\bar{w}'$——在 x、y、z 轴向,脉动流速的分量,m/s;

X、Y、Z——在 x、y、z 轴向,质量力的分量,m/s^2;

μ——流体的黏性系数,$N \cdot s/m^2$。

此式称雷诺紊流运动方程式。将雷诺方程与纳维-斯托克斯方程相比较,前者较后者多出某些项。这说明紊流流动较层流多了一些附加应力,这些应力称为紊流附加应力。共有以下九个分量:$-\rho\overline{u'u'}$,$-\rho\overline{u'v'}$,$-\rho\overline{u'w'}$,$-\rho\overline{v'u'}$,$-\rho\overline{v'v'}$,$-\rho\overline{v'w'}$,$-\rho\overline{w'u'}$,$-\rho\overline{w'v'}$,$-\rho\overline{w'w'}$。其中 $-\rho\overline{u'u'}$,$-\rho\overline{v'v'}$、$-\rho\overline{w'w'}$ 三个量是紊流附加法向应力,其余六个量为紊流附加切向应力。

紊流流体在等截面水平圆管中流动时,雷诺方程可简化:

(1) 把时均流速看成稳定的,时均流速随时间的变量为零;

(2) 作用在运动流体上的外质量力只有重力,即 $\overline{X}=0,\overline{Y}=0,\overline{Z}=-g$,$g$ 为重力加速度,m/s²;

(3) 流体流动方向与 x 轴平行并重合,在 y、z 轴方向上,时均流速为零,即 $\overline{v}=0,\overline{w}=0$;

(4) 在流动方向相垂直的横截面上,平均流速分布是相似的,即各速度参量随 x 轴变化为零

$$\frac{\partial u}{\partial x}=0,\frac{\partial(\rho\overline{u'u'})}{\partial x}=0,\frac{\partial(\rho\overline{u'v'})}{\partial x}=0,\frac{\partial(\rho\overline{u'w'})}{\partial x}=0;$$

(5) 对中心轴而言,流体的流动是对称的,即在 y,z 轴各对应点处,流速相似,$\frac{\partial\overline{u}}{\partial y}=\frac{\partial\overline{u}}{\partial z},\frac{\partial^2 u}{\partial y^2}=\frac{\partial^2 u}{\partial z^2}$;

(6) 流体不可压缩,$\frac{\partial\overline{u}}{\partial x}+\frac{\partial\overline{v}}{\partial y}+\frac{\partial\overline{w}}{\partial z}=0$。

根据上述限制条件,雷诺方程可简化成:

$$-\frac{\partial\overline{p}}{\partial x}+2\frac{\partial}{\partial z}\left(\mu\frac{\partial\overline{u}}{\partial z}-\rho\overline{u'w'}\right)=0 \tag{2-44}$$

$$-\frac{\partial\overline{p}}{\partial y}-\frac{\partial}{\partial y}(\rho\overline{v'v'})=0 \tag{2-45}$$

$$-\rho g-\frac{\partial\overline{p}}{\partial z}-2\frac{\partial}{\partial z}(\rho\overline{w'w'})=0 \tag{2-46}$$

此方程组的后两个方程表明,流体静压力在 y、z 轴方向的分布规律不同于静水压力分布。然而,大量的试验结果表明,时均静压力的分布规律与静水压力分布规律只有很小的差异,故在实际计算中,可取:

$$\frac{\partial\overline{p}}{\partial y}=0,\ \rho g+\frac{\partial\overline{p}}{\partial z}=0$$

即可以认为,轴方向脉动速度的平方值在该轴线方向上是不变的,即

$$\frac{\partial(\rho\overline{v'v'})}{\partial y}=0,\ \frac{\partial(\rho\overline{w'w'})}{\partial z}=0$$

在方程式(2-44)的第一行中,$\frac{\partial\overline{p}}{\partial x}$是沿 x 轴方向的压力变化,在均匀管道中为常量,并与 z 轴无关。

$$-\frac{\partial\overline{p}}{\partial x}=\rho gJ \tag{2-47}$$

式中 J——单位长度上的压力降,可称为比降或水力坡度,无因次。

将式(2-47)代入方程式(2-44)第一行中,得:

$$\frac{\rho gJ}{2}+\frac{\partial}{\partial z}\left(\mu\frac{\partial\bar{u}}{\partial z}-\overline{\rho u'w'}\right)=0$$

对 z 轴进行积分后,得: $\frac{z\rho gJ}{2}+\mu\frac{\partial\bar{u}}{\partial z}=\overline{\rho u'w'}$ (2-48)

紊流运动中,流体内部的切应力由两部分组成:一部分是由于各流体层之间相对运动引起的,其大小按牛顿内摩擦定律计算,另一部分是由于流体混杂运动引起的,其大小为$\overline{\rho u'w'}$。紊流中的切应力 τ 可按下式表示:

$$\tau=-\mu\frac{\mathrm{d}\bar{u}}{\mathrm{d}z}+\overline{\rho u'w'} \tag{2-49}$$

将此关系代入式(2-48),可得:

$$\frac{z\rho gJ}{2}=\tau \tag{2-50}$$

式(2-48)及式(2-50)均为水平圆管中流体紊流运动的基本方程式。

2.5 井巷风速分布规律

矿山井巷多为梯形、拱形、方形或圆形,大体上近似圆形。为研究问题方便起见,以圆形巷道作为分析研究的基础。井巷中的风流可划分为两部分。靠近巷道边壁有一层很薄的层流边层,大部分断面上充满着紊流风流,其风速大于边界风速,并由巷道壁向轴心方向逐渐增大。研究中,将大于边界风速的那部分称为紊流风速,以 $\bar{u}_i$ 表示。巷道风速 $\bar{u}_{bi}$等于边界风速u_b与紊流时均风速 $\bar{u}_i$ 之和。即:

$$\bar{u}_{bi}=u_b+\bar{u}_i \tag{2-51}$$

紊流风速是脉动的,以 u_i 表示轴向的真实风速,以 u_i'表示轴向的脉动风速,以 w_i'代表径向的脉动风速。在轴方向则有:

$$u_i=\bar{u}_i+u_i' \tag{2-52}$$

在径向方向则有:

$$w_i=w_i' \tag{2-53}$$

式中 w_i——径向的真实风速,m/s。

水平圆管巷道中,风流紊流运动的基本方程式可应用式(2-48)。该式等号左边第一项为风流由断面Ⅰ流到断面Ⅱ的压力降。第二项是由流体黏性而引起的内摩擦力。等号右边的 $\rho\overline{u'_i w'_i}$项是由于紊流脉动而引起的紊流切应力。对于像空气这样黏度很小的流体,黏性的作用仅在靠近巷道边壁很薄的一层内起主导作用,少许离开巷道壁远一些,黏性力作用已经很小。实际上主要是紊流切应力的作用。在井巷风速分布研究中,将黏性力项忽略不计,式(2-48)简化成:

$$\frac{r\rho gJ}{2}=\rho\overline{u'_i w'_i} \tag{2-54}$$

式中 r——巷道断面上某点距巷道轴心的距离,m。

从矿井通风工程应用的角度来看,风流脉动速度 u'_i 与 w'_i 在实际计算中不能应用,必须建立起脉动风速和它们的乘积$\overline{u'_i w'_i}$与时均速度$\overline{u'_i}$或它的导数$\frac{\mathrm{d}\,\overline{u_i}}{\mathrm{d}r}$之间的关系。

根据东北大学通风实验室的测定资料和对矿山巷道紊流风流排烟过程的实际观察,井巷中的紊流风流具有强烈的不规则的扰动,扰动的尺度与巷道横截面的尺寸成比例。在靠近巷道边壁附近,扰动气流受边壁的限制,趋于平行巷道壁而流动,其横行脉动分量逐渐减小,纵向脉动分量逐渐增大。在巷道中心附近,横向脉动风速有所降低的原因是由于各扰动气流互相影响的结果。假定紊流切应力 $\rho\overline{u'_i w'_i}$是巷道横截面直径d、紊流时均风速$\overline{u_i}$和紊流时均流速随巷道半径的变化率$\frac{\mathrm{d}\,\overline{u_i}}{\mathrm{d}r}$的函数,即:

$$\rho\overline{u'_i w'_i}=\rho f\left(d,\overline{u_i},\frac{\mathrm{d}\,\overline{u_i}}{\mathrm{d}r}\right) \tag{2-55}$$

当紊流切应力与 d 成正比时,应用因次分析方法,有:

$$\overline{u'_i w'_i}=\beta d(\bar{u}_i)^x\left(\frac{\mathrm{d}\bar{u}_i}{\mathrm{d}r}\right)^y \tag{2-56}$$

式中 β——无因次比例系数;

d——巷道直径,m;

x、y——未知指数。

列量纲方程式:

$$L^2T^{-2}=L\left(\frac{L}{T}\right)^x\left(\frac{1}{T}\right)^y$$

根据量纲平衡原则,可得:

$$x=1, -x-y=-2, \text{则 } y=1$$

由此可得：

$$\rho\,\overline{u_i' w_i'} = \rho\beta d\cdot\bar{u}_i\,\frac{\mathrm{d}\bar{u}_i}{\mathrm{d}r} \tag{2-57}$$

式中，负号表示$\frac{\mathrm{d}\bar{u}_i}{\mathrm{d}r}$中的 $\mathrm{d}\bar{u}_i$ 与 $\mathrm{d}r$ 的变化方向相反。此关系式还可变换成如下形式：

$$\rho\,\overline{u_i' w_i'} = -\frac{1}{2}\rho\beta d\,\frac{\mathrm{d}(\bar{u}_i^2)}{\mathrm{d}r} \tag{2-58}$$

将此关系式代入式(2-54)中，并已知 $d=2r_0$，其中 r_0 为巷道半径，得：

$$\frac{r\rho gJ}{2} = -\rho\beta r_0\,\frac{\mathrm{d}(\bar{u}_i^2)}{\mathrm{d}r} \tag{2-59}$$

在靠近巷道边壁的层流边层上，$r=r_1$ 处，紊流风速 $\bar{u}_i=0$，将上式积分，可得：

$$\frac{\rho gJ}{4} = (r^2 - r_1^2) = -\rho\beta r_0\bar{u}_i^2$$

整理后可得计算紊流核心中紊流时均风速 $\bar{u}_i$ 得公式：

$$\bar{u}_i = \sqrt{\frac{Jr_1^2\rho g}{4\rho\beta r_0}} \times \sqrt{1-\left(\frac{r}{r_1}\right)^2} \tag{2-60}$$

巷道时均风速 $\bar{u}_{bi}$ 为边界风速 u_b 和时均风速 $\bar{u}_i$ 之和，即：

$$\bar{u}_{bi} = u_b + \sqrt{\frac{Jr_1^2\rho g}{4\rho\beta r_0}} \times \sqrt{1-\left(\frac{r}{r_1}\right)^2} \tag{2-61}$$

矿山通风中，测定和计算风量均以断面平均风速为基础，此风速是巷道通过的实际风量与巷道横截面面积之比。对圆形巷道可按下式求算：

$$\bar{u}_i = \frac{2\pi\int_0^{r_0}\left(u_b + \sqrt{\frac{Jr_1^2\rho g}{4\rho\beta r_0}} \times \sqrt{1-\left(\frac{r}{r_1}\right)^2}\right) r\mathrm{d}r}{\pi r_0^2}$$

在高雷诺数条件下，层流边层很薄，可近似地取 $r_1=r_0$，积分上式，整理后可得：

$$\bar{u}_i = u_b + \frac{2}{3}\sqrt{\frac{Jr_0\rho g}{4\rho\beta}} \tag{2-62}$$

在高雷诺数情况下，巷道的通风阻力符合平方阻力定律，即压力降与断面平均风速的平方成正比。其数学表达式为：

$$h=\lambda\frac{l}{d}\times\frac{\bar{u}_i^2}{2g} \tag{2-63}$$

式中 h——摩擦阻力,m;

λ——摩擦阻力系数,无因次;

l——巷道长度,m。

上式亦可写成单位长度的压力降 J 的形式,即:

$$J=\frac{h}{l}=\frac{\lambda\bar{u}_s^2}{4r_0g} \tag{2-64}$$

将此关系式代入式(2-62)中,可得:

$$\bar{u}_s=u_b+\frac{1}{6}\bar{u}_s\sqrt{\frac{\lambda}{\beta}} \tag{2-65}$$

则:

$$u_b=\bar{u}_s\left(1-\frac{1}{6}\sqrt{\frac{\lambda}{\beta}}\right) \tag{2-66}$$

在计算紊流风速 $\bar{u}_i$ 的式(2-60)中,取 $r_1=r_0$ 后,再将压力比降 J 的关系式代入,可得:

$$\bar{u}_i=\frac{1}{4}\bar{u}_s\sqrt{\frac{\lambda}{\beta}}\times\sqrt{1-\left(\frac{r}{r_0}\right)^2} \tag{2-67}$$

巷道断面上任意一点的时均风速 $\bar{u}_{bi}=u_b+\bar{u}_i$,由式(2-56)和式(2-67)两式之和可求得:

$$\bar{u}_{bi}=\bar{u}_s\left[1-\frac{1}{6}\sqrt{\frac{\lambda}{\beta}}+\frac{1}{4}\sqrt{\frac{\lambda}{\beta}}\times\sqrt{1-\left(\frac{r}{r_0}\right)^2}\right] \tag{2-68}$$

在巷道轴心处 $r=0$,时均风速有最大值,其最大风速 $\bar{u}_{max}$:

$$\bar{u}_{max}=\bar{u}_s\left(1+\frac{1}{12}\sqrt{\frac{\lambda}{\beta}}\right) \tag{2-69}$$

矿井通风中所使用的摩擦阻力系数 $\alpha(N\cdot s^2/m^4)$ 是有因次的,与流体力学中使用的 λ 值之间,存在如下关系:

$$\alpha=\frac{\rho\lambda}{8} \tag{2-70}$$

在国家法定计量单位制中,矿内空气的密度 $\rho=1.2\ kg/m^3$,于是:

$$\lambda=6.667\alpha \text{ 或 } \alpha=0.15\lambda \tag{2-71}$$

将此关系式代入式(2-68)、式(2-69)后,得:

$$\bar{u}_{bi} = \bar{u}_s\left[1 - 0.43\sqrt{\frac{\alpha}{\beta}} + 0.646\sqrt{\frac{\alpha}{\beta}}\cdot\sqrt{1-\left(\frac{r}{r_0}\right)^2}\right] \tag{2-72}$$

$$\bar{u}_{max} = \bar{u}_s\left(1 + 0.216\sqrt{\frac{\alpha}{\beta}}\right) \tag{2-73}$$

东北大学通风实验室在梯形木风筒($d = 248$ mm)和圆形铁风筒($d = 284$ mm)模型中,对风速分布进行了详细的测定。在梯形巷道模型横截面的中高线上,每隔 10 mm 布置一个测点,共对称地布置 21 个测点。在圆形铁风筒横截面的中高线上,每隔 20 mm 布置一个测点,共对称地布置 45 个测点。梯形木支架巷道模型中有均匀布置框架结构,其摩擦阻力系数 α 实测为 22×10^{-3}。圆形铁风筒的摩擦阻力系数 α 实测为 3.5×10^{-3}。试验时,雷诺数为 32000～68000。测定结果列于表 2-1 和表 2-2。

表 2-1　梯形木风筒风速分布测定结果

序号	r/mm	$\bar{u}_{bi}$/m·s^{-1}				r/r_0	$\sqrt{1-\left(\frac{r}{r_0}\right)^2}$	$\bar{u}_{bi}/\bar{u}_s$					备　注
		Re=60000	Re=54000	Re=40000	Re=30000			Re=60000	Re=54000	Re=40000	Re=30000	平均	
1	122	1.10	0.95	0.80	0.55	1.00	0	0.30	0.29	0.30	0.31	0.30	
2	112	2.20	–	1.30	0.90	0.92	0.39	0.60	–	0.54	0.50	0.55	
3	102	2.75	2.42	1.90	1.35	0.84	0.54	0.73	0.73	0.78	0.75	0.75	
4	90	3.30	–	2.25	1.62	0.74	0.67	0.89	–	0.93	0.90	0.91	
5	80	3.75	3.10	2.50	1.85	0.66	0.75	1.02	0.94	1.03	1.03	1.00	
6	70	4.05	–	2.70	1.95	0.57	0.82	1.10	–	1.11	1.09	1.10	
7	60	4.45	3.75	2.85	2.10	0.49	0.87	1.20	1.14	1.18	1.17	1.17	$\bar{u}_{bi}$—某点时均风速; $\bar{u}_s$—断面平均风速; r—某点的轴心距; r_0—半径; Re—雷诺数
8	50	4.75	–	3.00	2.25	0.41	0.91	1.27	–	1.24	1.25	1.25	
9	40	7.90	4.25	3.15	2.35	0.33	0.94	1.32	1.29	1.30	1.31	1.31	
10	20	5.20	4.45	3.35	2.50	0.16	0.99	1.41	1.35	1.39	1.39	1.38	
11	0	5.30	4.55	3.45	2.55	0	1.00	1.43	1.42	1.42	1.42	1.41	
12	−20	5.15	4.50	3.35	2.50	0.16	0.99	1.39	1.37	1.39	1.39	1.39	
13	−40	4.85	4.30	3.15	2.38	0.33	0.94	1.31	1.31	1.30	1.32	1.31	
14	−50	4.65	–	3.00	2.28	0.41	0.91	1.26	–	1.24	1.26	1.25	
15	−60	4.40	3.90	2.85	2.18	0.49	0.87	1.19	1.19	1.18	1.21	1.19	
16	−70	4.10	–	2.65	1.98	0.57	0.82	1.11	–	1.09	1.10	1.10	
17	−80	3.70	3.25	2.45	1.89	0.66	0.75	1.00	0.99	1.01	1.00	1.00	
18	−90	3.30	–	2.20	1.60	0.74	0.67	0.89	–	0.91	0.89	0.90	
19	−102	2.70	2.45	1.90	1.35	0.84	0.54	0.73	0.74	0.76	0.75	0.75	
20	−112	2.00	–	1.30	0.90	0.92	0.39	0.54	–	0.54	0.50	0.53	
21	−122	1.20	0.95	0.70	0.50	1.00	0	0.32	0.29	0.29	0.28	0.29	

表 2-2　圆形铁风筒风速分布测定结果

序号	r/mm	$\bar{u}_{bi}$/m·s^{-1}				r/r_0	$\sqrt{1-\left(\frac{r}{r_0}\right)^2}$	$\bar{u}_{bi}/\bar{u}_s$					备　注
		Re=68000	Re=60000	Re=50000	Re=40000			Re=68000	Re=60000	Re=50000	Re=40000	平均	
1	142	2.50	2.30	1.80	1.50	1.00	0	0.58	0.61	0.59	0.59	0.60	
2	122	3.80	3.25	2.65	2.35	0.86	0.51	0.89	0.86	0.87	0.93	0.89	
3	102	4.20	3.70	3.00	2.55	0.72	0.69	0.98	0.98	0.98	1.01	0.99	
4	80	4.50	395	3.20	2.70	0.56	0.83	1.05	1.04	1.05	1.07	1.05	$\bar{u}_{bi}$—某点
5	60	4.70	4.15	3.30	2.77	0.42	0.91	1.10	1.10	1.09	1.10	1.16	时均风速;
6	40	4.90	4.25	3.40	2.85	0.28	0.96	1.14	1.12	1.12	1.13	1.13	$\bar{u}_s$—断面平
7	20	4.95	4.40	3.55	2.88	0.14	0.99	1.16	1.16	1.16	1.14	1.16	均风速;
8	0	5.00	4.45	3.65	2.90	0	1.00	1.17	1.17	1.19	1.15	1.17	r—某点的
9	−20	4.92	4.40	3.60	2.85	0.14	0.99	1.15	1.16	1.18	1.13	1.16	轴心距;
10	−40	4.80	4.30	3.40	2.80	0.28	0.96	1.14	1.14	1.12	1.11	1.13	r_0—半径;
11	−60	4.75	4.20	3.30	2.72	0.42	0.91	1.11	1.11	1.09	1.08	1.10	Re—雷诺数
12	−80	4.55	4.05	3.20	2.65	0.56	0.83	1.06	1.07	1.05	1.05	1.06	
13	−102	4.30	3.80	2.95	2.50	0.72	0.59	1.00	1.00	1.03	0.99	1.00	
14	−122	3.90	3.35	2.70	2.30	0.86	0.51	0.91	0.89	0.89	0.91	0.90	
15	−142	2.40	2.30	1.80	1.50	1.00	0	0.56	0.61	0.59	0.59	0.59	

为验证所导出的风速分布计算式与实测结果是否符合,并求算无因次比例系数 β 值,将式(2-72)变换成以$\sqrt{1-\left(\frac{r}{r_0}\right)^2}$为自变量,以 $\bar{u}_{bi}/\bar{u}_s$ 为因变量的直线方程,即:

$$\frac{\bar{u}_{bi}}{\bar{u}_s}=A+B\sqrt{1-\left(\frac{r}{r_0}\right)^2} \tag{2-74}$$

式中　$A=1-0.43\sqrt{\frac{\alpha}{\beta}}$;$B=0.646\sqrt{\frac{\alpha}{\beta}}$。

当$\sqrt{1-\left(\frac{r}{r_0}\right)^2}=0$ 时,$\bar{u}_{bi}/\bar{u}_s=0.6$,由此可得 $A=0.6$,即 $1-0.43\sqrt{\frac{\alpha}{\beta}}=0.6$,铁风筒的 $\alpha=0.0035$,则求得 $\beta=0.0040$。

同样可得出:

$$0.646\sqrt{\frac{\alpha}{\beta}}=0.57$$

将 $\alpha=0.0035$ 代入上式,得 $\beta=0.0045$。

同样木支架巷道模型的 $\alpha=0.022,\beta=0.0040\sim0.0046$。

由上述资料分析，β 变化于 0.0040～0.0046 之间，取其平均值 $\beta=0.0043$，代入式(2-72)中，可得紊流风流风速分布函数式：

$$\bar{u}_{bi}=\bar{u}_s\left[1-6.55\sqrt{\alpha}+9.85\sqrt{\alpha}\times\sqrt{1-\left(\frac{r}{r_0}\right)^2}\right] \tag{2-75}$$

巷道轴心处 $r=0$，有最大风速

$$\bar{u}_{max}=\bar{u}_s(1+3.3\sqrt{\alpha}) \tag{2-76}$$

或写成：

$$\bar{u}_s=\frac{\bar{u}_{max}}{1+3.3\sqrt{\alpha}} \tag{2-77}$$

在不同的井巷摩擦阻力系数 α 值条件下，按式(2-77)计算的风速比 $\bar{u}_s/\bar{u}_{max}$ 列于表 2-3 的第二栏，第三栏列出模型实测数值。

表 2-3 不同 α 值的风速比 $\bar{u}_s/\bar{u}_{max}$

摩擦阻力系数 $\alpha/N\cdot s^2\cdot m^{-4}$	按式(2-77)计算的 $\bar{u}_s/\bar{u}_{max}$	实测的 $\bar{u}_s/\bar{u}_{max}$
0.0035	0.84	0.85
0.0070	0.78	—
0.0100	0.75	—
0.016	0.71	—
0.022	0.67	0.70

通过上述分析，对井巷中的风流分布可得如下结论：

(1) 井巷中的风流可划分为两个组成部分，靠近巷道边壁有一层很薄的层流边层，其风速较低，可按下式计算：

$$u_b=\bar{u}_s(1-6.55\sqrt{\alpha}) \tag{2-78}$$

巷道粗糙度越大，层流边层的风速越低。

(2) 在井巷中央绝大部分断面上，充满着紊流风速。紊流时均风速越靠近巷道中心越高，可按下式计算：

$$\bar{u}_i=9.85\bar{u}_s\sqrt{\alpha}\sqrt{1-\left(\frac{r}{r_0}\right)^2} \tag{2-79}$$

巷道壁越光滑，速度分布越平缓；巷道壁越粗糙，速度图形越陡峭。

(3) 井巷断面上的风速 $\bar{u}_{bi}$ 可按式(2-75)计算。井巷中心最大风速

$\bar{u}_{max}$可按式(2-76)计算。$\bar{u}_s/\bar{u}_{max}$值可按式(2-77)计算。巷道越光滑，$\bar{u}_s/\bar{u}_{max}$值越高。

(4) 从矿井通风效果来看，光滑的井巷，边层风速高，断面风速分布较均匀，排烟排尘较容易，通风效果好。粗糙的巷道，情况相反，通风效果差。有放矿漏斗的电耙道和断面不规则的采矿场，虽属巷道型风流，但由于主风流不能充分清洗整个断面，在边角地带风流微弱，烟尘排除较慢，通风困难。井巷的粗糙程度和边壁凹凸不平的状况，对烟尘排出过程的影响，不可忽视。

2.6 矿山硐室中的射流

空气进入硐室后，在相当大的空间内流动，其风流分布状况和运动规律与自由射流相似。而在硐室空间剩余部分的风流流动是由于射流而引起的，具有自由射流某些类似的性质，但与自由射流不同，可称为二次诱导射流。

2.6.1 自由射流

自由射流是一种不受固体边界限制，在足够广阔的空间内自由射出的风流。在射流流体中，无论初始段或主体段，圆形喷口或长方形喷口，各不同断面上的风速分布均具有相似性。紊流射流运动微分方程式为：

$$\left.\begin{aligned} & u\frac{\partial u}{\partial x}+v\frac{\partial u}{\partial y}=2c^2x^2\left|\frac{\partial u}{\partial y}\right|\frac{\partial^2 u}{\partial y^2} \\ & \frac{\partial u}{\partial x}+\frac{\partial v}{\partial y}=0 \end{aligned}\right\} \tag{2-80}$$

式中 x——长度，m；

c——无因次比例系数。

2.6.2 诱导射流

硐室中二次诱导射流的理论是由沃洛宁提出的，其主要结论对矿井通风计算有重要的指导意义，图 2-13 给出了硐室中二次诱导射流示意图。

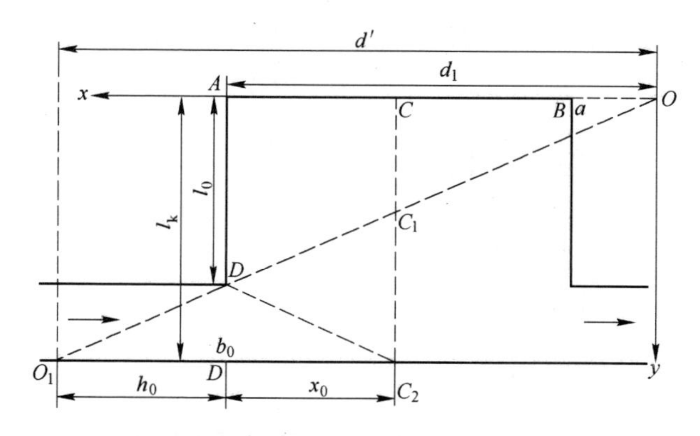

图 2-13　硐室中二次诱导射流示意图

(1) 二次诱导射流的轴风速 v'_m:

二次诱导射流分直向射流和反向射流,在一次射流起始段范围内,二次诱导射流的直向射流轴风速为:

$$v'_m = 0.147\frac{v_0}{a} \times \frac{l_0 - 2.4ax}{x} \tag{2-81}$$

在一次射流的主体段内,直向射流的轴风速为:

$$v'_m = \frac{0.55v_0}{a}\left[\frac{\sqrt{b_0(l_k - 2.4ax)} - 1.2b_0}{x}\right] \tag{2-82}$$

在一次射流初始段内,反向射流的轴风速为:

$$v'_m = 0.147\frac{v_0}{a} \times \frac{l_0 + 4.8b_0 - 2.4ax}{x} \tag{2-83}$$

在一次射流主体段内,反向射流的轴风速为:

$$v'_m = \frac{0.55v_0}{a}\left[\frac{\sqrt{b_0(l_k - 2.4ax)} - 0.08b_0}{x}\right] \tag{2-84}$$

(2) 二次诱导射流的流量 Q':

二次诱导射流各断面速度分布相似,各断面流过的风量 Q' 为:

$$Q' = 2.8axv'_m \tag{2-85}$$

(3) 硐室中射流的有效作用长度:

反转射流的有效作用长度 l_m:

$$l_m = 0.5\sqrt{S}\left(1 + \frac{0.5}{a}\right) \tag{2-86}$$

直向射流的有效作用长度 l_m：

$$l_m = 0.5 l_0 \left(1 + \frac{0.5}{a}\right) \tag{2-87}$$

式中　S——巷道断面面积，m^2；

v_0——自由射流出口流速，m/s；

a——紊流结构系数；

l_0——硐室宽度，m。

2.7　无风墙辅扇通风

在生产实际中，辅扇调节的方法有带风墙的辅扇和无风墙的辅扇调节法两种。有风墙辅扇是安设在辅扇的巷道断面上，除辅扇外其余断面均用风墙密闭，巷道内风流全部通过辅扇，靠辅扇的全压做功。若在运输巷道里安设辅扇，必须将辅扇安设在绕道中，而在绕道相并联的巷道中，至少要设置两道自动风门，其间距要大于一列车的长度，如图 2-14 所示。

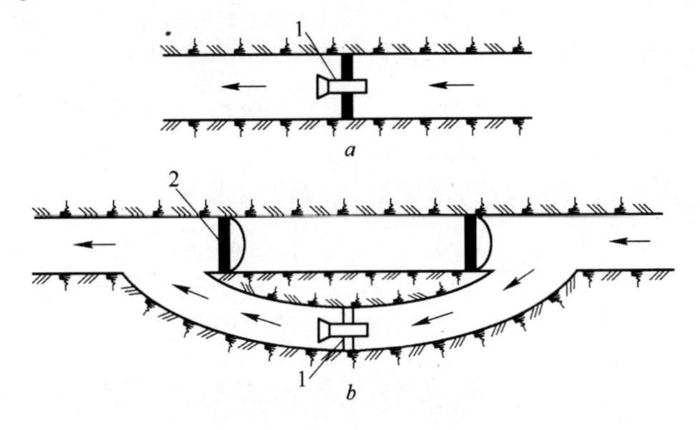

图 2-14　有风墙辅扇布置图

1—风机；2—风门

有风墙辅扇调节风量时，辅扇的能力必须选择适当才能达到预期效果，否则将会出现以下不合理的工作状况：(1)如果辅扇能力不足，则不能调节到所需要的风量值；(2)若辅扇的能力过大，可能造成与其并联风路风量大量减少，甚至无风或风流大循环；(3)若安设辅扇的风墙不严密，在辅扇周围出现局部风流循环，将降低辅扇的通风效果。选择辅扇时，辅扇的工作风压应等于并联风路按需风量计算的阻力之差值。

无风墙辅扇通风是一种辅助的通风方法，如图 2-15 所示。这种通风方法无须在扇风机入口与出风口间安设隔断风流装置，主要借助扇风机出风口所造成的动压进行通风，以增加风路的风量。由于不安风墙，对井巷中运输、行人和扇风机的安装与移动都十分方便，在应用上比较灵活，不少金属矿山采用此种通风方法调节风量和加强局部地点的通风。一般，巷道的风量大于扇风机的风量。前人在总结现场实践经验的基础上，对此种通风方法的作用原理和应用条件进行了实验和分析，提出了有效风压理论。

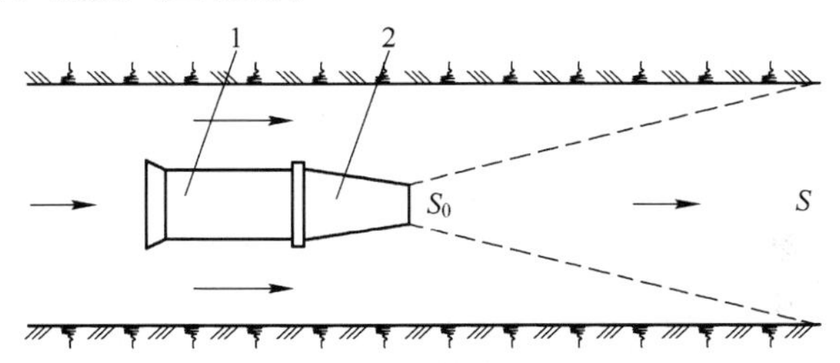

图 2-15 无风墙辅扇布置图

1—风机；2—引射器

2.7.1 无风墙辅扇有效压力理论

无风墙辅扇在井巷中工作时，风流运动的全能量方程式为：

$$p_{A}Q + H_{f}Q_{f} = p_{B}Q + hQ + h_{p}Q_{f} + h_{m}Q_{m} + \frac{\rho v^{2}}{2}Q \tag{2-88}$$

式中 p_A、p_B——巷道入口、出口的大气压力，Pa；

h_p——由扇风机出口到巷道全断面的突然扩大能量损失，Pa；

h——巷道摩擦阻力与局部阻力损失，Pa；

h_m——两断面间的摩擦阻力损失，Pa；

Q——巷道风量，m^3/s；

Q_f——扇风机风量，m^3/s；

Q_m——两断面间绕过扇风机的风量，m^3/s。

上式中 $p_A = p_B$，将上式除以 Q，并加以整理后可得扇风机的有效

压力 ΔH(Pa)：

$$\Delta H = H_f \frac{Q_f}{Q} - h_p \frac{Q_f}{Q} - h_m \frac{Q_m}{Q} \tag{2-89}$$

$$\Delta H = h + \frac{\rho v^2}{2} \tag{2-90}$$

无风墙辅扇的有效压力等于扇风机全能量中减去由扇风机出口到巷道全断面的突然扩大损失和绕过扇风机风流的能量损失后所剩余的能量。该能量用于克服巷道摩擦阻力和局部阻力，并在巷道的出口造成动压损失。由上式变换可得如下形式：

$$\Delta H = \rho v_f^2 \times \frac{S_f}{S}\left(1 - \alpha \frac{v}{v_f}\right) \tag{2-91}$$

式中　S_f——扇风机出口断面积，m；

v_f——扇风机出口的平均风速，m/s；

α——比例系数。

2.7.2　无风墙辅扇在井巷中单独工作

在无其他通风动力情况下，无风墙扇风机在井巷中单独工作时，所造成的风量与无风墙扇风机的有效风压 ΔH 和井巷风阻 R 有关。如已知扇风机出口动压 H_v，出口断面 S_f、巷道断面 S 及巷道风阻 R(包括巷道出风风阻在内)，则由阻力定律可列出下列公式：

$$K \times \frac{S_f}{S} \times \frac{\rho u_f^2}{2} = RQ^2$$

式中，$K = 1.65$，$\rho = 1.2\ \text{kg/m}^3$，代入上式，可得风量计算公式 Q (m^3/s)：

$$Q = \frac{Q_f}{\sqrt{RSS_f}} \tag{2-92}$$

例如，桓仁铅矿某采场是一边远的采场，主扇总风压对该区的作用很弱。为加强采场通风，在下部水平巷道安设一台 JF 型 11 kW 局扇做无风墙通风。该局扇出风口断面 $S_f = 0.07\ \text{m}^2$，扇风机风量 $2.80\ \text{m}^3/\text{s}$，安装扇风机处巷道断面 $S = 3.6\ \text{m}^2$，该系统巷道的总风阻 $R = 0.608\ \text{N}\cdot\text{s}^2/\text{s}^8$。该巷道中的风量可按式(2-92)计算：

$$Q=\frac{Q_f}{\sqrt{RSS_f}}=\frac{2.8}{\sqrt{0.608\times3.6\times0.07}}=7.15\ m^3/s$$

实际测定该巷道风量为 6.9 m^3/s。安装无风墙辅扇后该作业区的通风状况得到改善。

无风墙扇风机在巷道中单独工作时,应保证在安装扇风机地点不产生风流循环,即巷道风量大于或等于扇风机风量。巷道风量与风阻有关,当巷道风阻增加到某一数值时,巷道风量与扇风机风量相等,此风阻值为不产生循环风流的极限风阻,以 R_K 表示,巷道实际风阻大于 R_K,则产生循环风流。取 $Q=Q_f$,代入式(2-92)可求得极限风阻的表达式 $R_K(N\cdot s^2/s^8)$:

$$R_K=\frac{1}{SS_f} \tag{2-93}$$

表 2-4 给出了扇风机在五种不同工况下,产生循环风流巷道风阻的实测值,并与按式(2-93)计算的极限风阻值进行对比。结果表明,计算的极限风阻值均大于反风前实测巷道风阻,小于反风后实测巷道风阻,计算的极限风阻值符合实际情况。

表 2-4 巷道极限风阻测算表

扇风机	巷道断面 S/m^2	扇风机出口断面 S_f/m^2	实测巷道风阻 $R/N\cdot s^2\cdot s^{-8}$		极限风阻 $R_K/N\cdot s^2\cdot s^{-8}$
			反风前	反风后	
Ⅰ-1	0.054	0.0027	6733	7291	6783.3
Ⅰ-2	0.054	0.0027	6233	21511	6783.3
Ⅰ-3	0.054	0.0027	3979	40082	6783.3
Ⅰ-4	0.054	0.0027	5243	36750	6783.3
Ⅱ	0.054	0.00207	7095	30321	8946.1

由上述分析可以看出,当巷道风阻 $R<R_K$ 时,采用无风墙扇风机通风,则巷道风量 Q 大于扇风机风量 Q_f,在扇风机处不产生循环风流,对加强通风十分有利;若 $R=R_K$,则安设风墙只能起阻挡风流的作用;若 $R>R_K$,则在扇风机处有循环风流,巷道风量小于扇风机风量。在这种情况下,应安设风墙,以提高巷道风量。

无风墙扇风机的通风效果,不能以在扇风机处是否产生循环风作为评价的依据。而应以单位有效风压的功耗大小作为评价的依据。当采用低风压大风量扇风机做无风墙通风时,虽然在扇风机处有部分循环风,但产生同样有效风压所消耗的功率低,仍应认为是合理的。

2.7.3　无风墙辅扇通风中的几个问题

应用无风墙辅扇时,应注意六个方面的问题:

(1) 无风墙辅扇的有效风压与辅扇出口的动压成正比,故在扇风机出口安装适当的引射器提高出口动压,可提高通风效果;

(2) 辅扇的有效风压与安设辅扇巷道的断面积成反比,故辅扇应安装在巷道平直而断面较小的地方,并尽可能安设在巷道断面的中心位置,使扇风机射出的风流沿巷道中心线方向流动,以减少能量损失,提高通风效果;

(3) 无风墙辅扇只靠出口动压做功,而且能量损失较大,风机能量的有效利用系数较低。无风墙辅扇在风阻特别大的巷道中工作时,在扇风机附近可能出现循环风流,因此,其在并联风路阻力差值不太大的网络中工作较为合适。

(4) 无风墙扇风机在风阻较小的巷道中工作,一般不产生循环风流。但当巷道风阻较大时(超过极限风阻 R_K),可能出现循环风,特别是与其他通风动力反方向联合工作时,更容易产生循环风流。此时,则应考虑设置风墙。当产生条件不允许安设风墙时,可用两台或多台无风墙扇风机并排联合工作。多台无风墙扇风机并排联合工作时,其所造成的总有效风压为各台无风墙扇风机有效风压之和,即:

$$\Delta H_m = \sum_{i=1}^{n} \Delta H_i \tag{2-94}$$

式中　ΔH_m——多台无风墙机组的总有效风压,Pa;

ΔH_i——各单台无风墙扇风机的有效风压,Pa。

应当注意的是,无风墙扇风机在同一断面并列联合工作的特性与有风墙扇风机并联工作的特性是完全不一样的。前者为风压相加,后者为风压相同,风量相加。

(5) 有些矿山为达到生产上某种需要,利用无风墙扇风机组来扭转自然风流方向,即与自然风压反方向联合工作,并使巷道的风流方向与自然方向相反。此时,无风墙扇风机组所造成的总有效风压 ΔH_{m} 应大于该区域的自然风压 H_{e},即:

$$\Delta H_{m} > H_{e} \tag{2-95}$$

(6) 无风墙扇风机与主扇串联工作时,可增加矿井总风量。若已知主扇特性曲线和无风墙扇风机的有效风压 ΔH,可在 $h-Q$ 坐标图上,按风量相等,风压相加的原则,在主扇特性曲线的风压值上,加以无风墙扇风机的有效风压 ΔH,求出合成曲线,再与巷道风阻曲线相交,求出联合工作的风量。在主扇作用越小的地方,无风墙扇风机越能发挥较大的作用。无风墙扇风机与主扇同方向串联工作时,在无风墙扇风机处,不易产生循环风流。

3 矿井通风构筑物

矿井通风构筑物是矿井通风系统中的风流调控设施，用以保证风流按生产需要的路线流动。凡用于引导风流、遮断风流和调节分量的装置，统称为通风构筑物。合理地安设通风构筑物，并使其经常处于完好状态，是矿井通风技术管理的一项重要任务。矿井通风构筑物可分为两大类：一类是通过风流的构筑物，包括主扇、风硐、反风装置、风桥、导风板、调节风窗和风障；另一类是遮断风流的构筑物，包括挡风墙和风门等。

3.1 挡风墙(密闭)

挡风墙也称密闭，是遮断风流的构筑物。挡风墙通常砌筑在非生产的巷道里，永久性挡风墙可用砖、石或混凝土砌筑。当巷道中有水时，在挡风墙的下部应留有放水管。为防止漏风，可以把放水管一端做成U形，保持水封，如图3-1所示。临时性挡风墙可用木柱、木板和废旧风筒布钉成。

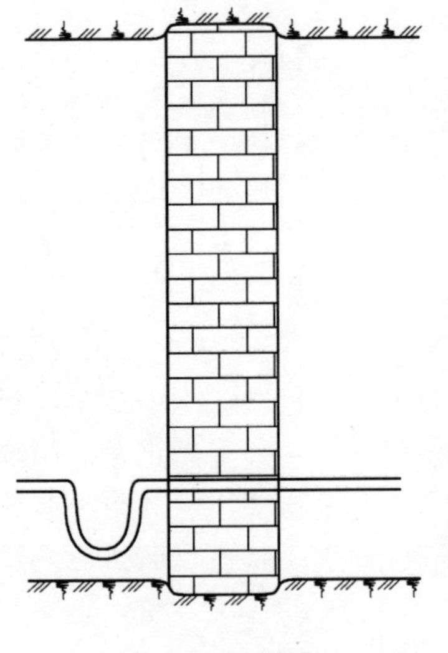

图3-1 挡风墙

3.2 风桥

通风系统中为使新鲜风与污风互相隔开，进风道与回风道交叉处需构筑风桥。风桥应坚固耐久，不漏风。主要风桥应采用砖石或混凝土构筑或开凿立体交叉的绕道。风桥的风阻要小，通过风桥的风速不大于10 m/s，主要风路上的风桥断面不应小于1.5 m^2；次要风路上应不小于0.75 m^2。

绕道式风桥开凿在岩层里，最坚固

耐用,不漏风,能通过较大的风量。这种风桥可在主要风路中使用,如图 3-2 所示。

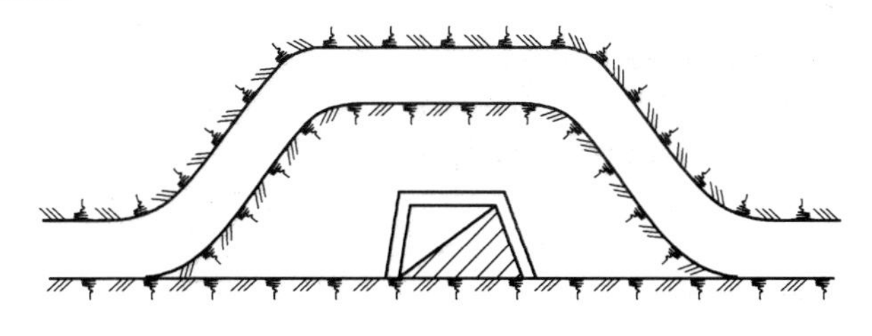

图 3-2　绕道式风桥

混凝土风桥也比较坚固,当通过的风量不超过 20 m^3/s 时,可以采用,其结构如图 3-3 所示。铁筒风桥可在次要风路中使用,通过的风量不大于 10 m^3/s。铁筒可制成圆形或矩形,铁板厚不小于 5 mm。

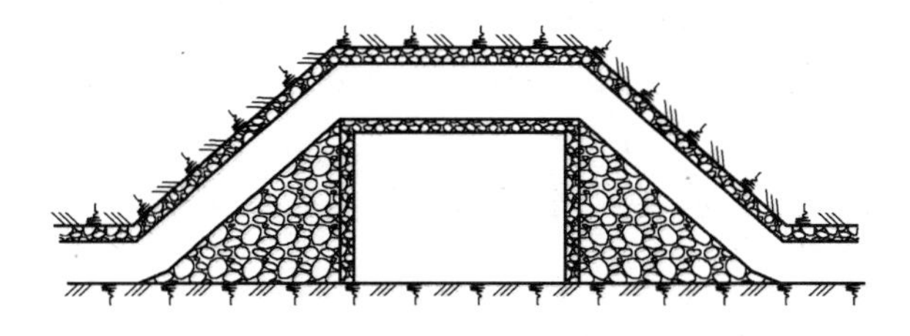

图 3-3　混凝土风桥

3.3　风门

在通风系统中,既需要隔断风流,又需要通车行人的地方,需建立风门。在回风道中,只行人不通车或通车不多的地方,可构筑普通风门。在通车行人比较频繁的主要运输道上,则应构筑自动风门。

普通风门可用木板或铁板制成。图 3-4 是一种木制普通风门,其特点是门扇与门框之间呈斜面接触,严密坚固,可使用 1.5~2 年。风门开启方向要迎着风流,使风门关闭时受风压作用而保持严密。门框和门轴均应倾斜 80°~85°,使风门能借本身自重而关闭。为防止漏风和保持风流稳定,在需要遮断风流的巷道中,应同时设置两道或多道风门。

自动风门种类很多,金属矿山常用的自动风门有以下几种。

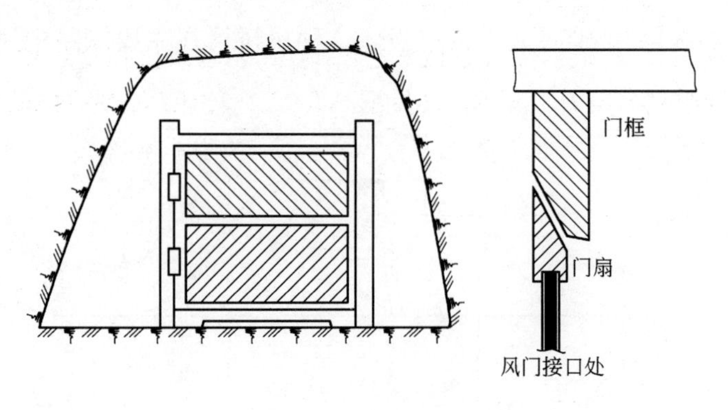

图 3-4 普通风门

3.3.1 碰撞式自动风门

此风门由门板、推门杠杆、门耳、缓冲弹簧、推门弓和杠杆回转轴等组成(见图 3-5)。风门靠矿车碰撞门板上的推门弓或推门杠杆而自动打开,借风门自重而关闭。其优点是结构简单,经济实用;缺点是碰撞构件容易损坏,需经常维修。其可在行车不太频繁的巷道中使用。

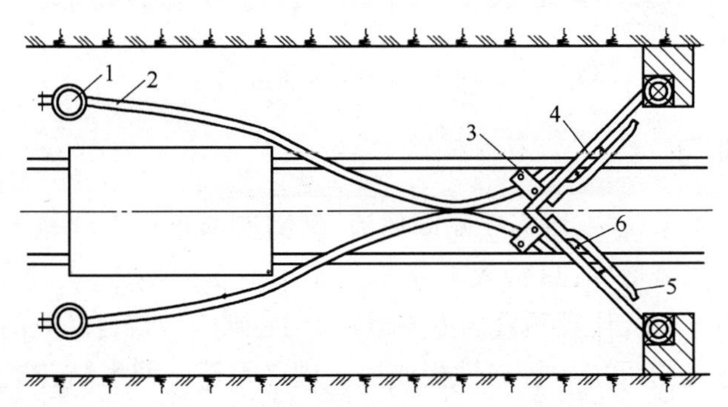

图 3-5 碰撞式自动风门

1—杠杆回转轴;2—碰撞推门杠杆;3—门耳;4—门板;
5—推门弓;6—缓冲弹簧

3.3.2 气动或水动风门

此风门的动力来源是压缩空气或高压水。它是一种由电气触点控制电磁阀,电磁阀控制气缸或水缸的阀门,使活塞做往复运动,带动联动机构控制风门开闭的风门(见图 3-6)。这种风门简单可靠,但只能用于有压气和高压水源的地方,严寒易冻的地点不能使用。

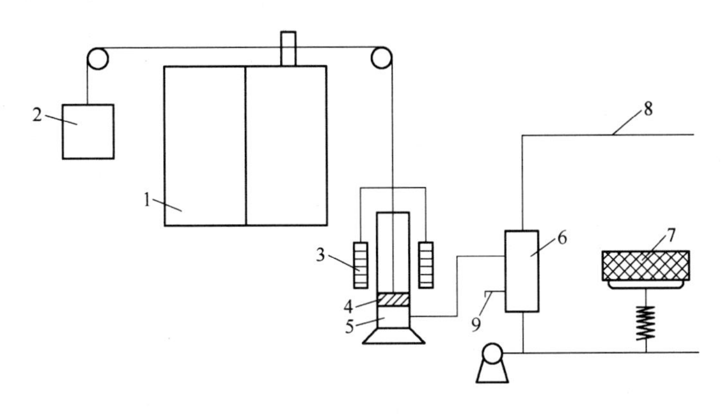

图 3-6　水力配重自动风门

1—风门;2—平衡锤;3—重锤;4—活塞;5—水缸;6—三通水阀;7—电磁铁;8—高压水管;9—放水管

3.3.3　电动风门

这种风门是以电动机为动力,经减速后带动联动机构使风门开闭。电动的启动与停止,可借车辆触动电气开关或光电控制器自动控制。电动风门应用较广,适应性较强,但减速和传动机构复杂。电动风门样式较多,图 3-7 是其中一种。

风门的电气控制方式通常使用辅助滑线(简称复线),光电控制器和轨道接点。辅助滑线控制方式是在距风门一定距离的电机车架线旁约 0.1 m 处,另架设一条长约 1.5～2.0 m 的滑线(铜线或铁线)。当电机车通过时,靠接电弓子将正线与复线接通,从而使相应的继电器带电,控制风门开闭。滑线控制方式简单实用,动作可靠,但只有电机车通过时才能发出信号,手推车及人员通过时,需另设开关。光电控制方式是将光源和光敏电阻分别布置在距风门一定距离的巷道两侧。当列车或行人通过时,光线受到遮挡,光敏电阻阻值发生变化,使光电控制方式对任何通过物都能起作用,动作比较可靠。但光电元件易受损

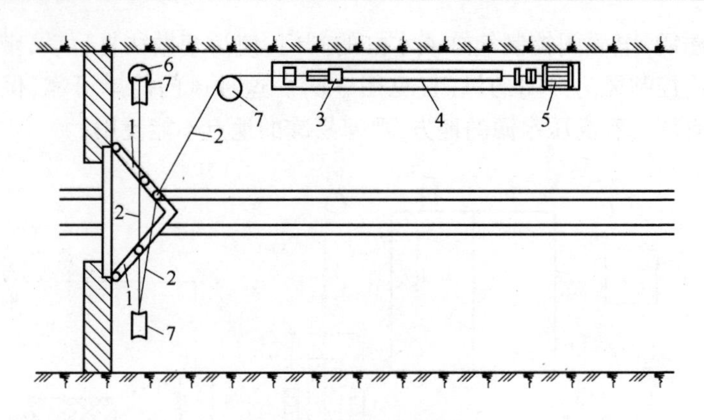

图 3-7　电力自动风门

1—门扇;2—牵引绳;3—滑块;4—螺杆;5—电动风机;
6—配重;7—导向滑轮

坏,成本较高,轨道接点是把电气开关设置在轨道近旁,靠车轮压动开关控制风门。轨道开关只能用于巷道条件较好、行车不太频繁的巷道中。

3.4 导风板

矿井通风工程中一般使用汇流导风板、降阻导风板和引风导风板三种。

3.4.1 汇流导风板

在三岔口巷道中,当两股风流对头相遇时,可安设如图 3-8 所示的汇流导风板,以减少相遇时的冲击能量损失。此种导风板可用木板制成,安装时应使导风板伸入汇流巷道,所分成的两个隔间的面积 S_1 和 S_2 与各自所通过的风量 Q_1 与 Q_2 成比例,即

$$\frac{S_1}{S_2}=\frac{Q_1}{Q_2} \tag{3-1}$$

3.4.2 降阻导风板

在风速较高的巷道直接转弯处,为降低通风阻力,可用铁板制成机翼形或普通弧形降阻导风板,以减少风流冲击的能量损失。图 3-9 是

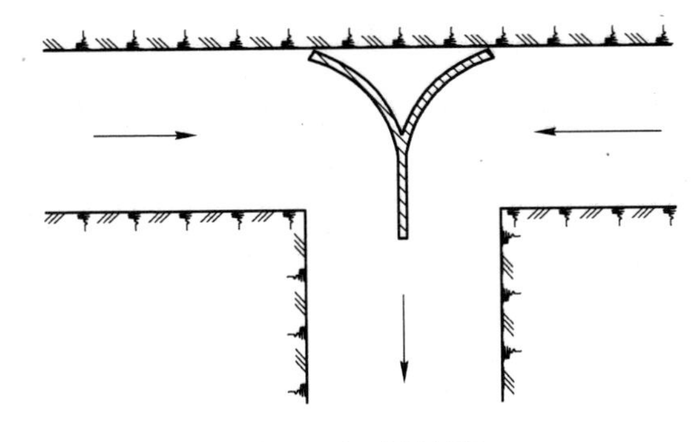

图 3-8 汇流导风板

直角转弯处的导风板装置，导风板的敞开角 α 取 100°，导风板的安装角 β 取 45°～50°。安设导风板后，直角转弯的局部阻力系数 ξ 可由原来的 1.4 降低到 0.3～0.4。

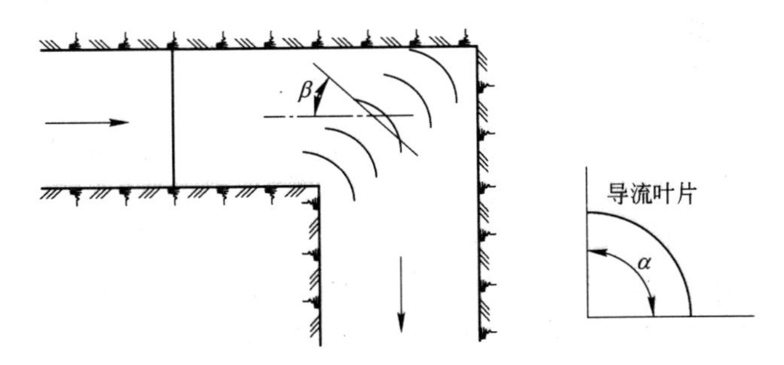

图 3-9 直角转弯处的导风板

3.4.3 引风导风板

压入式通风的矿井，为防止井底车场漏风，在进风石门与阶段沿脉巷道交叉处，安设引导风流的导风板，利用风流流动的方向性，改变风流的分配状况，提高矿井有效风量率。图 3-10 是此导风板安装示意图。导风板可用木板、铁板或混凝土制成。

设计导风板时，其出口断面 S_b 可按下式求算：

$$S_b = \frac{1}{SR} \tag{3-2}$$

式中 S——巷道断面面积，m^2；

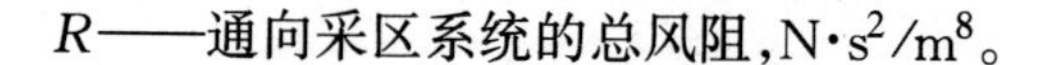

R——通向采区系统的总风阻,$N \cdot s^2/m^8$。

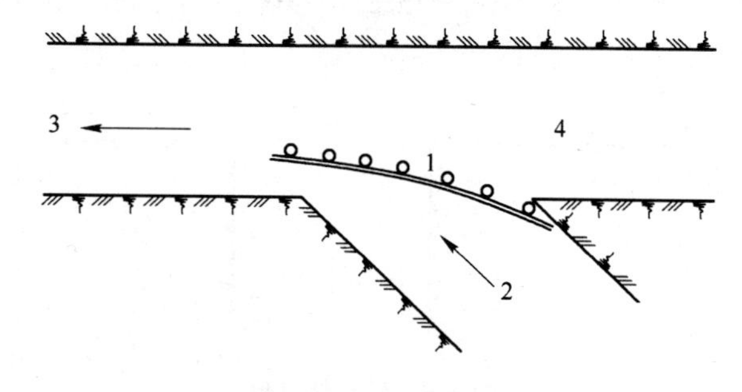

图 3-10 引风导风板

1—导风板;2—进风石门;3—采区巷道;4—井底车场巷道

进风巷道与沿脉巷道的交叉角可取 45°。巷道转角和导风板都要做成圆弧形。导风板的长度应超过巷道交叉口 0.5～1.0 m。

3.4.4 导风板引风防漏

采用压入式通风的矿井,由专用入风井送入井下的新鲜风流具有较高的正压。这些风流是通过中段运输道送往采区的,而中段运输道又与通达地表的主、副井直接相连。这种通风系统在设计上要求各中段井底车场附近的运输道上建立自动风门,防止短路漏风。但是,在生产矿山,由于运输道行车频繁,安设隔断风流的自动风门,在管理上非常不便,常常不能持久。不少采用压入式通风系统的矿井,井底车场漏风严重,有效风量率很低。

有些矿山在中段专用入风石门与运输巷道的交叉口处,安设引导风流的导风板,使风流方向直对采区,背向井底车场,利用风流动压的方向性,改善风流分配状况,减少井底车场的漏风量,提高矿井的有效风量率。以下介绍导风板的引风原理及设计计算方法,以便提供导风板的合理应用。

3.4.4.1 导风板的引风原理

图 3-11 为导风板引风的风流流动模型。由中段专用入风石门流入的总风量为 Q,该风流在导风板的作用下,由导风板出口断面 S_b 流出,具有较高的风速。该风流大部分流向采区(由 $A \rightarrow C$),少部分流向

井底车场(由 $A \rightarrow D$)。由导风板出口射出的风流,由于其动压的方向性,在 AB 段形成一个方向由 A 到 C 的有效风压 ΔH。对导风板所形成的这一有效风压可做如下分析。

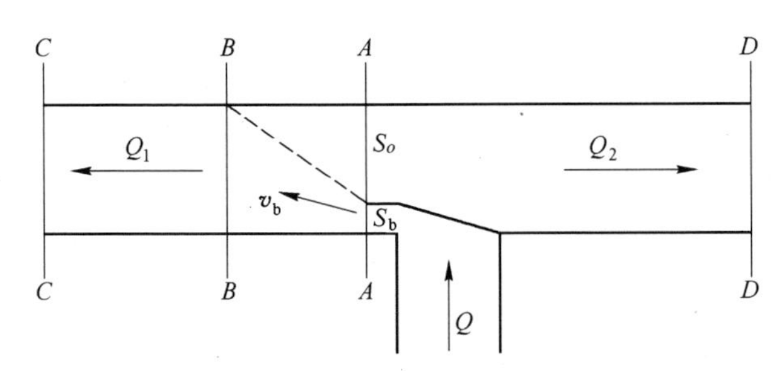

图 3-11 导风板引风的流动模型

首先,列出风流由断面 A 到断面 D 的单位体积流体的能量变化方程式:

$$p_A + \frac{\rho v_A^2}{2} = p_D + \frac{\rho v_D^2}{2} + R_2 Q_2^2 \tag{3-3}$$

式中 p_A——断面 A 处风流的静压,Pa;

p_D——断面 D 处风流的静压,等于当地大气压 p_0,Pa;

$\frac{\rho v_A^2}{2}$、$\frac{\rho v_D^2}{2}$——A、D 断面处风流的平均动压,Pa;

R_2——A、D 断面间巷道的风阻,$N \cdot s^2/m^8$;

Q_2——通过巷道 2 的风量,m^3/s。

再列出风流由断面 B 到断面 C 的单位体积流体的能量变化方程式:

$$p_B + \frac{\rho v_B^2}{2} = p_C + \frac{\rho v_C^2}{2} + R_1 Q_1^2 \tag{3-4}$$

由于 $v_B = v_C$,则 $p_B = p_C + R_1 Q_1^2$,$p_C = p_0$。

式中 p_B、p_C——断面 B、C 处风流的静压,Pa;

$\frac{\rho v_B^2}{2}$、$\frac{\rho v_C^2}{2}$——B、C 两断面处风流的平均动压,Pa;

R_1——巷道 1 的风阻(B、C 两断面的风阻),$N \cdot s^2/m^8$;

Q_1——通过巷道 1 的风量,m^3/s。

再列 A、B 断面间风流动量变化方程式：

$$\rho Q_1 v_B - \rho Q_b v_b + \rho Q_2 v_A = (p_A - p_B)S \tag{3-5}$$

式中　Q_b——导风板出风口风量，m^3/s；

v_b——导风板出风口断面上的平均风速，m/s；

S——巷道断面面积，m^2。

取运输道各处断面相等，即 $S_B = S_C = S_D = S$，导风板出风口断面为 S_b，剩余断面为 S_o，并取 $S_o \approx S$，对式(3-3)～式(3-5)联立求解，可求出下列简单关系式：

$$\rho \times \frac{S_b}{S} v_b^2 - \rho v_1^2 - \rho v_2^2 = R_1 Q_1^2 - R_2 Q_2^2 \tag{3-6}$$

导风板所造成的有效风压（以 ΔH 表示）应等于两翼风路的总风压差，其作用方向与导风板的引风方向相同。由风压平衡定律可列出导风板有效风压表达式：

$$\Delta H = R_1 Q_1^2 + \frac{\rho v_1^2}{2} - R_2 Q_2^2 - \frac{\rho v_2^2}{2} \tag{3-7}$$

由式(3-6)和式(3-7)，可得：

$$\Delta H = \rho \times \frac{S_b}{S} v_b^2 - \frac{\rho}{2}(v_1^2 + 3v_2^2)$$

由于 $Q_b = Q_1 + Q_2$，可近似认为：

$$v_1^2 + 3v_2^2 = \left(\frac{S_b}{S}\right)^2 v_b^2$$

由此可得：

$$\Delta H = \left(2 - \frac{S_b}{S}\right)\frac{S_b}{S} \times \frac{\rho v_b^2}{2} \tag{3-8}$$

在东北大学通风实验室的巷道模型上，对导风板的有效风压进行了详细测定，测定结果列于表 3-1 中。

在以 ΔH 为纵坐标，以 $\left(2 - \frac{S_b}{S}\right)\frac{S_b}{S} \times \frac{\rho v_b^2}{2}$ 为横坐标的图 3-12 中，各点是根据实测数据绘出的，直线是按理论公式(3-8)绘制的。由图可知，各实测点均分布于理论曲线附近，表明有效风压计算公式(3-8)与实际情况吻合。导风板的引风作用主要取决于有效风压，有效风压越高，导风作用越好。

表 3-1 导风板有效风压测算表

$\frac{S_b}{S}$	$R_1+\frac{\rho}{2S_1^2}$	Q_1	$R_2+\frac{\rho}{2S_2^2}$	Q_2	ΔH	Q	v_b	$\left(2-\frac{S_b}{S}\right)\frac{S_b}{S}\times\frac{\rho v_b^2}{2}$
0.1	15600	0.091	22000	−0.026	143	0.065	35.5	146
0.1	26100	0.072	19300	−0.011	137	0.061	33.2	128
0.1	29700	0.066	16000	0	141	0.066	36	150
0.1	20000	0.081	20600	−0.018	136	0.063	34.3	137
0.2	23000	0.113	16500	−	296	0.113	35.6	280
0.2	34400	0.095	12000	0.028	300	0.123	38.7	331
0.2	22600	0.118	−	0	314	0.118	36.9	300
0.2	17000	0.131	26100	−0.012	295.5	0.119	37.4	310
0.3	16000	0.160	20600	−0.002	408	0.158	36.8	421
0.3	20000	0.142	−	−	404	0.154	35.8	406
0.3	15700	0.155	−	0.012	392	0.153	35.6	398
0.3	15600	0.067	−	−0.001	73.5	0.066	15.4	74.5
0.4	16000	0.186	15400	+0.023	542	0.209	36.5	525
0.4	15500	0.189	641000	+0.009	500	0.198	34.6	475
0.4	21900	0.161	14500	0.046	540	0.207	36.2	512
0.4	16000	0.190	660000	0.009	513	0.199	34.8	476

注：风阻单位：$N\cdot s^2/m^8$；风量单位：m^3/s；风压单位：Pa；风速单位：m/s。

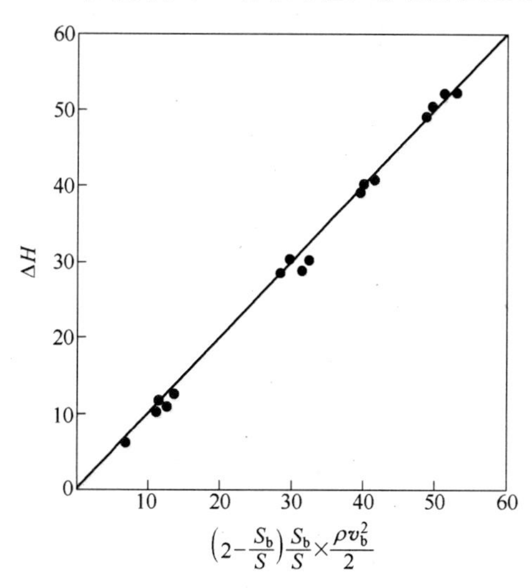

图 3-12 导风板有效风压理论值与实验值对照图

3.4.4.2 导风板引风时巷道的临界风阻

利用导风板引风时，在条件适合的情况下，可使井底车场的漏风量等于零，即巷道 2 既不进风也不出风。在导风板出口断面与巷道断面 S_b/S 一定的条件下，能使巷道 2 既不进风也不出风的巷道风阻值 R_K 称为临界风阻。如前所述，当导风板所造成的有效风压全部用于克服巷道 1 的阻力，并且通过巷道 1 的风量 Q_1 等于通过导风板的风量 Q_b 时，则巷道 2 的风量 Q_2 等于零，此时，巷道 1 的风阻值即为临界风阻，以 R_K 表示，则：

$$\Delta H = R_K Q_1^2$$

将式(3-8)中之 ΔH 代入上式，则：

$$\left(2-\frac{S_b}{S}\right)\frac{S_b}{S}\times\frac{\rho v_b^2}{2}=R_K Q_1^2$$

由于 $Q_b=Q_1$，$Q_b=v_b S_b$，则可求得 $R_K(\mathrm{N\cdot s^2/m^8})$：

$$R_K=\left(\frac{2S}{S_b}-1\right)\frac{\rho}{2S^2} \tag{3-9}$$

在不同断面比 $\frac{S_b}{S}$ 情况下，实测的临界风阻与按式(3-9)计算的临界风阻列于表(3-2)中。由表可见，两者十分吻合。

表 3-2 导风板引风时巷道临界风阻测算表

$\frac{S_b}{S}$	实测 R_K 值/$\mathrm{N\cdot s^2\cdot m^{-8}}$	按式(3-9)计算的 R_K 值/$\mathrm{N\cdot s^2\cdot m^{-8}}$
0.1	45000～81500	57000
0.2	23000～35000	27000
0.3	16000～18000	16800
0.4	＜16000	12000

3.4.4.3 导风板引风对巷道风量分配的影响

由风压平衡定律可知，导风板所造成的有效风压等于两翼风路的总风压差。即：

$$\Delta H=\left(R_1+\frac{\rho}{2S^2}\right)Q_1^2-\left(R_2+\frac{\rho}{2S^2}\right)Q_2^2 \tag{3-10}$$

式中，ΔH 值与式(3-8)中的 ΔH 值是同一有效风压的不同表示方法，两者相等。由此可得：

$$R_{\mathrm{K}}Q_{\mathrm{b}}^{2}=R_{1}'Q_{1}^{2}-R_{2}'Q_{2}^{2} \tag{3-11}$$

式中，$R_{\mathrm{K}}=\left(2-\dfrac{S_{\mathrm{b}}}{S}\right)\dfrac{\rho}{2SS_{\mathrm{b}}}$，$R_{1}'=R_{1}+\dfrac{\rho}{2S^{2}}$，$R_{2}'=R_{2}+\dfrac{\rho}{2S^{2}}$。

当导风板有漏风时，导风板出风口的风量 Q_{b} 小于总风量 Q，以 ϕ 表示有效风量系数，则 $Q_{\mathrm{b}}=\phi Q$，以 Q_{b}^{2} 除式(3-11)中各项，并以 $n=\dfrac{Q_{1}}{Q}$ 为引风率，则得：

$$R_{\mathrm{K}}'=R_{1}'n^{2}-R_{2}'(1-n)^{2} \tag{3-12}$$

式中，$R_{\mathrm{K}}'=R_{\mathrm{K}}\phi^{2}$，将上式整理后，可得引风率 n 的二次方程式：

$$(R_{2}'-R_{1}')n^{2}-2R_{2}'n+(R_{2}'+R_{\mathrm{K}}')=0 \tag{3-13}$$

解式(3-13)，得 n 的表达式如下：

$$n=\frac{1-\sqrt{\dfrac{R_{1}'}{R_{2}'}+\dfrac{R_{1}'}{R_{2}'}\times\dfrac{R_{\mathrm{K}}'}{R_{2}'}-\dfrac{R_{\mathrm{K}}'}{R_{2}'}}}{1-\dfrac{R_{1}'}{R_{2}'}} \tag{3-14}$$

当巷道1风阻等于临界风阻时，即 $R_{1}'=R_{\mathrm{K}}'$，由上式可得：$n=1$，全部风量被引送到巷道1中。

在实验风筒中，对各种不同断面比 S_{b}/S 和不同风阻比 R_{1}'/R_{2}' 条件下测定的两翼风路风量分配情况结果列于表3-3中，并根据测定资料绘成引风率 n 的坐标图，如图3-13所示。图中的点为实测点，直线是按式(3-14)绘制的。由图可见，各试验点均分布在理论曲线附近，两者吻合较好。这表明，式(3-14)符合实际情况。

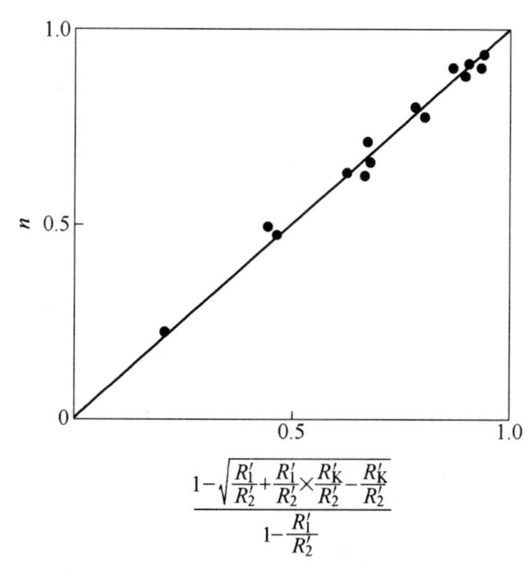

图3-13 导风板引风率理论与实际对照图

表 3-3 导风板引风率测算表

$\frac{S_b}{S}$	Q_1 /$m^3 \cdot s^{-1}$	Q_2 /$m^3 \cdot s^{-1}$	Q /$m^3 \cdot s^{-1}$	n	R'_K /$N \cdot s^2 \cdot m^{-8}$	R'_1 /$N \cdot s^2 \cdot m^{-8}$	R'_2 /$N \cdot s^2 \cdot m^{-8}$	$\frac{1-\sqrt{\frac{R'_1}{R'_2}+\frac{R'_1}{R'_2}\times\frac{R'_K}{R'_2}-\frac{R'_K}{R'_2}}}{1-\frac{R'_1}{R'_2}}$
0.1	0.043	0.025	0.068	0.63	34000	81500	14700	0.67
0.1	0.066	0	0.066	1.00	34000	32200	15000	1.02
0.2	0.095	0.028	0.123	0.77	21900	34400	12000	0.80
0.2	0.055	0.063	0.118	0.47	21900	24500	13330	0.46
0.2	0.025	0.095	0.120	0.21	21900	690000	12500	0.21
0.2	0.118	0	0.118	1.00	21900	22600	15000	0.99
0.3	0.142	0.012	0.154	0.92	16800	20000	12900	0.93
0.3	0.100	0.055	0.155	0.65	16800	40700	14700	0.67
0.3	0.062	0.066	0.127	0.49	16800	117500	15000	0.43
0.4	0.186	0.023	0.209	0.88	12000	16000	15400	0.89
0.4	0.161	0.046	0.207	0.78	12000	21900	16500	0.77
0.4	0.133	0.051	0.186	0.72	12000	31000	17000	0.69
0.4	0.189	0.009	0.198	0.96	12000	15000	643000	0.96
0.4	0.168	0.019	0.187	0.90	12000	14000	12000	0.93
0.4	0.156	0.088	0.244	0.64	12000	36700	16700	0.63
0.4	0.220	0.026	0.246	0.89	12000	16200	16200	0.88

3.5 调节风窗与纵向风障

调节风窗是增加巷道局部阻力的一种方式。调节巷道风量的通风构筑物,它是在挡风墙或风门上留一个可调节其面积的窗口,通过改变窗口的面积来控制所通过的风量。调节风窗多设置在无运输行人或运输行人较少的巷道中。

纵向风障是沿巷道长度方向砌筑的风墙。它将一个巷道隔成两个格间,一格入风,另一格回风。纵向风障可在长独头巷道掘进通风时应用。根据服务时间的长短,纵向风障可用木板、砖石或混凝土构筑。

3.6 主扇风硐、扩散器与反风装置

3.6.1 主扇风硐

主扇风硐是指矿井主扇与风井间的一段联络巷道。由于通过风硐的风量大,风硐内外的压差也大,因此应特别注意降低风硐的阻力和减

少风硐的漏风。在风硐设计中应注意以下问题：

(1) 风硐断面应适当加大，其风速以 10 m/s 为宜，最大不超过 15 m/s；

(2) 风硐的转弯部位应呈圆弧形，内壁光滑，无积物，其风压损失应不大于主扇工作风压的 10%；

(3) 用混凝土砌筑，闸门及反风门要严密，风硐的总漏风量应不超过主扇工作风压的 5%；

(4) 为清理和检查风硐 、测定风速的需要，在风硐上应留有人员进出口，设双层风门关闭，以防漏风；

(5) 风硐内应安设测定风流压力的测压管。

图 3-14 是带有反风绕道的轴流式扇风机布置图。主扇风硐包括风井到风硐的弯道、直风硐和扇风机入口弯道。各部分的尺寸可参考下述原则确定：

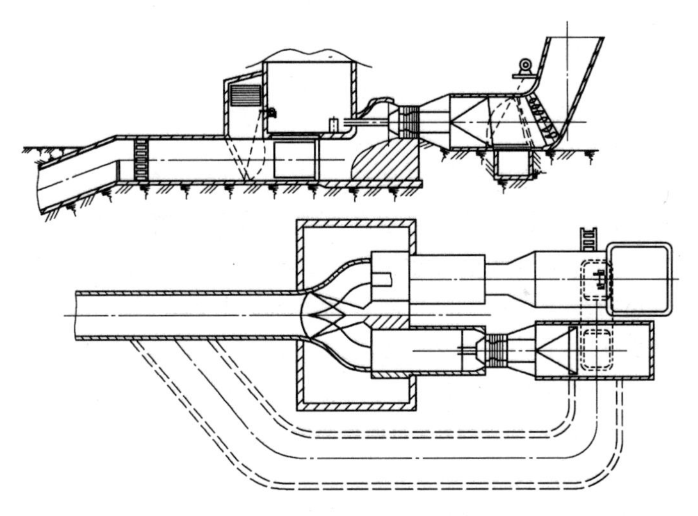

图 3-14　主要扇风机布置图

(1) 风井到风硐的弯道应呈圆弧形，井筒侧壁上开口的高度应大于风井直径；

(2) 直风硐是测定风速和风压的地方，为使风速分布均匀，其长度应不小于 $10D$（D 是主扇动轮直径），与水平线所成的倾斜角可取

10°～15°，既可降低局部阻力又便于排水。断面形状取圆形、拱形、方形均可。直风硐的直径可取(1.4～1.6)D。

(3)轴流式扇风机的入口弯道应做成流线形，断面可取圆形或正八角形，弯道直径可取 1.2D。

3.6.2　扩散器

在扇风机出口外联接一段断面逐渐扩大的风筒称扩散器，在扩散器后边还有一段方形风硐和排风扩散塔。这些装置的作用都是为了降低出口的风速，以减少扇风机的动压损失，提高扇风机的有效静压。轴流式扇风机的扩散器是由圆锥形内筒和外筒构成的环状扩散风筒，外圆锥体的敞开角可取 7°～12°，内圆锥体的收缩角可取 3°～4°。离心式扇风机的扩散器是长方形的，扩散器的敞开角可取 8°～15°。排风扩散塔是一段向上弯曲的风道，又称排风弯道。它与水平线所成的倾角可取 45°或 60°，以确保处于良好状态。反风装置要方便操作，简单可靠，保证在 10 min 内达到反风要求。

3.6.3　反风装置

反风装置是用来改变井下风流方向的一种装置，包括反风道和反风闸门等设施。当进风井或井底车场附近发生火灾时，为防止有毒有害气体侵袭作业地点和适应救护工作，需要进行反风。图 3-15 是轴流式扇风机进行反风时的风流状况。新鲜风流由地表经反风门 7 进入风硐和扇风机 3，然后由扩散器 4 经排风风硐下部的反风门 5 进入反风绕道 8，再进入主风硐 1，送入井下。在正常通风时，反风门 5、7 均恢复到水平位置。此时，井下的污浊风流经主风硐 1 直接进入扇风机，然后由排风扩散塔排到大气中。

轴流式扇风机还可利用扇风机动轮反转反风。反风时，调换电动机电源的两相接点，改变电机和扇风机动轮的转动方向，使井下风流反向。但这种方法反风后的风量较小，如能保证在反风后原进风井的风流方向改变，也可采用此种反风办法。

离心式扇风机利用反风道和反风门反风的情况与轴流式扇风机基本相同。

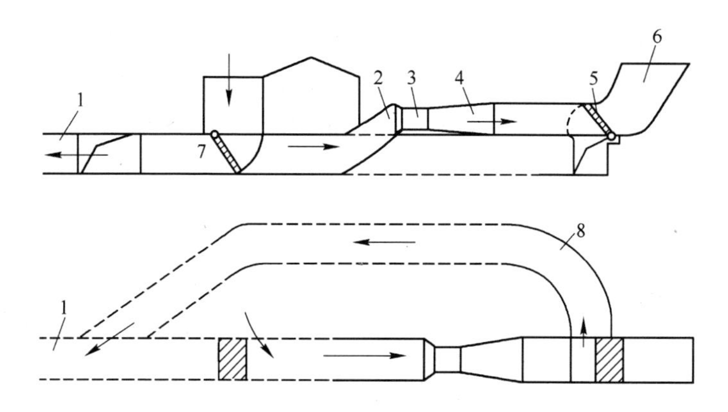

图 3-15 轴流式扇风机反风示意图

1—主风硐;2—进风风硐弯道;3—扇风机;4—扩散器;5—反风门;6—排风弯道;7—反风门;8—反风绕道

3.7 矿井通风构筑物的最优选型

3.7.1 主扇扩散塔

扩散塔是主扇向大气中排放污风的装置。由于全矿风量均通过扩散塔排出,风量大,风速高,因此,其选型及通风阻力状况的好坏,对主扇能量的有效利用有较大的影响。

扩散塔有多种形式。最简单的扩散塔是直立的,其空气动力性能较差。60°倾斜扩散塔在现场应用较多(图 3-16*a*),但由于转角大,内外边界线形欠佳,以及出风口内转角区域经常出现较大范围内的旋涡区,因此通风阻力较大。图 3-16*b* 是 45°倾斜角的改进型扩散塔,由于转角变小,通风阻力大为降低。若改为如图 3-16*c* 所示的流线型扩散塔,则通风阻力最小。

风流通过扩散塔的阻力由转弯局部阻力、旋涡阻力及出风口动压损失组成。为方便起见,以统一的扩散塔局部阻力系数 ξ 来表示,则扩散塔阻力为:

$$h = \xi \frac{\rho v_1^2}{2} \tag{3-15}$$

式中 v_1——扩散塔入风口平均风速,m/s。

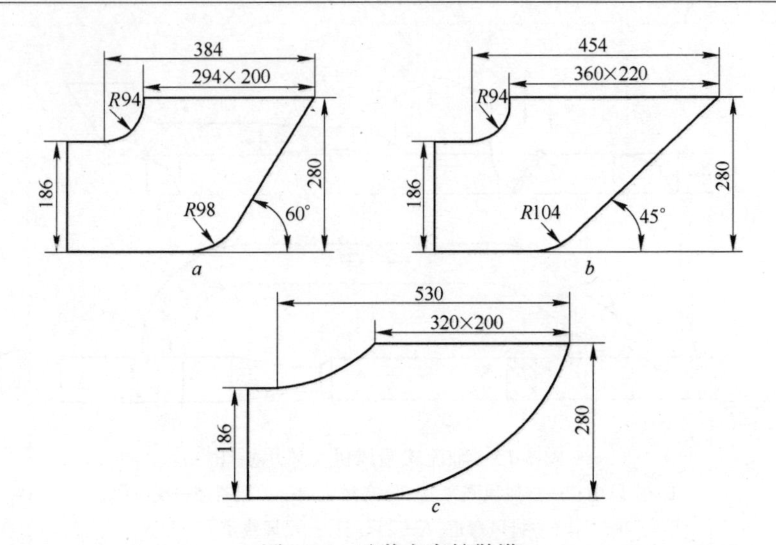

图 3-16　矿井主扇扩散塔

a—60°倾斜角扩散塔；*b*—45°倾斜角扩散塔；*c*—流线型扩散塔

对直立型,60°倾斜型、45°倾斜型和流线型四种扩散塔的风流参数、空气动力阻力和旋涡区的范围进行专门的实验和研究的结果列于表 3-4 中。所得主要结论分述如下。

3.7.1.1　雷诺数对扩散塔风流参数的影响

出风口的风流结构参数以旋涡区长度 l 占扩散塔出风口总长度 L 的百分比来表示。在实验条件下,雷诺数在$(2.95\sim5.43)\times10^5$ 范围内,涡流区的长度不受雷诺数影响,保持一定数值(如图 3-17)。矿山主扇扩散塔的实际雷诺数变化于$(5\sim25)\times10^5$ 之间,比实验中所采用的雷诺数还高。因此,上述结论完全适用于现场。

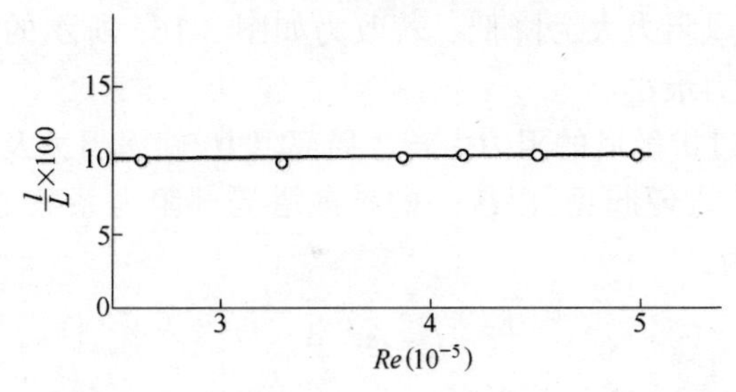

图 3-17　涡流区长度 l/L 与雷诺数 Re 的关系

表 3-4 扩散塔风流参数测定表

扩散塔型式	动压 h_o /Pa	静压 p /Pa	全压 H /Pa	阻力系数 ξ	风速 v /m·s^{-1}	风量 Q /m^3·s^{-1}	雷诺数 Re	涡流区长度/mm	涡流区相对长度/mm	扩散塔出口总长度/mm	断面扩散系数 n
直扩散塔,90°转弯	650	545	1195	1.84	32.6	1.31	4.46×10^5	82	29.3	280	1.40
苏式扩散塔,60°转弯:											
无导流叶片	760	175	935	1.23	35.3	1.42	4.87×10^5	28	9.04	310	1.55
无导流叶片	815	47	862	1.06	36.5	1.46	5.00×10^5	6	2.14	280	1.40
无导流叶片	810	36	846	1.05	36.4	1.455	4.99×10^5	0	0	270	1.35
无导流叶片	805	77	882	1.09	36.3	1.45	4.98×10^5	0	0	255	1.28
无导流叶片	700	386	1086	1.57	33.8	1.35	4.63×10^5	0	0	200	1.00
有导流叶片	850	−34	816	0.96	37.3	1.49	5.12×10^5	0	0	310	1.55
有导流叶片	890	−123	767	0.863	38.2	1.53	5.24×10^5	0	0	280	1.40
改进型扩散塔,45°转弯:											
无导流叶片	820	33	853	1.04	36.6	1.465	5.02×10^5	102	22.9	445	2.23
无导流叶片	890	−134	756	0.85	38.2	1.53	5.24×10^5	12	3.34	360	1.80
无导流叶片	890	−104	786	0.88	38.2	1.53	5.24×10^5			360	1.80
无导流叶片	890	−123	767	0.863	38.2	1.53	5.24×10^5	0	0	345	1.73
无导流叶片	860	−90.5	769.5	0.895	37.5	1.50	5.14×10^5	0	0	320	1.60

续表 3-4

扩散塔型式	动压 h_o /Pa	静压 p /Pa	全压 H /Pa	阻力系数 ξ	风速 v /m·s^{-1}	风量 Q /m^3·s^{-1}	雷诺数 Re	涡流区长度/mm	涡流区相对长度/mm	扩散塔出口总长度/mm	断面扩散系数 n
改进型扩散塔,45°转弯:											
有导流叶片	870	−134	736	0.846	37.7	1.51	5.17×10^5	0	0	445	2.23
有导流叶片	910	−166	744	0.818	38.6	1.54	5.28×10^5	0	0	300	1.50
流线型扩散塔:											
无导流叶片	835	−16.7	818.3	0.98	37	51.48	5.07×10^5	112	25.2	445	2.23
无导流叶片	880	−114	766	0.87	38	1.52	5.20×10^5	10	3.03	330	1.65
无导流叶片	890	−131	759	0.853	38.2	1.53	5.24×10^5	9	2.75	327	1.64
无导流叶片	865	−129	736	0.85	37.6	1.505	5.15×10^5	0	0	320	1.60
无导流叶片	880	−116	764	0.87	38	1.52	5.20×10^5	0	0	320	1.60
无导流叶片	860	−120	740	0.86	37.5	1.50	5.14×10^5	0	0	305	1.52
有导流叶片	910	−165	745	0.82	38.8	1.54	5.28×10^5	0	0	445	2.23
有导流叶片	960	−246	714	0.744	39.6	1.58	5.43×10^5	0	0	320	1.60

3.7.1.2 扩散塔出口长度对通风阻力的影响

扩散塔出风口的相对长度以 n 表示，$n = L/D$，其中 D 是扩散塔入风口的当量直径。边壁垂直的扩散塔，出风口相对长度 n 就是出风口与入风口的断面比，称断面扩大系数。断面扩大系数越大，出口的动压损失越小，通风阻力越小。但是，断面扩大系数增大到一定程度后，在扩散塔出风口内边界处，出现了越来越大的涡流区，使通风口的有效通风断面小于实际断面。此时，其通风阻力反而逐渐增大。图 3-18 是三种不同型式扩散塔通风阻力系数 ξ 随断面扩大系数 n 的变化关系。实验表明，各种不同的扩散塔均存在一个最优的断面扩大系数。在该种情况下，出风口处没有涡流区，风速分布也比较均匀，其通风阻力最小。在扩散塔高与巷道当量直径之比为 1.4 的情况下，60°倾斜扩散塔的最优断面扩大系数 $n_0 = 1.35$；改进型 45°倾斜塔 $n_0 = 1.75$；流线型扩散塔 $n_0 = 1.60$。当扩散塔高度与巷道当量直径之比增大时，断面扩大系数 n_0 亦随之增大。

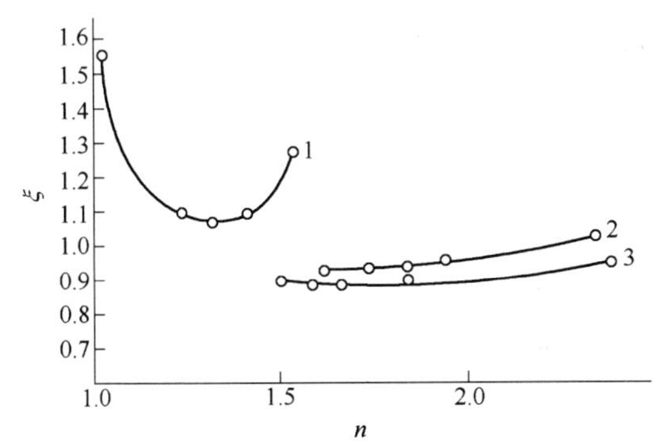

图 3-18 各类扩散塔阻力系数 ξ 随 n 值变化曲线

1—60°倾斜扩散塔；2—45°倾斜扩散塔；3—东工流线型扩散塔

3.7.1.3 扩散塔高度与通风阻力的关系

以改进型 45°倾斜扩散塔为对象，对扩散塔高度为 1.4D、1.5D、2.0D、2.5D、3.0D、3.5D 6 种不同情况进行最优断面扩大系数和阻力系数测定。测定结果列于表 3-5 中。实验中发现，在扩散塔的 6 个不同高度上，最优扩大断面的内边界线为一与水平线成 51°～53°的直线。随着扩散塔高度的增加，扩散塔的最优断面扩大系数逐渐增加，阻力系数减小。在矿井设计中，在条件许可的情况下，把扩散塔建设高一些，无论对降低通风阻力，还是对防止大气污染都是有利的。

表 3-5　不同扩散塔高度的 n_0 与 ξ 的关系

塔高/m	塔高与风硐高之比	最优断面扩大系数 n_0	通过风量/$m^3 \cdot s^{-1}$	阻力系数 ξ
0.28	1.4	1.73	0.78	0.52
0.30	1.5	1.75	0.79	0.90
0.40	2.0	1.85	0.80	0.88
0.50	2.5	1.95	0.81	0.83
0.60	3.0	2.05	0.85	0.74
0.70	3.5	2.15	0.86	0.69

3.7.1.4　涡流区长度与断面扩大系数的关系

扩散塔出口断面大于最优断面时，在出风口的内边界上出现旋涡区。涡流区的相对长度 l/L 与断面扩大系数 n 之间存在如下线性关系，如图 3-19 所示。

$$\frac{l}{L}=0.46(n-n_0) \tag{3-16}$$

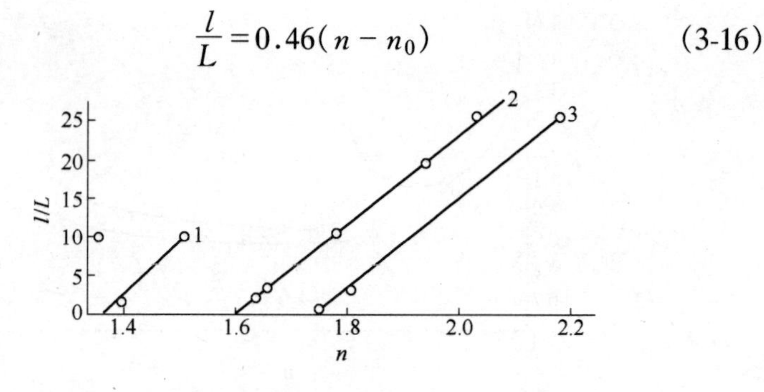

图 3-19　涡流区尺寸与断面扩大系数的关系

1—60°倾斜扩散塔；2—东工流线型扩散塔；3—45°倾斜扩散塔

实验资料表明，出现旋涡区的条件是 $n>n_0$，涡流区的长度随扩散塔总长度而增大。涡流区越长，通风阻力越大。

3.7.1.5　扩散塔的通风阻力

在实验的 4 种扩散塔中，直立型直角转弯的扩散塔，阻力最大，当断面扩大系数等于 1.4 时，局部阻力系数 $\xi=1.84$。60°倾斜圆弧转弯的扩散塔，阻力也较大，当断面扩大系数为 1～1.55 时，局部阻力系数

$\xi=1.05\sim1.57$。改进的45°倾斜圆弧转角的扩散塔，阻力较低，$\xi=0.85\sim1.04$。而流线型扩散塔的阻力最小，$\xi=0.85\sim0.98$。上述数据都是在塔高为1.4D条件下测得的。当塔高增加时，阻力还可能降低。

3.7.1.6 扩散塔尺寸的设计

A 45°倾斜扩散塔

扩散塔的尺寸，首先决定于扩散塔入风口的尺寸D。当入风口为方形风硐时，其等效直径D确定之后，就可确定扩散塔的高度h。扩散塔高度可根据环境保护和降阻的要求而定，但最低不宜小于1.4D。扩散塔排风断面的尺寸可由相应的最优断面而定。具体设计步骤如下：

(1) 首先确定扩散塔高度h，取$h=2D$；

(2) 由距方形风硐最终断面$A-A'$为0.45D处为B点，作与水平线成52°角的斜线，交高度等于2D的水平线于C点，角ABC的两边，由半径等于0.45D的圆弧连接，如图3-20所示。

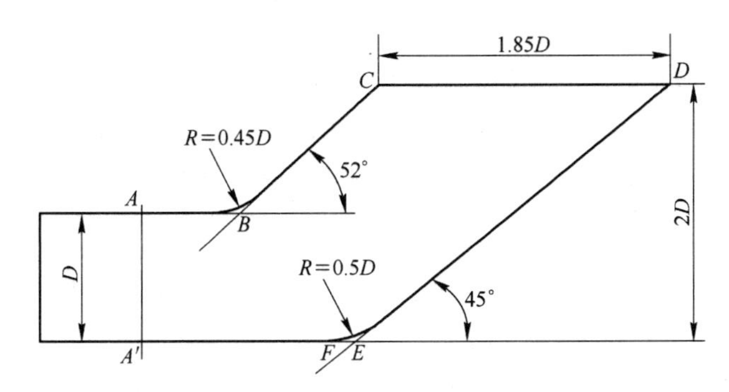

图3-20 45°倾斜扩散塔各部位尺寸结构图

(3) 查表3-5，当塔高为2D时，最优断面扩大系数$n_0=1.85$，在水平线CD上截取长度等于1.85D的线段CD；

(4) 通过D点作与水平线成45°的斜线，交水平线于E点，角的两边，由半径等于0.5D的圆弧连接；

(5) 扩散塔的侧壁采用直立式。

B 流线型扩散塔

扩散塔的最低高度取1.4D。流线型扩散塔的外边界是按下述原则确定的。将进入扩散塔的风流视为平行平面流,将扩散塔出风口的外边缘视为汇流点,将扩散塔中的风流视为平行平面流与汇流的合成流动,而以其最外部的边界流线作为扩散塔的外边界线。从工程实用出发,取用如下形式的外边界线方程:

$$y_1 = -1.5h(3 - 2\theta/\pi) \tag{3-17}$$

式中　y_1——外边界上某点的纵坐标,m;

h——扩散塔高度,m;

θ——外边界上某点与原点连线的幅角,以弧度表示,θ 可取 1.5π、1.44π、1.39π、1.33π、1.28π、1.17π 等值。

扩散塔内边界在很大程度上受外边界线的影响。当外边界线和最优断面扩大系数确定以后,内边界向顶点的位置也随之而定。同理,也可把该点视为汇点,可得内边界方程为:

$$y_2 = -1.5(h - D)(3 - 2\theta/\pi) \tag{3-18}$$

式中　y_2——内边界线上某点的纵坐标,m;

D——风硐等效直径,m。

流线型扩散塔两侧的边壁采用直立。下面举例说明流线型扩散塔各部尺寸的确定方法。设扩散塔入风口为方形,$A - A'$断面尺寸为 2 m×2 m, 塔高 $1.4D$,求各部分尺寸,如图 3-21 所示。

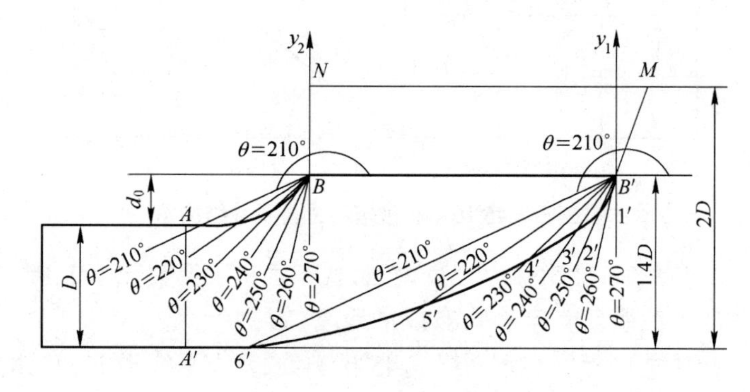

图 3-21　流线型扩散塔各部分尺寸结构图

(1) 扩散塔塔高 $h = 1.4D = 1.4 \times 2 = 2.8$ m。

(2) 由 A 点作倾角 $\alpha = 30°$的斜线,交扩散塔出口等高线于 B 点,该点高度为 2.8 m,距风硐出口断面 $A-A'$的水平距离为 1.39 m,该点即为内边界线最高点。

(3) 以 B 点为原点,依次令 θ 为 1.5π、1.44π、…、1.17π,代入式(3-18),求出对应的 y_2,如表 3-6 所列。将 y_2 与其对应的 θ 角的矢线的交点 0、1、2、…、6,用圆滑曲线连接起来,可得扩散塔的内边界线。

表 3-6 流线形扩散塔边界线参数计算表

θ/(°)	弧度 θ/π	$2\theta/\pi$	$\frac{2\theta}{\pi}$	$3-\frac{2\theta}{\pi}$	y_2	y_1
1	2	3	4	5	6	7
270	1.5	3	3	0	0	0
260	1.44	2.88	2.88	0.12	−0.1	−0.47
250	1.38	2.78	2.78	0.22	−0.27	−0.94
240	1.33	2.66	2.66	0.33	−0.40	−1.40
230	1.28	2.56	2.56	0.44	−0.53	−1.87
220	1.22	2.44	2.44	0.56	−0.67	−2.33
210	1.17	2.34	2.34	0.66	−0.80	−2.80

(4) 外边界线最高点 B'与 B 在同一水平线上,两点的距离为扩散塔的长度 L,该长度可由最优端面扩大系数 n_0 来确定,即:

$$L=n_0D=1.6\times2=3.2\ \text{m}$$

(5) 以 B'点为原点,给定 1.5π、1.44π、…、1.17π,按公式(3-17)求出对应的 y_1 值,如表 3-6 所列。由 y_1 值及对应的 θ 角的矢线的交点 0′、1′、…、6′,用光滑曲线连接起来,可得扩散塔的外边界线。

(6) 按扩散塔高度 $h=1.4D$ 而设计的内、外边界线,已使风流平稳地转了 90°弯。若继续加高扩散塔,可在 $1.4D$ 高的基础上,按下述原则增高。由点 B 作垂线 BN,若把扩散塔高定为 $2D$,则 BN 长为 $0.6D$。再由 B'点作与垂线成 8°角的斜线 $B'M$,NM 为水平线。此时,ABN 为内边界线,$A'B'M$ 为外边界线,如图 3-21。

3.7.1.7 扩散塔导流叶片及其作用

在扩散塔的转弯部位安设一组弧形导流叶片,可减低阻力,提高扩散塔的效率。导流叶片的数目可取 3~5 片。叶片的曲率半径 r 可取扩散塔内、外边界线转角平均曲率半径的一半。叶片的弦长与转角有关,当转角为60°时,弦长等于曲率半径 r;当转角为45°时,弦长等于 $0.7r$;流线型扩散塔可近似选用45°转角的叶片弦长。在一组导流叶片中,各叶片的间距互不相等,靠内边界的一侧,叶片较密,靠外边界的一侧,叶片较稀。当取用3~5个叶片时,各叶片间距按表3-7选用。

表3-7　扩散塔导流叶片间距(m)

叶片总数	叶片间距(以安装叶片处风道斜高为1)					
	0~1	1~2	2~3	3~4	4~5	5~6
3	0.17	0.22	0.28	0.34		
4	0.13	0.17	0.20	0.23	0.26	
5	0.11	0.13	0.16	0.18	0.20	0.22

安装导流叶片时,应使其端部的切线方向与风流方向一致。对三种不同类型扩散塔安设导流叶片后的通风阻力测定结果列于表3-8。安设导流叶片后,断面扩大系数 n_0 增大,消除了涡流区,降低了局部阻力,阻力系数 ξ 降低15%~22%。

表3-8　扩散塔安设导流叶片前后技术参数对比

扩散塔形式	断面扩大系数 n_0	阻力系数 ξ		涡流区相对长度 l/L 100%		阻力系数降低分数/%
		无导流叶片	有导流叶片	无导流叶片	有导流叶片	
倾斜型60°转角	1.55	1.23	0.96	9.04	0	22
	1.40	1.06	0.86	2.41	0	18.0
改进型45°转角	2.23	1.04	0.846	22.9	0	18.3
流线型	2.23	0.98	0.82	25	0	16.3
	1.60	0.86	0.744	0	0	15

3.7.2　风桥

风流经过风桥时,其连续转弯会造成较大的局部阻力。研究合理的风桥结构形式,降低风桥阻力,对改善通风状况和节约能源有很现实的意义。对90°直线形、60°直线形、45°直线形、圆弧形、双曲线形和绕流形(图 3-22)6 种不同结构形式风桥的阻力进行对比实验,测算各种风桥在不同雷诺数条件下的局部阻力系数,并根据测算数据绘出 ξ-Re 关系曲线,如图 3-23 所示。通过对实验资料的分析,可得如下结论:

(1) 不同角度的直线形风桥中,90°转弯时 ξ 值为 6.13;60°转角时 ξ 值为 2.53;45°转角时 ξ 值为 1.18。角度越小 ξ 值越低。整个风桥的局部阻力系数值大致相等于该角度下单个转弯局部阻力系数的 4 倍。

(2) 圆弧形风桥,当取转弯曲率半径等于巷道当量直径 D 时(D=

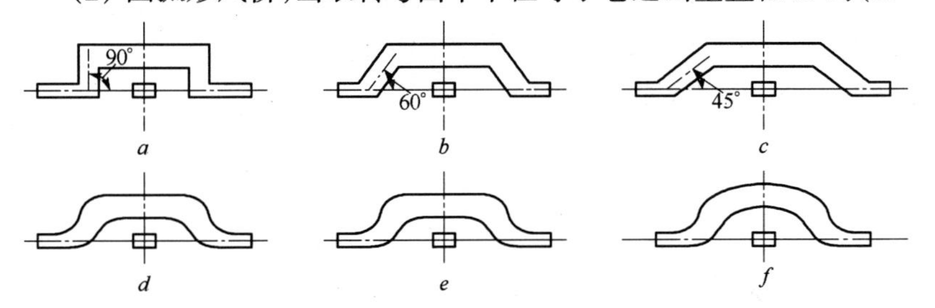

图 3-22 6 种风桥示意图

a—90°直线形;*b*—60°直线形;*c*—45°直线形; *d*—圆弧形;*e*—双曲线形;*f*—绕流形

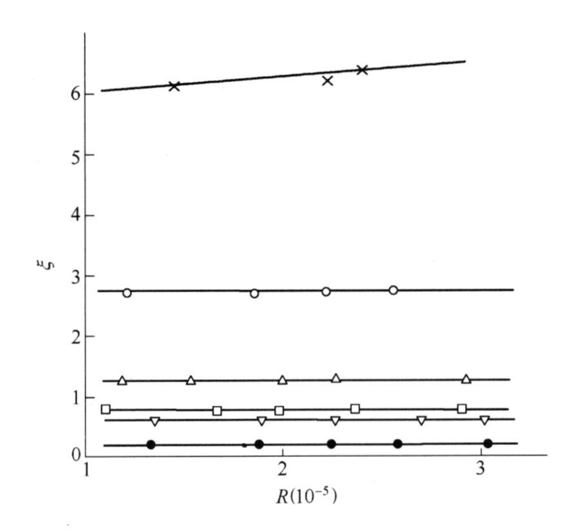

图 3-23 各种风桥的 ξ - Re 曲线

×—90°直线形;○—60°直线形;△—45°直线形; □—圆弧形;

▽—双曲线形;●—绕流形

$4S/P$,S 是断面面积,P 是周界长度),其局部阻力系数值为 0.75。此值低于上述一直线形风桥的阻力系数值。

(3) 双曲线形风桥,由于其边界线更接近于风流在直线转弯处的流线,因此其阻力系数值降低到 0.65。

(4) 绕流形风桥局部阻力最小,阻力系数值仅为 0.15,其相当于 90°直线形风桥的 1/40。这样阻力的风桥结构,在已有的文献中是罕见的。绕流形风桥结构(如图 3-24)是根据理想流体无旋绕流的原理设计的,其内外边界线取用了圆柱体平面无旋绕流的流线方程。实验中所取用的内外边界线方程如下。

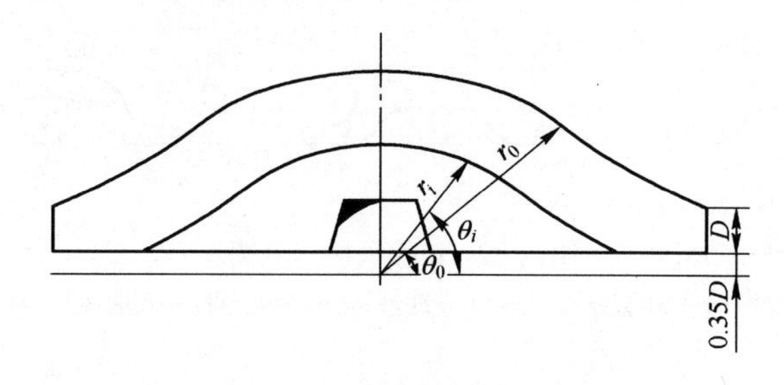

图 3-24 绕流形风桥结构

内边界线方程:

$$\frac{r_i}{D}=0.125\left(\frac{1}{\sin\theta_i}+\sqrt{\frac{1}{\sin^2\theta_i}+324}\right) \tag{3-19}$$

外边界线方程:

$$\frac{r_0}{D}=0.325\left(\frac{1}{\sin\theta_0}+\sqrt{\frac{1}{\sin^2\theta_{0i}}+64}\right) \tag{3-20}$$

式中 D——巷道当量直径,m;

r,θ——极坐标的矢径和幅角。

(5) 6 种不同形式的风桥结构,在开凿工程量方面无显著区别。由于绕流形风桥、双曲线形风桥和圆弧形风桥的通风阻力比直线形有明显降低,因此采用这种风桥可节省电能消耗。当通过风量为 20～40 m^3/s 时,与 90°直线形风桥相比,绕流形风桥每年可节省电耗 10～20 kW。

3.7.3 主扇风硐

3.7.3.1 风井与风硐连接处的局部阻力

从风井到风硐存在一个转弯的联接道,其通风阻力与转角、断面比和风井断面的形状有关。在风井与风硐成直角转弯的情况下,改变风井与风硐的断面比,并改变三种不同风井断面形状,测得局部阻力系数ξ_2(按风硐中风流动压计算的局部阻力系数)列于表3-9中,并绘出S_2/S_1的变化曲线,如图3-25所示。第一种情况,风井与风硐断面均为正方形,其阻力系数最小(图3-25中曲线1)。第二种情况,长方形风井,其长轴方向与风硐轴线方向一致,局部阻力系数与正方形风井十分接近(图3-25中曲线2)。第三种情况,长方形风井,其长轴方向与风硐方向垂直,局部阻力系数最高,特别是宽长比相差悬殊时,阻力系数更高(图3-25中曲线3)。例如,当长宽比a/b_1为1.2～2.0时,其阻力系数为正方形风井的1.3倍,当a/b_1为2.4时,达1.7倍。

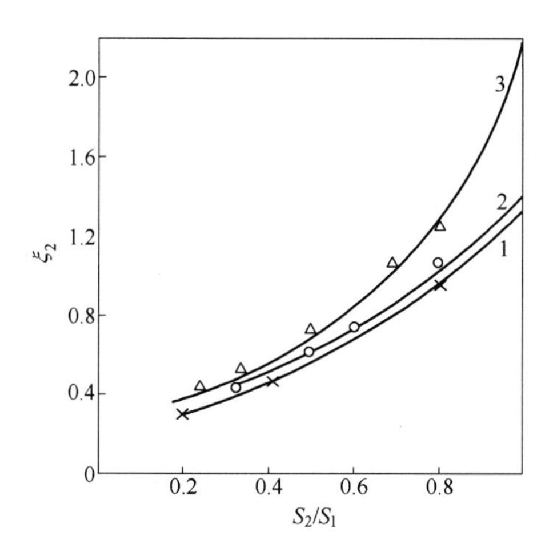

图3-25 风井与风硐连接处ξ_2随S_2/S_1变化曲线

风井到风硐的转弯处,其内外转弯的形状对通风阻力有很大的影响。实验中,保持外转角尖锐不变,内转角作为锐角形、直线形、圆弧形、折线形和双曲线形,测得的通风阻力系数值列于表3-10中。根据测定资料可作如下分析:

表 3-9　局部阻力系数 ξ_2

风井与风硐的断面特征	风硐与风井断面比(S_2/S_1)												参考图形
	0.2	0.25	0.286	0.33	0.4	0.417	0.5	0.6	0.667	0.7	0.8	1.0	
风井、风硐均为正方形 $b_2=0.2$ m,$a=b_1$	0.215	–	–	–	0.462	–	–	0.652	–	–	0.964	1.28	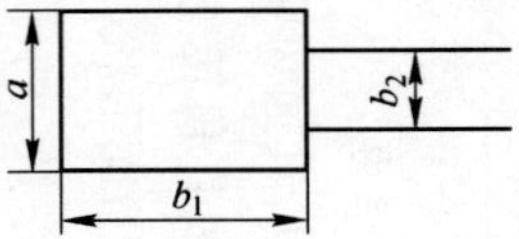
风硐为正方形,风井为长方形,其长轴与风硐轴线方向一致 $a=b_1=0.2$ m,改变 b_1	–	–	–	0.41	0.46	–	0.59	–	0.732	–	1.02	1.28	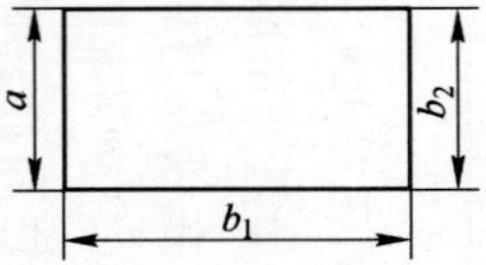
风硐为正方形,风井为长方形,其长轴与风硐轴向垂直	–	0.462	0.16	0.541	–	0.58	0.762	0.91	–	1.10	1.29	2.18	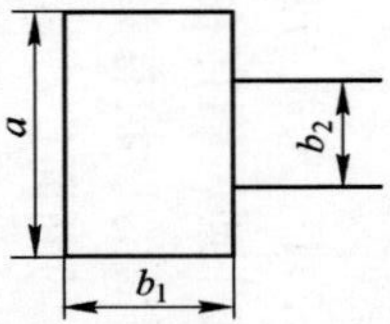

表 3-10 不同内转角形状的局部阻力系数 ξ_2

内转角形状	形状参数	局部阻力系数 ξ_2	参考图形
锐角形		0.562	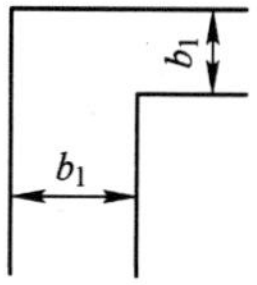
直线斜切形	$l=\frac{b}{\sqrt{3}}, \beta=60°$ $l=\frac{b}{2}, \beta=45°$ $l=b, \beta=30°$	0.290 0.286 0.235	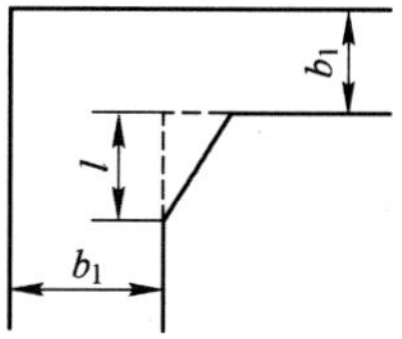
圆弧形	$r_i=b$	0.187	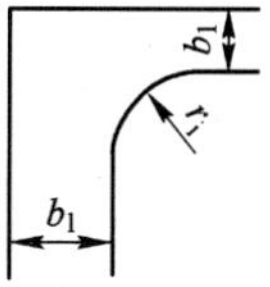
双折线形	$l_1=l_2=b, \beta_1=\beta_2=30°$ $l_1=l_2=b, \beta_1=\beta_2=16°$	0.184 0.181	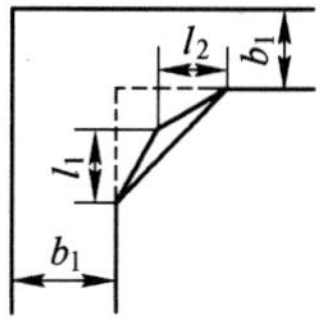
双曲线形	$xy=0.16b^2$	0.174	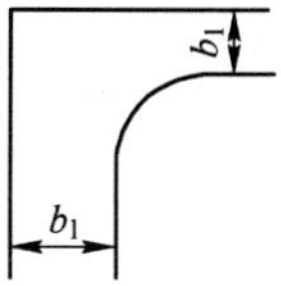

(1) 内转角为锐角形的转弯,通风阻力增大。风流经转弯时,离壁现象严重,流束有较大的收缩,并形成涡流区,能量损失较大,其 ξ_2 等于0.562。

(2) 直线形内转角的阻力系数为锐角形的一半。这种转角施工简单,易于实现。直线的角度不同,阻力也不同。例如,$l=b/\sqrt{3}, \beta=60°$时,$\xi_2=0.290$;而当 $l=b, \beta=30°$时,$\xi_2=0.235$。两者工程量相等,但后者降阻效果更好。

(3) 圆弧形转角的阻力系数约为锐角形的1/3。圆弧的曲率半径 $r_i=(b_1+b_2)/2$,其中 b_1、b_2 为风井的宽度,其局部阻力系数 $\xi_2=0.187$。

(4) 通风阻力最小的内转角是双曲线形。实测阻力系数 $\xi_2=0.174$。

(5) 折线形内转角是由双曲线派生的。当取 $l_1=l_2=b_1$,$\beta_1=\beta_2=16°$ 时,折线形近似于双曲线形,通风阻力较小,$\xi_2=0.181$。

(6) 风井与风硐连接处,内转角以采用双曲线形为最好。如果考虑到施工方便,也可以采用16°角的折线形。

当风井上部有"顶硐"时,通风阻力增大。实验表明,有"顶硐"比无"顶硐"的通风阻力约增加22%。安装迎风板,可降低通风阻力。

3.7.3.2 弯处导流叶片的作用

在直角转弯处安装导流叶片,可减少风流的冲击损失,降低局部阻力。通过理论分析和对比实验,找到一种降阻能力较好的双曲线形导流叶片。该导流叶片用薄铁板制成,曲面的形状为双曲线形。实验中,双曲线叶片的相对弧长 $l/b=1$,相对间距 $a/b=0.162$,叶片高等于 b(b 是风硐宽,l 是叶片弧长,a 是叶片间距)。机翼形导流叶片曲率半径 r 等于 b,其他条件相同。对两种导流叶片的实验表明,双曲线形导流叶片的降阻效果比机翼形优越,可使转弯处局部阻力系数 ξ 降到0.39,比机翼形低25%。这是因为机翼形导流叶片本身厚度大,在局限空间中,叶片本身占据了较大的过流空间,使风流在转角处受到挤压,降低了导流效果。而双曲线形叶片形状较符合转弯处的导流,而且叶片薄,占据空间小,取得较好的导流效果。

东北大学孙照对双曲线形导流叶片的形状进行研究后,所得的主要结论如下:

(1) 理想流体平面直角流动的流线方程为 $xy=K$。K 值不同,曲线的转弯程度不同。为寻求最佳的叶片形状,选取 $\sqrt{K}/b$ 为0.05、0.1、0.2、0.3和0.5五种形式双曲线叶片进行实验。所得 $\xi-\sqrt{K}/b$ 曲线如图3-26所示。由图可见,当 $\sqrt{K}/b=0.1$ 时,阻力系数值很低。

(2) 为确定适宜的叶片间距 a,实验中选用五种不同的 a/b 的值(即:0.087、0.126、0.162、0.227、0.337),叶片数为3片,所得 $\xi-a/b$

曲线如图 3-27 所示。当 a/b 为 0.126 时,ξ 值最低。

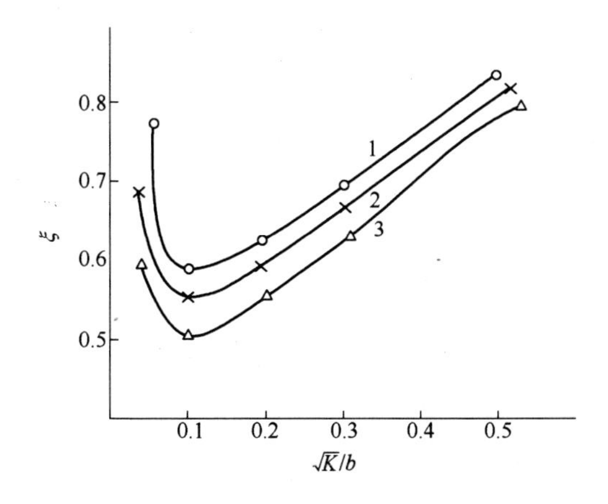

图 3-26 双曲线形导流叶片的 $\xi-\sqrt{K}/b$ 关系曲线

1—R 为 2×10^5;2—R 为 3×10^5;3—R 为 4×10^5

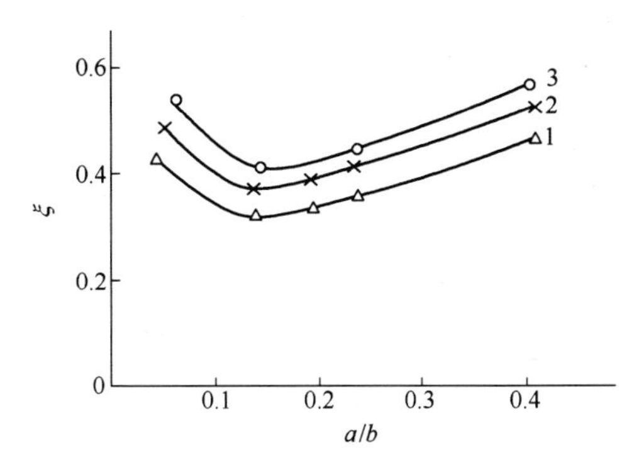

图 3-27 $\xi-a/b$ 关系曲线

1—R 为 4×10^5;2—R 为 3×10^5;3—R 为 2×10^5

(3) 为确定导流叶片长度 l,以四种不同的相对长度 l/b(即:0.4、0.6、0.8、和 1.0)进行实验,结果如图 3-28 所示。由图可见,在实验范围内,随叶片长度增加,阻力系数值直线下降。

3.7.3.3 风硐中直角双弯道的降阻

风流由风硐进入扇风机吸风口前,经过两个连续的直角转弯,局部阻力较大,应采取降阻措施。东北大学孙照对以下三种情况进行了对

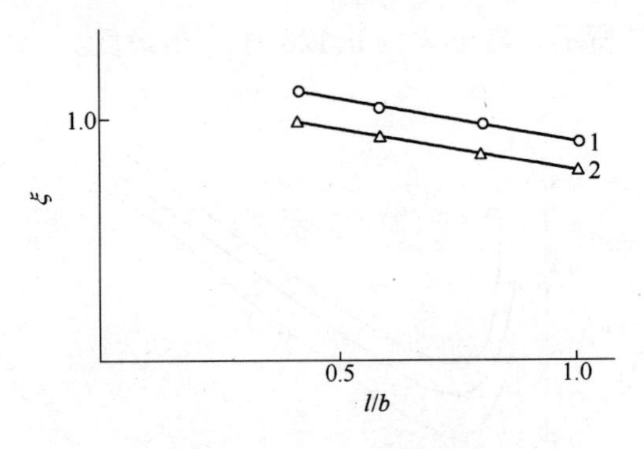

图 3-28 $\xi - l/b$ 关系曲线

1—R 为 2×10^5;2—R 为 3×10^5

比实验:(1)直角双弯道;(2)直角双弯道转弯处,加设双曲线导流叶片;(3)直角双弯道的内外边界线改为双曲线形。图 3-29 为以上三种情况下阻力系数的实验结果。直角双弯道的 ξ 为 2.1,加导流叶片后为 0.45;改为双曲线形内外边界后为 0.27。可见,采用双曲线形内外边界线的双弯道,通风阻力最小。

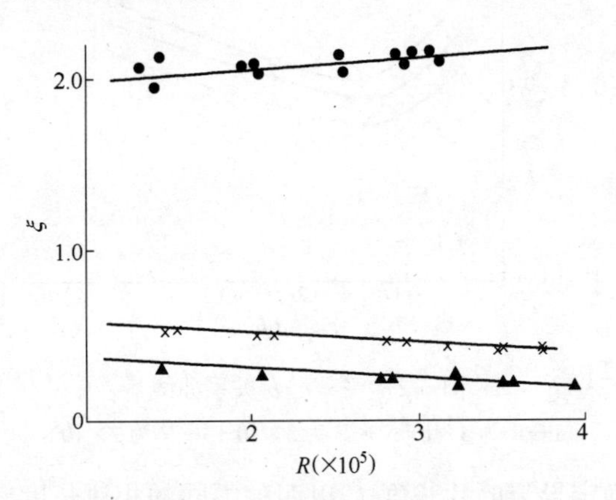

图 3-29 风硐中双弯道的局部阻力系数

×—加导流叶片;▲—双曲线形双弯道;●—直角双弯道

4 矿用空气幕理论及应用

矿井通风过程中，虽然风流调节与控制的方法及技术措施很多，但有时也受到一定条件的制约，如在主要运输和行人巷道内实施增阻调节风流、隔断风流、辅扇通风或引射风流、在易变形巷道内安装风门控制风流、在作业中段的运输巷道内设置风机站分配风流等。一般，用常规的方法均难以实现调控风流的目的，因而，常常出现影响运输和行人、设备或设施被破坏、效果不理想、管理麻烦等问题。因此，研究能在主要运输巷道或易变形巷道内实现风流调节与控制的技术就显得十分必要和有意义。矿用空气幕正是在此背景下研究和发展起来的。

4.1 空气幕研究与发展现状

4.1.1 大门空气幕

1904 年，Tephilus van Kemmel 因在大门的两边安装了循环气流装置，成功地隔断了由大门外面侵入室内的冷空气而获得专利，此装置就称为空气幕。

由于空气幕的特殊优点——不妨碍视线和交通，它首先被用于有特殊要求的地面建筑，如百货大楼和工作车间的大门、冷库门、酸洗槽、炼钢炉门等。其工作形式有单吹式(上、下、侧吹)和吹吸式，可用于隔断气流和控制污染，可谓是形式繁多，用途各异。

关于大门空气幕的理论研究，国外进行得较早。20 世纪 30 年代，前苏联学者巴图林和谢彼列夫研究了空气幕射流及其流谱，给出了空气幕需风量计算的主要理论方程，即通过大门的风量 Q_m 与空气幕的供风量 Q_c 间的线性关系：

$$Q_m = Q_{m_0} - Q_c\left(\phi'\sqrt{\frac{S_s}{S_c}} + 1\right) \tag{4-1}$$

式中 Q_{m_0}——无空气幕时大门过风量，m^3/s；

S_s——大门面积,m^2;

S_c——空气幕出口面积,m^2;

ϕ'——与紊动系数 α' 和喷射角 θ 有关的参数,由下式给出:

$$\phi' = \frac{\sqrt{3}}{2}\sqrt{\frac{\alpha'}{\cos\theta}}\,\text{th}\,\frac{\sin\theta\cos\theta}{\alpha'}$$

于是,得空气幕需风量计算式为:

$$Q_c = \frac{K_1(Q_{m_0} - Q_m)}{\phi'\sqrt{\dfrac{S_s}{S_c}} + 1} \tag{4-2}$$

式中 K_1——备用风量系数。

用经过大门的风量减少程度来衡量空气幕的工作效率的空气幕阻风率可由下式计算:

$$\eta_z = \frac{Q_{m_0} - Q_m}{Q_{m_0}} \times 100\% \tag{4-3}$$

式中 η_z——空气幕的阻风率,%。

对于空气幕的结构参数设计,谢彼列夫给出的方法是以实际需要确定 Q_m,由公式或曲线确定 Q_c,根据 Q_c,在假定了风流速度后,确定条缝口的面积和宽度。后来,有人从动量定律出发,并考虑了门顶墙面上的压力分布,导出了大门流量系数 μ 的表达式:

$$\mu = \frac{\sqrt{4\mu_0 qD} - 1}{2q^2 D} \tag{4-4}$$

式中 $q = \dfrac{Q_c}{Q_m}$;

$D = \dfrac{S_s\rho_s}{S_c\rho_c}\cos\theta$;

ρ_c——空气幕出口空气密度,kg/m^3;

ρ_s——室外空气与空气幕空气混合后的空气密度, kg/m^3;

μ_0——初始大门流量系数。

20 世纪 70 年代,Hayes、Van、Howell 等美国学者针对排除废气、隔绝粉尘用的空气幕,研究了平面空气幕的热质交换问题。如图 4-1 所示,对于空气幕隔断的另一种形式——吹吸气流,各国学者也进行了大量的研究。表 4-1 和表 4-2 给出了吹吸气流的一些设计规范。

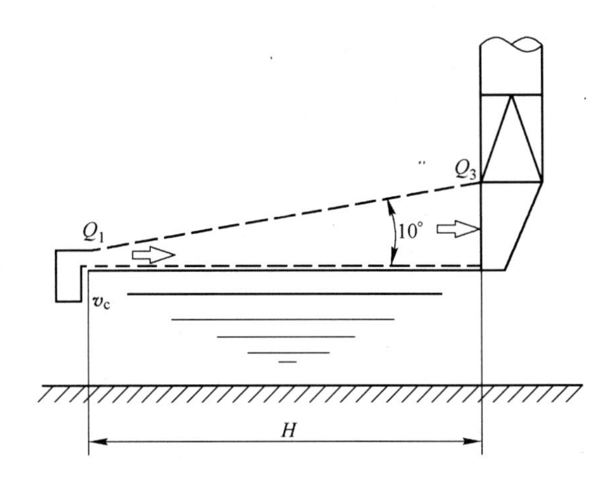

图 4-1 吹吸气流示意图

表 4-1 吹吸气流设计规范 1

参 数	ACGIH	IHVE	G.M.Hama
$Q_3/m^3 \cdot min \cdot m^{-2}$	30～45	4.5	38～45
$Q_1/m^3 \cdot min \cdot m^{-2}$	$Q'_3(nH)$	$0.5Q_3$	2.1
$v_c/m \cdot s^{-1}$	5～10	5～10	7.5～10
D_3/m	$H\tan10°$	$H\tan(10° \sim 15°)$	$0.2H$
H/m	—	—	4.5～9

表 4-1 中 H、n 的规定如表 4-2 所示。

表 4-2 吹吸气流设计规范 2

H/m	0～2.4	2.4～4.9	4.9～7.3	>7.3
n	6.6	4.6	3.3	2.3

随着科学技术的发展,各国对工业卫生的要求标准也严格起来了。20 世纪 80 年代,日本学者林太郎等人研究了宽口低速送风的吹吸气流。结果表明,这种型式的空气幕隔断风流,在抵抗干扰气流的能力和节约动力方面都比传统的吹吸气流优越。于是他提出了流体力学与固

体力学类比假说，把空气幕气流比作固体梁，可以用图 4-2 直观地说明宽口低速送风空气幕的优点。即桌上放着两块同等高度的木块，在受同样的力作用时，厚度小者更易倒下。

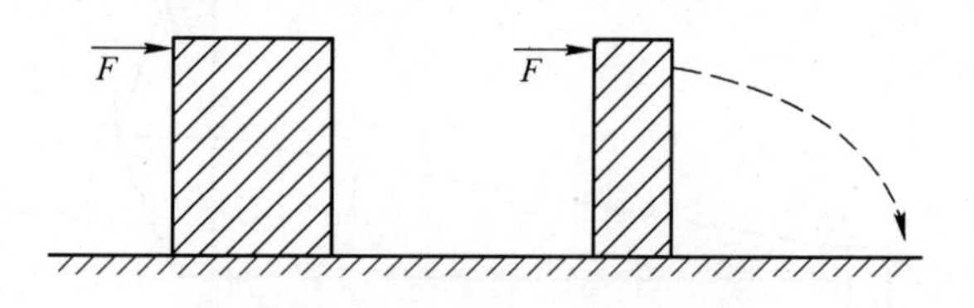

图 4-2　固体梁受力比较示意图

1982 年，Howell 和林太郎等人合作，用实验的方法，进一步弄清了吹吸气流的特性，并用数值计算法解算了气流轴线方程，并与梁受均载的弯曲方程作了比较，以说明流体与固体的类比假说。最后，提出了最优设计法，其最大特点是设计范围有如下规定：

$$0.2 \leqslant v_c \leqslant 0.5 \quad \text{m/s}, \quad H/D_3 \leqslant 30 \tag{4-5}$$

与表 4-1 作比较后可看出其间的区别所在。

对单吹式空气幕，林太郎做了 $S_s/S_c = 2$，$\theta = 90°$ 和 $\theta = 60°$ 时的实验。结果表明，$\theta = 60°$ 时为优，其设计计算式可表达为：

$$Q_c = 0.6Q_{m_0} \tag{4-6}$$

从 20 世纪 90 年代至今，大门空气幕在生产实践中得到广泛应用，如应用空气幕代替塑料条带密封冷藏车大门，以减少卸货时的能量损失；应用空气幕对砂轮进行冷却，以减少砂轮磨损；应用空气幕辅助农药喷洒，从而改善农药喷洒质量等。同时空气幕的容量也进一步扩大，英国还研制具有两套加热系统和两级加速设施的空气幕。

我国对空气幕的研究和应用比国外晚。20 世纪 60 年代陆续有人把国外的空气幕技术引进中国。在大门空气幕的设计计算方面中国学者一般沿用外国的计算方法，大致可分为三类：第一类是以巴图林法为代表的以自然通风为理论的算法。第二类是以谢别列夫法和新津、加藤法为代表的理论计算法。前者是将室外横向气流看成均匀流，将空气幕送风气流看成是不可压缩的平面势流，并用势流的叠加原理来进行设计计算；后者把室外横向气流和空气幕射流看成是理想流体的无涡流运动,互不掺混。第三类是以林太郎法和 Hayes 法为代表的以实验数据为标准的计算方法。林太郎主张以较大的空气幕动量来阻止室外横向气流的侵入,并认为空气幕送风口的宽度应为大门高度的一半。Hayes 法对空气幕的作用因素进行了比较全面的考虑,既考虑了室外横向气流的作用又考虑了热压的影响。

1999 年,南京建筑工程学院何嘉鹏等人在综合谢别列夫法和 Hayes 法的基础上对冷库大门的流场进行了分析,提出冷库大门空气幕结构设计计算模型,在空气幕始射角 $\theta = 30°$,空气幕出口紊流系数 $\alpha=0.115$及空气幕效率 $\eta = 0.8$ 的条件下,给出了空气幕结构设计的计算式:

空气幕吹风口宽度 b_0:$b_0 = 0.056H_0$ (4-7)

空气幕吹风口风速 v_c:$v_c = \dfrac{10.714Q_{m_0}}{BH_0}$ (4-8)

式中 H_0——空气幕吹风口到冷库门风压和热压平衡面高度,m;

Q_{m_0}——无空气幕运行时侵入冷库的热空气量,m^3/s;

v_c——空气幕出口风流速度,m/s;

B——大门宽度,m。

此外,何嘉鹏等人对剧院、礼堂、电影院等公共场所和高层建筑的火灾流场进行了分析,分别提出了剧院舞台和高层建筑防烟空气幕设计计算模型,其中剧院舞台防烟空气幕风量 Q_c的计算公式如下:

$$Q_c = Q_{m_0}\left(\frac{\frac{h}{2} - h_0}{b_0}\right)^{-\frac{1}{2}} K^{-1} \tag{4-9}$$

式中 Q_{m_0}——无空气幕运行时由于热压作用扩散到观众厅的烟气量,m^3/s;

h——从地面到天花板高度,m;

h_0——垂壁高度,m;

b_0——空气幕吹风口宽度,m。

高层建筑防烟空气幕风量设计计算式为:

$$Q_c = \frac{Q_{m_0}}{e}\left(\frac{b_0}{H}\right)^{\frac{1}{2}} \tag{4-10}$$

式中 Q_{m_0}——无空气幕运行时在压差作用下通过前室门的烟气量，m^3/s；

H——前室门高度，m。

$$e=\frac{\sqrt{3}}{2}\left(\frac{\alpha}{\cos\theta}\right)^{\frac{1}{2}}\mathrm{th}\left(\frac{\sin\theta\cos\theta}{\alpha}\right) \tag{4-11}$$

$$b_0=0.36e^2H \tag{4-12}$$

$$v_c=\frac{5}{3}\frac{Q_{m_0}}{Be^2H} \tag{4-13}$$

以上空气幕设计计算方法大多是针对工业厂房大门，其特点是：(1)允许一部分室外空气从大门上部进入室内；(2)高大厂房有天窗，在热压和风压作用下上部有排气；(3)空气幕可从大门下部送风或侧送(单侧或双侧)。而民用建筑出入口则不具备这些特点，因此以上设计计算方法需要进一步修正。

1999年，汤晓丽、史钟璋等人研究了在横向气流作用下民用建筑出入口大门空气幕的封闭特性。他们根据空气幕射流微元体在横向气流作用下的受力分析建立了的空气幕风流阻隔室外横向风流的数学模型，推导出了空气幕射流的轴心弯曲轨迹方程式：

$$y=-\frac{C_n v^2}{8v_c^2 b\cos\theta}x^2+x\tan\theta \tag{4-14}$$

式中 x,y——纵横坐标，m；

v——横向气流速度，m/s；

b——射流半宽度，m；

θ——射流出口轴线与 x 轴的夹角(始射角)，(°)；

C_n——综合修正系数，其与始射角 θ 和大门高宽比$\frac{H}{2b}$的关系曲线如图4-3所示。

在已知大门尺寸、空气幕出口宽度和始射角后，即可从图4-3中查出 C_n，求出空气幕封闭大门所需风量。

以上方法克服了以往理论推导中认为空气幕射流为势流或无涡流运动这种不符合实际的假定，更适应于民用建筑空气幕的设计计算。

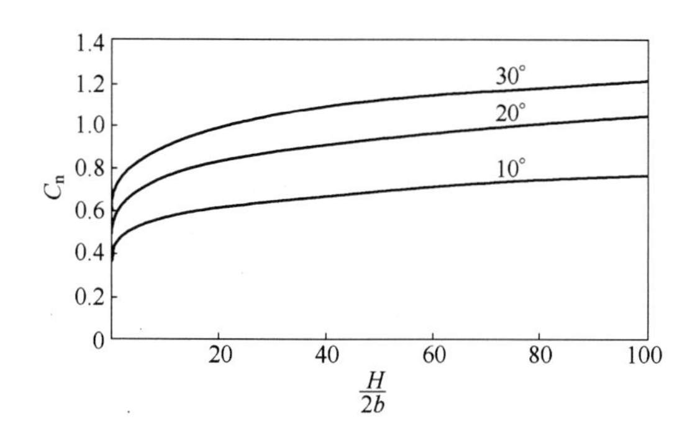

图 4-3 综合修正系数 C_n 曲线图

4.1.2 矿用空气幕

20 世纪 50 年代，苏联学者谢别列夫等人将空气幕引入矿山巷道场合中，由于巷道网路不同于工厂大门，因而上述大门空气幕的风量比设计法已不再适用。因此，他们对矿用空气幕进行了大量研究，并认为，空气幕的工作效率取决于空气幕风流对巷道的遮断程度，即取决于空气幕轴线的位置和形状，而空气幕轴线的位置和形状与发生器在巷道中的位置、始射角 θ、巷道风流与空气幕风流的动量比 mv_c/m_0v_0、并联分支巷道中增风分支对减风分支的风阻比 $R_{\mathrm{I}}/R_{\mathrm{I-II}}$、空气幕所在巷道宽度等因素有关。他们并把式：$v_c/v_0=k_mR_{\mathrm{I}}/R_{\mathrm{II}}$ 作为设计依据，式中 K_m为与漏风量 ϕ_l 有关的实验系数。

1969 年，法国的 Grassmuck.G 首先明确把空气幕两边的压差作为主要研究对象，他借助气垫船升力方程式来解释空气幕两边的压差，其非循环型和循环型空气幕两边的压差表达式(4-15)如表 4-3 所示。Grassmuck.G 还对 Berry 型空气幕进行了压力测定，结果表明，在 $Q_g=0$ 条件下，这种空气幕装置气幕两边的压差可达 4.02～4.49 Pa，而消耗的功率仅为 2.2 kW，当时被认为是较先进的。

1974 年和 1975 年，苏联 Егоров 和 Megebgeb 教授在实验的基础上分别给出空气幕风量与巷道风量、空气幕出口宽度、巷道断面积等之间关系的经验式(4-16)和式(4-17)。由于谢别列夫等人认为空气幕是

表 4-3　矿用空气幕理论公式一览表

公式序号	理论内容	理论表达式	研究者或单位	发表时间	符号意义
4-15	空气幕两边的压差	$\Delta p=2\left(H_t-\frac{p_c}{2}\right)\frac{S_c}{S}(1+\cos\theta)$，非循环型 $\Delta p=2\left(H_t-\frac{p_c}{2}\right)\frac{S_c}{S}\cos\theta$，循环型	法国 Grassmuck.G	1969 年	H_t—风机全压，Pa； Δp—空气幕两边压差，Pa； p_c—与 Δp 意义相同，Pa； S—巷道断面积，m^2； θ—空气幕射流轴线与巷道轴线夹角，(°) Q—空气幕所在巷道风量，m^3/s； Q_c—空气幕风量，m^3/s； d_c—空气幕缝隙宽度，m； n、m—试验系数； Q_g—空气幕巷道中过风风量，m^3/s； C—试验系数； γ—空气重率，N/m^3； R_c—气幕回流段风阻，$N\cdot s^2/m^8$； K—断面比系数； N_b—控制区粉尘浓度，mg/m^3； N_a—污染区粉尘浓度，mg/m^3； q'—空气幕吸风量，m^3/s； q_b—空气幕司机侧的风量，m^3/s； α—巷道的摩擦阻力系数； v—巷道风速，m/s； S_c—空气幕供风气出口断面积，m^2； b_0—空气幕供风气出口厚度，m； R—巷道的风阻，$N\cdot s^2/m^8$ v_c—空气幕出口风速，m/s
4-16	空气幕风量	$Q_c=C\sqrt[3]{Q_g\Delta p(1-\phi_1^2)S_c^2}$	苏联 Eropob	1974 年	
4-17	空气幕风量	$Q_c=\frac{Qd_c}{\sqrt{d_c\cos\theta}}\left(1-\frac{1}{n+mS\sqrt{R_c}}\right)$	苏联 Megebgeb	1975 年	
4-18	气幕压差	$\Delta p=-\frac{\rho K}{RS_c}Q_c^2$	波兰 piotr kijkowski	1979 年	
4-19	空气幕的动力与几何尺寸的关系	$\frac{\Delta p}{\frac{1}{2}\rho v_c^2}=f\left[\frac{H}{b_0},\frac{v_c b_0}{v},\alpha,\theta\right]$	Guyonnaud 等	2000 年	
4-20	理想有效压力	$\Delta H=\frac{2S_c}{S}\frac{\gamma}{2g}v_c^2(1+\cos\theta)$	东北大学 徐竹云	1984 年	
4-21	实际有效压力	$\Delta H=\frac{\gamma}{2g}v_c^2-\frac{2}{K+\frac{1}{2}\cos\theta}\left(\frac{\alpha_2}{K}+\alpha_1\cos\theta\right)+R_cQ_c^2$	东北大学 徐竹云	1984 年	
4-22	两侧的粉尘浓度比	$\frac{N_b}{N_a}=\frac{q'/4}{q'/4+q_b}$	湘潭矿业学院 王海桥、刘荣华等	1999 年	

一种附加阻力物，因此，在表 4-3 的式(4-15)至式(4-17)中考虑了空气幕前后的压差。但这些公式局限性太大，在相同条件下不能得出一致的结果。

1979 年，波兰的 Piotr Kijkowski 等人依据动量守恒定律，推导了空气幕有效压力计算公式如表 4-3 中式(4-18)，并进行了实验室对比试验，结果理论值与实验值的误差约 25%，其主要是由于公式推导时假设巷道风流为平面流、速度分布是均匀的原因所造成。

2000 年，Guyonnaud 等人认为空气幕装置的几何和动力条件可以用巷道两边的压差 ΔP、巷道高度 H、空气幕出口宽度 b_0、空气幕的始射角 θ、空气幕出口速度 v_c、射流出口紊动强度 α、空气的动力黏性系数 ν 和空气密度 ρ 等 8 个变量来描述，其间的关系如表 4-3 中的式(4-19)。其研究结果表明：(1)在几何条件不变的情况下，当巷道两边的压差增大时，空气幕出口速度可以通过欧拉准则获得；(2)当紊动强度为 0%～20%时不影响空气幕的运行；(3)不能用几何近似和欧拉准则来推导空气幕的尺寸。但以上结论只是在巷道高度为 0.2～1.44 m 范围内适用，他们并没有得出关于空气幕的通用设计计算公式。

我国研究应用矿用空气幕较国外晚。20 世纪 60 年代，国内不少研究单位进行了空气幕的试验研究，其中，中南矿冶学院等单位均是模仿前苏联的模式进行的。其试验结果表明，一台 JBT－51 轴流风机装备的空气幕，在巷道断面为 7 m^2 的条件下，空气幕的阻风率可达 23.8%～24.2%。此外，东川矿物局等单位对空气幕供风器的结构及风机的连接形式进行了改进，取得了较好的技术效果。两台 JFT-2 型局扇装备的空气幕在巷道断面积为 3.9～4.2 m^2的条件下阻隔风流的阻风率为 33.3%～175%，其变化范围非常大，因此，仅用阻风率一个指标难以判断空气幕的隔断能力和设计是否合理。更主要的问题是空气幕的运行费用很高，有的占总费用的 90%以上。但从现场应用的总体情况来看，用空气幕隔断风流还是优越于风门。

20 世纪 60 年代，东北大学王英敏等以“有效压力”理论成功地研究了无风墙辅扇的通风过程，并指出空气幕和辅扇通风的原理基本相似，均属动压通风范畴，因此认为“有效压力”理论也可以用来研究矿用空气幕。

1984 年,东北大学徐竹云等运用“有效压力”理论对矿用空气幕的作用原理做了进一步的研究,找到了空气幕功耗与其结构参数的内在联系,为空气幕的设计提供了一个“从整体出发,以合理的结构参数求得较小功率功耗”的途径,并结合实验室的研究结果,给出了空气幕参数的合理范围和从节省功耗角度出发的矿山空气幕参数设计法,得出矿山空气幕隔断风流的能力即为空气幕的有效压力的结论,其理想有效压力和实际有效压力表达式如表 4-3 中的式(4-20)和式(4-21),并据此研制出了宽口大风量矿用空气幕,用以代替风门隔断运输巷道的漏风。从其在武钢大冶铁矿龙洞采区斜坡道、河北省金厂峪金矿平硐、江苏省无锡川埠煤矿运输道等地点应用单台空气幕隔断风流的试验结果看,当空气幕设计合理时,其在主要运输道能取得一定的隔断风流效果。“九五”期间,在此基础上,我国的空气幕技术得到了进一步的发展和更加广泛的应用。

由于空气幕的效率降低,隔断风流的压差有限,上述空气幕均在巷道断面较小($S\leqslant 6\ \mathrm{m}^2$)压差不大($\Delta H\leqslant 60\ \mathrm{Pa}$)的情况下应用。1999 年,金岭铁矿应用一台自行设计制造的空气幕,在近 100 Pa 压差的井底车场处,成功地隔断了 $10.4\ \mathrm{m}^3/\mathrm{s}$ 的漏风。可以说明,在矿井通风系统中,空气幕既可阻隔井下漏风又不妨碍井下的行车和作业。

20 世纪 90 年代以来,矿山空气幕的应用已不局限于隔断巷道风流。1999 年湘潭矿业学院王海桥、刘荣华等人把空气幕应用于煤矿综采工作面上,并从理论和实践两方面对综采工作面空气幕隔离呼吸性粉尘的原理及方法进行了研究,提出了隔尘分区的概念,并导出控制区和污染区的粉尘浓度比公式如表 4-3 中的式(4-22)所示。依据此式的分析认为,空气幕两侧粉尘浓度比与控制区风量 q_{b} 及空气幕吸风量 q' 有关,而在一定情况下 q_{b} 是个定值,因此 q' 的大小是空气幕的主要设计参数,其与空气幕出口风速和出口宽度有关。

此外,对煤矿综采工作面隔离粉尘空气幕出口的射流风速、纵向安装角与空气幕隔离分区两侧粉尘浓度的关系进行了研究,确定了不同空气幕出口断面宽度下的最佳风速和纵向安装角,即空气幕的合理风速为应使射到巷道顶板的气流风速保持在 $1.0\sim1.2\ \mathrm{m/s}$ 范围内,而空气幕的纵向安装角应不大于 15°。并在邢台矿业集团有限公司葛泉煤矿进行了现场应用研究,在空气幕风量为 3.4~4.6 m^3/s 条件下,空气幕在司机处对呼吸性粉尘的隔尘率可达 79.3%~84.8%,与喷雾降尘比较,对呼吸性粉尘的降尘率可提高 20%左右。

以上大多是针对空气幕隔断风流所作的研究。尽管有文献提出,当空气幕有效压力大于巷道两边的压差时,会出现过余隔断,属于引射器的工作范围,但对空气幕是否还具有引射器或辅扇的功能、引射风量与空气幕的特性之间的关系等,尚未从理论和实践上进行深入研究,尤其是未在大断面大压差条件下进行试验研究。此外,当空气幕有效压力小于巷道两边的压差时,会出现不足于隔断风流的现象,空气幕起增阻的作用,但其阻风率与空气幕有效压力等的关系也尚未从理论和实践上进行深入研究。

4.2 矿用空气幕理论

空气幕已在隔断百货大楼和工作车间的大门、冷库门、酸洗槽、炼钢炉门等的气流、排除废气、隔绝粉尘污染、对砂轮进行冷却以减少砂轮磨损、改善农药喷洒质量以及剧院、礼堂、电影院等公共场所和高层建筑的火灾防治等方面得到了广泛应用。由于地下开采矿山的井下风流流动与地面厂房有较大区别,因此,大门空气幕的理论公式及计算方法等不能直接用于矿用空气幕。而隔断巷道风流的矿用空气幕的研究与应用则是 20 世纪 50 年代的事,其理论公式也是依据单机空气幕的作用而推导建立的,而多机并联空气幕的隔断风流、增阻减少风流和引射风流的理论目前尚未见报道,故本章的主要内容就是依据有效压力理论、射流理论、动量定律等建造多机并联空气幕的隔断风流、对风流增阻和引射风流的理论模型,并进行分析,为多功能多机并联空气幕的设计及应用研究提供理论依据。

空气幕的作用过程与矿井风流流动过程一样是动力与阻力平衡的过程,遵从风压平衡定律。空气幕在巷道中工作时可能出现三种不同的情况:(1)隔断巷道风流,即巷道两端的压差与空气幕的有效压力相等,漏风量(理想情况)$Q_g=0$。(2)引射巷道风流,即巷道两端的压差小于空气幕的有效压力,使巷道风流反向与空气幕出口风流方向相同。(3)对巷道风流增阻,即巷道两端的压差大于空气幕的有效压力,有漏风,$Q_g>0$。下面就上述三种情况分别进行理论推导和分析。

4.2.1　矿用空气幕隔断风流

4.2.1.1　空气幕隔断风流的理想有效压力

空气幕完全隔断风流时在其装置前后产生的静压差称为空气幕的有效压力,用 ΔH 表示。

A　单机空气幕理想有效压力

把空气看成是理想流体,依据动量方程,前人推导出了单机空气幕的理想有效压力公式。理想流体单机空气幕的风流流动模型如图 4-4 所示。

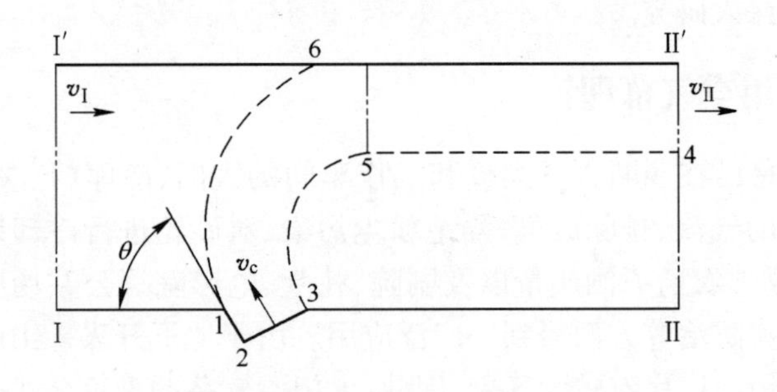

图 4-4　单机空气幕的理想流体流动模型

当空气幕在完全隔断风流时,Ⅰ-Ⅰ′断面上风速为零,$v_{\text{I}}=0$。在Ⅱ-Ⅱ′断面上,$v_{\text{II}}=v_c$。按理想流体的假设,空气幕的射流在流动过程中不扩散,也没有能量损失,流线 1—6 压力为常数,等于 p_{I};流线 3—5—4 压力亦为常数,等于 p_{II},斜面 1—2 与断面 2—3 流体静压力相等,对控制体列 X 轴方向的动量方程,可得:

$$(p_{\text{I}}-p_{\text{II}})S=\rho(Q_c v_{\text{II}}-Q_c v_{cx}) \tag{4-23}$$

由于 $Q_c=v_c S_c$,$v_{cx}=-v_c\cos\theta$,因此单机空气幕的理想有效压力 $\Delta H_{理}$ 为:

$$\Delta H_{理}=p_{\text{I}}-p_{\text{II}}=\rho v_c^2\frac{S_c}{S}(1+\cos\theta) \tag{4-24}$$

式中　ρ——空气密度,kg/m³;

v_{cx}——单机空气幕出口风速在 x 轴上的投影,m/s;

S——安装空气幕巷道的断面积,m^2;

S_c——空气幕出口断面积,m^2;

v_c——空气幕出口平均风速,m/s;

θ——空气幕安装角,(°)。

B 多机并联空气幕的理想有效压力

作者同样把巷道内流体看成理想流体,对于多机并联空气幕的理想流体,其流动模型如图 4-5 所示。

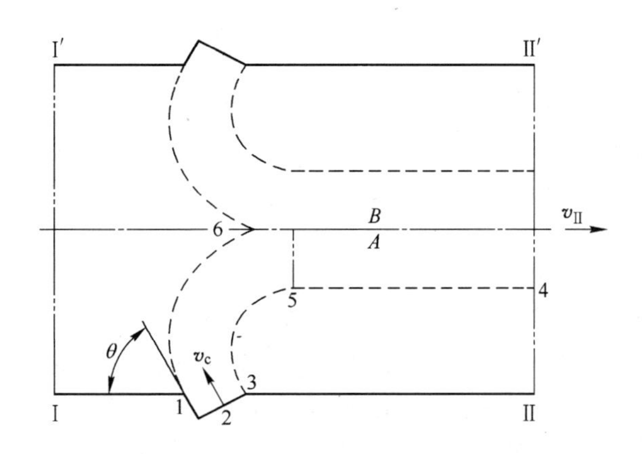

图 4-5 多机并联空气幕的理想流体流动模型

设多机并联空气幕风流刚好合并时,空气幕完全隔断巷道风流。由于是理想流动,空气幕射流沿程所受阻力为零,因此多机并联空气幕中每台空气幕的体积流量和单机空气幕的体积流量 Q_c相等,则当每台空气幕的出口面积不变时,多机并联空气幕的总体积流量 $Q'_c = nQ_c$。Ⅰ-Ⅰ′断面上风速为零,$v_Ⅰ = 0$;在Ⅱ-Ⅱ′断面上,$v_Ⅱ = v_c$,v_c为空气幕出口平均风速。按理想流体的假设,空气幕的射流在流动过程中不扩散,也没有能量损失。考虑射流 A 时,流线 1—6 压力为常数,等于 $p_Ⅰ$;流线 3—4 压力亦为常数,等于 $p_Ⅱ$,斜面 1—2 与断面 2—3 流体静压力相等。由于空气幕为对称并联,射流 A 和射流 B 的流动特性相同,因此以上分析对射流 B 也适用。取断面Ⅰ-Ⅰ′和断面Ⅱ-Ⅱ′间的流体为控制体,并对其列 x 轴方向的动量方程,可得:

$$(p_{\mathrm{I}}-p_{\mathrm{II}})S=\rho(Q'_{\mathrm{c}}v_{\mathrm{II}}-Q'_{\mathrm{c}}v_{\mathrm{cx}}) \tag{4-25}$$

式中 Q'_{c}——多机并联空气幕的总体积流量,$\mathrm{m^3/s}$;

v_{cx}——多机并联空气幕出口风速在X轴上的投影,m/s。

由于:$Q'_{\mathrm{c}}=nQ_{\mathrm{c}}$, $Q_{\mathrm{c}}=v_{\mathrm{c}}S_{\mathrm{c}}$, $v'_{\mathrm{cx}}=\dfrac{Q'_{\mathrm{c}}}{nS_{\mathrm{c}}}=\dfrac{nQ_{\mathrm{c}}}{nS_{\mathrm{c}}}=v_{\mathrm{cx}}$, $v_{\mathrm{cx}}=-v_{\mathrm{c}}\cos\theta$,$n$ 为空气幕并联台数,且$(p_{\mathrm{I}}-p_{\mathrm{II}})S=\rho(nQ_{\mathrm{c}}v_{\mathrm{II}}-nQ_{\mathrm{c}}v_{\mathrm{cx}})=\rho[nv_{\mathrm{c}}S_{\mathrm{c}}v_{\mathrm{c}}-nv_{\mathrm{c}}S_{\mathrm{c}}(-v_{\mathrm{c}}\cos\theta)]$,则多机并联空气幕的理想有效压力$\Delta H_{理(\mathrm{n})}$为:

$$\Delta H_{理(\mathrm{n})}=p_{\mathrm{I}}-p_{\mathrm{II}}=n\rho v_{\mathrm{c}}^2\frac{S_c}{S}(1+\cos\theta) \tag{4-26}$$

比较单机和多机并联空气幕的理想有效压力式(4-24)和式(4-26)可以发现,多机并联空气幕的理想有效压力是 n 台单机空气幕理想有效压力的叠加,即

$$\Delta H_{理(\mathrm{n})}=\sum_{i=1}^{n}\Delta H_{\mathrm{i}}$$

4.2.1.2 空气幕隔断风流的实际有效压力

在实际应用中,由于黏性流体的紊动和扩散,造成空气幕的实际有效压力小于式(4-24)和式(4-26)所给出的值,而且风流在流出空气幕出口后不久就扩散到巷道整个断面上。如果空气幕安装在同一巷道无分岔口的地方,在下游取风的情况下,空气幕吸风口可吸取其出口喷出的风流,风流自成循环;如果空气幕吸取 A 巷道的风流来阻隔 B 巷道的风流,则空气幕风流不循环,因此在实际应用中又可把空气幕分为循环型和非循环型。

实际应用中空气幕的射流属急变流场,不能用伯努利方程建立不同断面间的速度关系,而动量定律考虑了急变流场的总体受力问题,因此,可以用动量定律来解决空气幕的实际有效压力问题。

A 单机空气幕的实际有效压力

a 循环型

单机循环型空气幕的实际流动模型如图4-6所示。

对于循环型空气幕,在完全隔断风流情况下,在循环段内,巷道风流流动即为空气幕循环风流的流动;在循环段外,巷道无风流流动。把

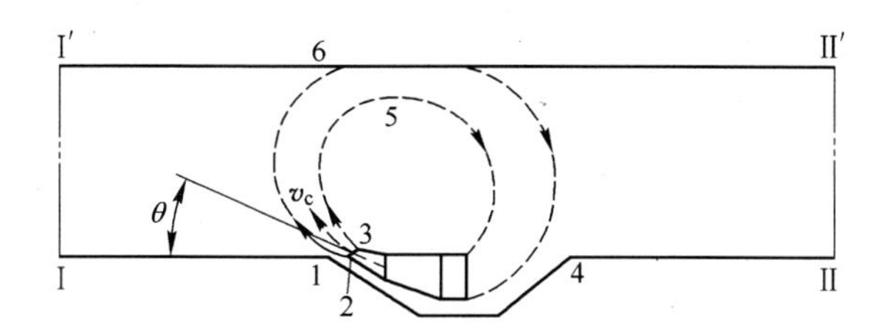

图 4-6 循环型单机空气幕实际流动模型

Ⅰ-Ⅰ′断面和Ⅱ-Ⅱ′断面都取在循环段以外，得到的边界条件如下：Ⅰ-Ⅰ′断面上风速为零，$v_{\mathrm{I}}=0$；静压为 p_{I}；Ⅱ-Ⅱ′断面上风速为零，$v_{\mathrm{II}}=0$；静压为 p_{II}。空气幕出口断面 2—3 和壁面 1—2 上的静压，对实际流体而言，并不相等。假设静压在这些断面上呈线性分布，而且 $p_1=p_{\mathrm{I}}$，$p_3=p_{\mathrm{II}}$，则

$$p_{1-2}-p_{2-3}=\frac{p_1+p_2}{2}-\frac{p_2+p_3}{2}=\frac{1}{2}(p_{\mathrm{I}}-p_{\mathrm{II}}) \tag{4-27}$$

列断面Ⅰ-Ⅰ′和断面Ⅱ-Ⅱ′间风流的动量方程：

$$(p_{\mathrm{I}}-p_{\mathrm{II}}-h_{\mathrm{I-II}})S+\frac{1}{2}(p_{\mathrm{I}}-p_{\mathrm{II}})S_{\mathrm{c}}\cos\theta=\rho(Q_{\mathrm{c}}v_{\mathrm{II}}-Q_{\mathrm{c}}v_{\mathrm{cx}}-Q_{\mathrm{g}}v_{\mathrm{I}})$$

式中 Q_{g}——空气幕安装后巷道过风风量，$\mathrm{m^3/s}$；

$h_{\mathrm{I-II}}$——空气幕风流的回流阻力，Pa。

由于 $Q_{\mathrm{c}}=v_{\mathrm{c}}S_{\mathrm{c}}$，$v_{\mathrm{cx}}=-v_{\mathrm{c}}\cos\theta$，$v_{\mathrm{I}}=v_{\mathrm{II}}=0$，$Q_{\mathrm{g}}=0$，则循环型单机空气幕的实际有效压力 ΔH 为：

$$\Delta H=p_{\mathrm{I}}-p_{\mathrm{II}}=\frac{\rho v_{\mathrm{c}}^2\cos\theta}{\dfrac{S}{S_{\mathrm{c}}}+\dfrac{1}{2}\cos\theta}+\frac{h_{\mathrm{I-II}}S}{S+\dfrac{1}{2}S_{\mathrm{c}}\cos\theta} \tag{4-28}$$

由于 $h_{\mathrm{I-II}}=R_{\mathrm{c}}Q_{\mathrm{c}}^2$，$v_{\mathrm{c}}=\dfrac{Q_{\mathrm{c}}}{S_{\mathrm{c}}}$，$R_{\mathrm{c}}$ 为空气幕回流风阻（$\mathrm{N\cdot s^2/m^8}$），则上式可写成：

$$\Delta H=\frac{\rho Q_{\mathrm{c}}^2\cos\theta}{S_{\mathrm{c}}\left(S+\dfrac{1}{2}S_{\mathrm{c}}\cos\theta\right)}+\frac{R_{\mathrm{c}}Q_{\mathrm{c}}^2S}{S+\dfrac{1}{2}S_{\mathrm{c}}\cos\theta} \tag{4-29}$$

由于回流区 1-Ⅱ段不长（$<2\sqrt{S}$），$h_{\mathrm{I-II}}$值很小，且$\dfrac{S}{S+\dfrac{1}{2}S_{\mathrm{c}}\cos\theta}<1$，因

此等式(4-29)右边最后一项回流阻力项可以忽略。于是可得循环型单机空气幕的实际有效压力为：

$$\Delta H=\frac{\rho Q_c^2\cos\theta}{S_c\left(S+\frac{1}{2}S_c\cos\theta\right)}=\frac{\rho v_c^2\cos\theta}{\frac{S}{S_c}+\frac{1}{2}\cos\theta}=\frac{\rho v_c^2\cos\theta}{K+\frac{1}{2}\cos\theta} \tag{4-30}$$

式中　$K=\frac{S}{S_c}$。

b　非循环型

单机非循环型空气幕的实际流动模型如图 4-7 所示。

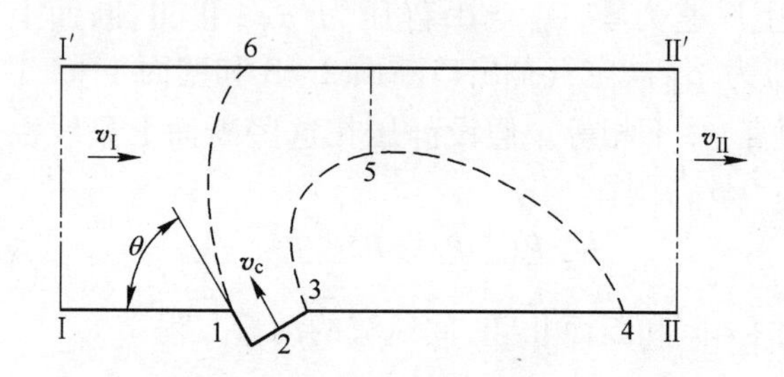

图 4-7　单机非循环型空气幕实际流动模型

非循环型空气幕由于在巷道外取风，风流从空气幕出口喷出以后不会形成循环风流，而是沿着巷道继续向后流动，然后扩散到整个巷道，因此把断面Ⅱ-Ⅱ′取在风流刚好扩散巷道全断面处(把这段距离看作空气幕的回流段)，而Ⅰ-Ⅰ′断面的取法和循环型空气幕一致，可以确立边界条件：断面Ⅰ-Ⅰ′上风速为零，$v_{\mathrm{I}}=0$；静压为 p_{I}。断面Ⅱ-Ⅱ′上风速为 v_{II}，$v_{\mathrm{II}}=Q_c/S$；静压为 p_{II}。而空气幕出口断面 2—3 和壁面 1—2 上的静压的求法和循环型空气幕一样，即 $p_{1-2}-p_{2-3}=(p_{\mathrm{I}}-p_{\mathrm{II}})/2$。列断面Ⅰ-Ⅰ′和断面Ⅱ-Ⅱ′间风流的动量方程：

$$(p_{\mathrm{I}}-p_{\mathrm{II}}-h_{\mathrm{I-II}})S+\frac{1}{2}(p_{\mathrm{I}}-p_{\mathrm{II}})S_c\cos\theta=\rho(Q_c v_{\mathrm{II}}-Q_c v_{cx}-Q_g v_{\mathrm{I}})$$

由于 $Q_c=v_cS_c$，$v_{cx}=-v_c\cos\theta$，$v_{\mathrm{I}}=0$，$v_{\mathrm{II}}=\frac{Q_c}{S}$，$Q_g=0$，则非循环型单机空气幕的实际有效压力 $\Delta H'$为：

$$\Delta H' = p_{\mathrm{I}} - p_{\mathrm{II}} = \frac{\rho v_c^2 S_c^2}{S + \frac{1}{2} S_c \cos\theta}\left(\frac{1}{S} + \frac{\cos\theta}{S_c}\right) + \frac{h_{\mathrm{I}\text{-}\mathrm{II}} S}{S + \frac{1}{2} S_c \cos\theta} \tag{4-31}$$

又由于 $h_{\mathrm{I}\text{-}\mathrm{II}} = R_c Q_c^2$, $v_c = \dfrac{Q_c}{S_c}$,上式可写成:

$$\Delta H' = \frac{\rho Q_c^2}{S + \frac{1}{2} S_c \cos\theta}\left(\frac{1}{S} + \frac{\cos\theta}{S_c}\right) + \frac{R Q_c^2 S}{S + \frac{1}{2} S_c \cos\theta} \tag{4-32}$$

实验测得,单机空气幕的回流阻力只占有效压力的7.6%,因此式(4-32)中回流阻力项 $\dfrac{R Q_c^2 S}{S + \frac{1}{2} S_c \cos\theta}$ 可忽略,于是非循环型单机空气幕的实际有效压力 $\Delta H'$ 为:

$$\Delta H' = \frac{\rho Q_c^2}{S + \frac{1}{2} S_c \cos\theta}\left(\frac{1}{S} + \frac{\cos\theta}{S_c}\right) = \frac{\rho v_c^2}{K + \frac{1}{2} \cos\theta}\left(\frac{1}{S} + \frac{\cos\theta}{S_c}\right) \tag{4-33}$$

比较式(4-28)和式(4-32)可以看出,非循环型单机空气幕的有效压力比循环型单机空气幕的有效压力要大,而且只要 S、S_c、θ、R_c 值确定后,选定空气幕的有效压力 ΔH 就是一个定值,与空气幕所工作的通风网路特性无关。

B　多机并联空气幕的实际有效压力

在实际流体流动的情况下,空气幕并联工作和风机在同一井口并联工作非常相似。n 台风机并联后的风量并不等于单台风机风量的简单叠加,而是比叠加以后的风量更小,即 $Q_c' < nQ_c$;并联后的实际风压和并联前的实际风压也不相等,而是更大,即 $H' > H$。于是可用风压相等、风量相加原理作出的两台风机对称并联作业的特性曲线图来说明 n 台空气幕对称并联运行的特性,如图4-8所示,其中设 $Q_c' = naQ_c$,$H' = bH$,其中 $a < 1$,$b > 1$。如下为作者所建立的循环型和非循环型多机并联空气幕实际有效压力的理论模型和分析。

a　循环型

循环型多机并联空气幕的实际流动模型如图4-9所示。设循环型多机并联空气幕在风流合并并扩展到全断面时为完全隔断巷道断面,在循环段内,巷道风流流动即为空气幕循环风流的流动;在空气幕循环

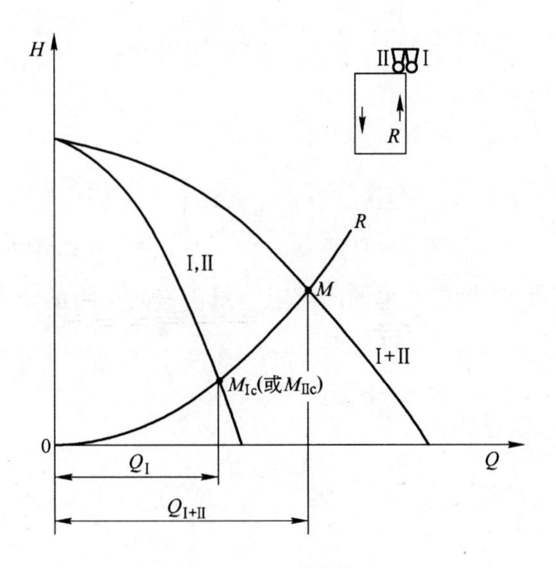

图 4-8　两台风机对称并联工作曲线

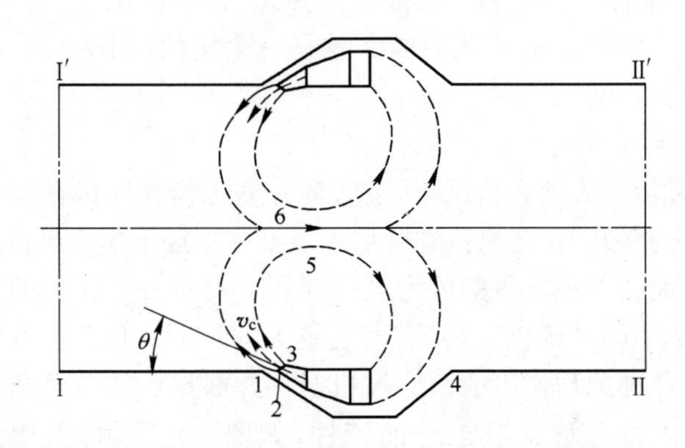

图 4-9　循环型多机并联空气幕的实际流动模型

段外,巷道无风流流动。把断面Ⅰ-Ⅰ′和断面Ⅱ-Ⅱ′都取在循环风流以外,得到的边界条件为:断面Ⅰ-Ⅰ′上风速 $v_{\mathrm{I}}=0$,静压为 p_{I};断面Ⅱ-Ⅱ′上风速 $v_{\mathrm{II}}=0$,静压为 p_{II}。因为有 n 个空气幕出口断面,所以可以就断面Ⅰ-Ⅰ′和断面Ⅱ-Ⅱ′间的风流列出如下动量方程:

$$(p_{\mathrm{I}} - p_{\mathrm{II}} - h_{\mathrm{I\text{-}II}})S + \frac{1}{2}(p_{\mathrm{I}} - p_{\mathrm{II}})nS_{\mathrm{c}}\cos\theta$$
$$= \rho(Q'_{\mathrm{c}}v_{\mathrm{II}} - Q'_{\mathrm{c}}v_{\mathrm{cx}} - Q_{\mathrm{g}}v_{\mathrm{I}})$$

由于 $Q'_{\mathrm{c}} = naQ_{\mathrm{c}}, v'_{\mathrm{c}} = \dfrac{\dfrac{Q'_{\mathrm{c}}}{n}}{S_{\mathrm{c}}} = \dfrac{naQ_{\mathrm{c}}}{nS_{\mathrm{c}}} = a\dfrac{Q_{\mathrm{c}}}{S_{\mathrm{c}}}, v_{\mathrm{cx}} = -v'_{\mathrm{c}}\cos\theta = -a\dfrac{Q_{\mathrm{c}}}{S_{\mathrm{c}}}\cos\theta, v_{\mathrm{I}} = v_{\mathrm{II}} = 0, Q_{\mathrm{g}} = 0, h_{\mathrm{I\text{-}II}} = R_{\mathrm{c}}Q'^2_{\mathrm{c}} = n^2a^2Q^2_{\mathrm{c}}$，$v'_{\mathrm{c}}$ 为多机并联后单台空气幕的出口风速，则循环型多机并联空气幕的实际有效压力 $\Delta H_{(\mathrm{n})}$ 为：

$$\Delta H_{(\mathrm{n})} = p_{\mathrm{I}} - p_{\mathrm{II}} = \frac{\rho na^2Q^2_{\mathrm{c}}\cos\theta}{S_{\mathrm{c}}\left(S + \frac{1}{2}nS_{\mathrm{c}}\cos\theta\right)} + \frac{n^2a^2R_{\mathrm{c}}Q^2_{\mathrm{c}}S}{S + \frac{1}{2}nS_{\mathrm{c}}\cos\theta} \tag{4-34}$$

b 非循环型

非循环型多机并联空气幕的实际流动模型如图 4-10 所示。

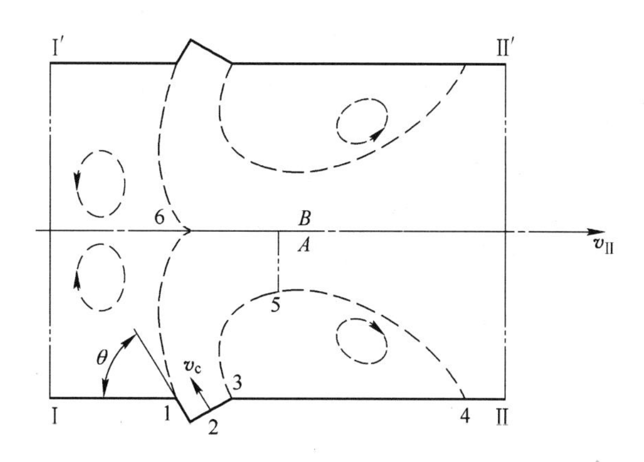

图 4-10 非循环型多机并联空气幕的实际流动模型

由于非循环型空气幕在巷道外取风，风流从空气幕出口喷出以后不会形成循环风流，而是沿着巷道继续向后流动，并且风流会扩散到整个巷道，因此，同样把Ⅱ-Ⅱ′断面取在风流刚好扩散巷道全断面处；而断面Ⅰ-Ⅰ′的取法和循环型空气幕一致，根据以上分析可以确立边界条件：断面Ⅰ-Ⅰ′上风速 $v_{\mathrm{I}} = 0$；静压为 p_{I}；断面Ⅱ-Ⅱ′上风速为 v_{II}，静压为 p_{II}。

因为空气幕有 n 个出口断面，所以可以就断面Ⅰ-Ⅰ′和断面Ⅱ-Ⅱ′

间的风流列出如下动量方程：

$$(p_{\rm I}-p_{\rm II}-h_{\rm I\text{-}II})S+\frac{1}{2}(p_{\rm I}-p_{\rm II})nS_{\rm c}\cos\theta=\rho(Q'_{\rm c}v_{\rm II}-Q'_{\rm c}v_{\rm cx}-Q_{\rm g}v_{\rm I})$$

由于 $Q'_{\rm c}=naQ_{\rm c}$，$v'_{\rm c}=\dfrac{\frac{Q'_{\rm c}}{n}}{S_{\rm c}}=\dfrac{naQ_{\rm c}}{nS_{\rm c}}=a\dfrac{Q_{\rm c}}{S_{\rm c}}$，$v_{\rm cx}=-v'_{\rm c}\cos\theta=-a\dfrac{Q_{\rm c}}{S_{\rm c}}\cos\theta$，$v_{\rm I}=0$，$v_{\rm II}=\dfrac{Q'_{\rm c}}{S}=\dfrac{naQ_{\rm c}}{S}$，$Q_{\rm g}=0$，$h_{\rm I\text{-}II}=R_{\rm c}Q'^2_{\rm c}=n^2a^2Q_{\rm c}^2$，则非循环型多机并联空气幕的实际有效压力为：

$$\Delta H'_{\rm (n)}=p_{\rm I}-p_{\rm II}=\frac{\rho na^2Q_{\rm c}^2}{\left(S+\frac{1}{2}nS_{\rm c}\cos\theta\right)}\left(\frac{n}{S}+\frac{\cos\theta}{S_{\rm c}}\right)+\frac{n^2a^2R_{\rm c}Q_{\rm c}^2S}{S+\frac{1}{2}nS_{\rm c}\cos\theta}\tag{4-35}$$

从式(4-34)和式(4-35)可以看出，多机并联空气幕实际有效压力中的回流阻力项与空气幕并联台数 n 的平方成正比，而其另一项与空气幕的并联台数 n 成正比，因此，当并联风机台数 n 越大时，回流阻力在有效压力中所占的比例也越大。

比较式(4-28)和式(4-34)以及式(4-32)和式(4-35)可知：在实际应用中 n 台空气幕并联的有效压力并不等于 n 台单机空气幕的有效压力之和，即 $\Delta H_{\rm (n)}\neq\sum\limits_{i=1}^{n}\Delta H_i$。

4.2.2　矿用空气幕引射风流

当空气幕的有效压力大于巷道风流的静压差时，空气幕可起引射风流的作用，增加需风点的风量，但并未给出空气幕的实际理论计算公式。实际应用中，空气幕起引射作用时，有效压力大到何种程度，取决于对需风量的要求，因此，设计计算引射风流的空气幕时，引射风量应作为设计选型的依据。作者在本节则依据无风墙有效压力理论、射流理论等，建立了空气幕引射风流的理论模型。

空气幕在巷道中引射风流时其工作方式与无风墙辅扇的工作方式非常相似，不同之处在于：(1)空气幕出口风流是平面紊动射流，而无风墙辅扇的出口风流是矩形断面紊动射流；(2)空气幕安装在巷道两侧的硐室内，不占用巷道断面，而无风墙辅扇安装在巷道中，占用巷道断面。但两者在促进巷道内风流能量转换时的作用原理一致。因此，作者在本节用射流理论、无风墙辅扇通风理论以及能量守恒原理等来建立空气幕引射风流的理论模型，并分析其引射风流的过程。

空气幕在巷道中引射风流时其扇风机的全部能量损失包括以下几部分：

(1) 空气幕风流克服巷道两端主扇风压或自然风压所做的功；

(2) 风流克服巷道摩擦阻力和局部阻力的能量损失；

(3) 绕过空气幕的风流克服空气幕安装断面间的摩擦阻力的能量损失；

(4) 流过空气幕的风流由空气幕出口到巷道的突然扩大的能量损失；

(5) 巷道出口处的动量损失。

4.2.2.1 单机空气幕引射风流理论

单机空气幕引射风流的流动模型如图 4-11 所示。

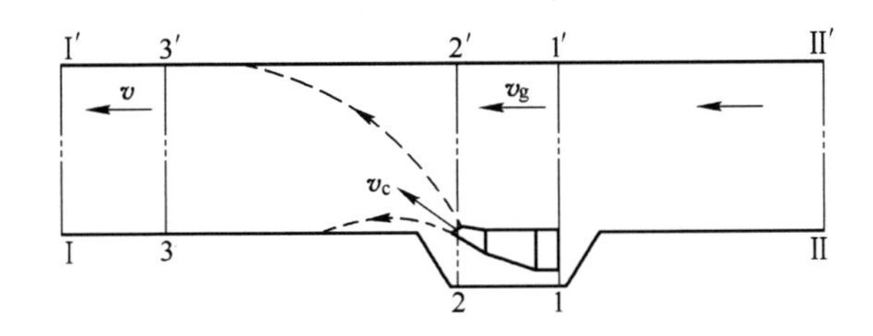

图 4-11 单机空气幕引射风流的流动模型

在巷道I-I′断面和II-II′断面间列风流运动的全能量方程式如下：

$$p_{\mathrm{I}} Q + H_c Q_c = p_{\mathrm{II}} Q + hQ + h_c Q_c + h_{1-2} Q_g + \frac{\rho v^2}{2} Q$$

式中 H_c——单机空气幕风机全压，Pa；

h_c——由空气幕出口到巷道全断面的突然扩大损失，Pa；

h——巷道摩擦阻力与局部阻力损失，Pa；

$h_{1\text{-}2}$——断面 1—2 间的摩擦阻力损失，Pa；

v——巷道平均风速，m/s；

其他符号意义同前。

将上式除以 Q,并加以整理得:

$$h+\frac{\rho v^2}{2}=H_c\frac{Q_c}{Q}-h_c\frac{Q_c}{Q}-h_{1-2}\frac{Q_g}{Q}-(p_{\mathrm{II}}-p_{\mathrm{I}})\tag{4-36}$$

设引射风流空气幕的有效压力为当巷道两端的静压差$(p_{\mathrm{II}}-p_{\mathrm{I}})$为零时空气幕的全能量中减去由空气幕出口到巷道全断面的突然扩大损失和绕过空气幕风流的能量损失后所剩余的能量,即引射风流空气幕的有效压力表达式为:

$$\Delta H=H_c\frac{Q_c}{Q}-h_c\frac{Q_c}{Q}-h_{1-2}\frac{Q_g}{Q}\tag{4-37}$$

则巷道的全能量方程可写成如下形式:

$$h+\frac{\rho v^2}{2}=\Delta H-(p_{\mathrm{II}}-p_{\mathrm{I}})\tag{4-38}$$

通过空气幕的风流:

$$p_1Q_c+\frac{\rho v^2}{2}Q_c+H_cQ_c=p_2Q_c+\frac{\rho v_c^2}{2}Q_c\tag{4-39}$$

绕过空气幕的风流:

$$p_1Q_g+\frac{\rho v^2}{2}Q_g=p_2Q_g+\frac{\rho v_g^2}{2}Q_g+h_{1-2}Q_g\tag{4-40}$$

式中　p_1、p_2——断面1、2处的风流的静压,Pa。

将以上两式相加,并除以 Q,可得:

$$p_1-p_2=\frac{\rho v_c^2}{2}\times\frac{Q_c}{Q}+\frac{\rho v_g^2}{2}\times\frac{Q_g}{Q}-\frac{\rho v^2}{2}-H_c\frac{Q_c}{Q}+h_{1-2}\frac{Q_g}{Q}$$

绕过空气幕部分的风流,单位体积流量的能量方程式可写成下列形式:

$$p_1-p_2=\frac{\rho v_g^2}{2}-\frac{\rho v^2}{2}+h_{1-2}$$

由上两式可得:

$$H_c\frac{Q_c}{Q}=\frac{\rho v_c^2}{2}\times\frac{Q_c}{Q}-\frac{\rho v_g^2}{2}\times\frac{Q_c}{Q}-h_{1-2}\frac{Q_c}{Q}\tag{4-41}$$

由空气幕出口流出的风流,在扩大到巷道全断面时得突然扩大冲击损失,可按式 $h_c=\dfrac{\rho(v_c-v)^2}{2}$计算。

上式可展开成下列形式：

$$h_c \frac{Q_c}{Q} = \frac{\rho v_c^2}{2} \times \frac{Q_c}{Q} - \rho v_c v \frac{Q_c}{Q} + \frac{\rho v^2}{2} \times \frac{Q_c}{Q} \tag{4-42}$$

将式(4-41)和式(4-42)代入式(4-37)，得：

$$\Delta H = \rho v_c v \times \frac{Q_c}{Q} - \frac{\rho v^2}{2} \times \frac{Q_c}{Q} - \frac{\rho v_g^2}{2} \times \frac{Q_c}{Q} - h_{1-2}$$

上式可改写成下列形式：

$$\Delta H = \rho v_c v \times \frac{Q_c}{Q} - \rho v^2 \times \frac{Q_c}{Q} + \frac{\rho (v - v_g)^2}{2} \times \frac{Q_c}{Q} - h_{1-2}$$

分析上式，其中最后两项与前两项相比在数值上十分微小，且其值与 v^2相关，于是可简化为：

$$\Delta H = \rho v_c v \times \frac{Q_c}{Q} - a' \rho v^2 \times \frac{Q_c}{Q}$$

或写成如下形式：

$$\Delta H = \rho v_c^2 \times \frac{S_c}{S} \left(1 - a' \times \frac{v}{v_c}\right) \tag{4-43}$$

式中 a'——比例系数。

式(4-43)为计算引射空气幕有效压力的理论公式，由于空气幕引射风流和无风墙辅扇的通风过程非常相似，因此，可以把无风墙辅扇通风实验所得到的 $a' = 2$ 直接应用到式(4-43)中，由此可以得到空气幕引射风流的计算式：

$$\Delta H = \rho v_c^2 \times \frac{S_c}{S} \left(1 - 2 \times \frac{v}{v_c}\right)$$

通过对现场实际风速的观测，巷道风速通常不超过 4 m/s，而空气幕出口风速常达 20～30 m/s。为了简化计算，可将上式改写为：

$$\Delta H = K_s \frac{\rho v_c^2}{2} \times \frac{S_c}{S} \tag{4-44}$$

式中的 K_s为试验系数，与空气幕在巷道中的安装条件、巷道风速和空气幕出口风速有关。于是，将式(4-44)代入式(4-38)，并将巷道平均风速 v 用巷道断面积和巷道风量 Q 表示，整理得单机空气幕引射风量的计算公式：

$$Q = \sqrt{\frac{K_s \rho v_c^2 S S_c - 2S^2 (p_{\mathrm{II}} - p_{\mathrm{I}})}{2S^2 R + \rho}} \tag{4-45}$$

在其他条件相同的情况下，从上式可以看出：

(1) 空气幕出口风速 v_c越大，其引射风量越大。

(2) 巷道与空气幕出口的断面积比越大，空气幕引射风量越小。

(3) 巷道反向风压(p_{II}-p_{I})越高，空气幕引射风量越小。

(4) 巷道风阻 R 越大，空气幕引射风量越小。

4.2.2.2　多机并联空气幕引射风流理论

多机并联空气幕引射风流的流动模型如图 4-12 所示。

就巷道入口与出口列风流运动的全能量方程：

$$p_{\mathrm{I}}Q + H'_{c}Q'_{c} = p_{\mathrm{II}}Q + hQ + h_{c}Q'_{c} + h_{1-2}Q_{g} + \frac{\rho v^{2}}{2}Q$$

式中　H'_c——多机并联空气幕的全压，Pa；

其他符号意义同前。

将上式除以 Q，并加以整理得：

$$h + \frac{\rho v^{2}}{2} = H_{c}\frac{Q'_{c}}{Q} - h_{c}\frac{Q'_{c}}{Q} - h_{1-2}\frac{Q_{g}}{Q} - (p_{\mathrm{II}} - p_{\mathrm{I}}) \tag{4-46}$$

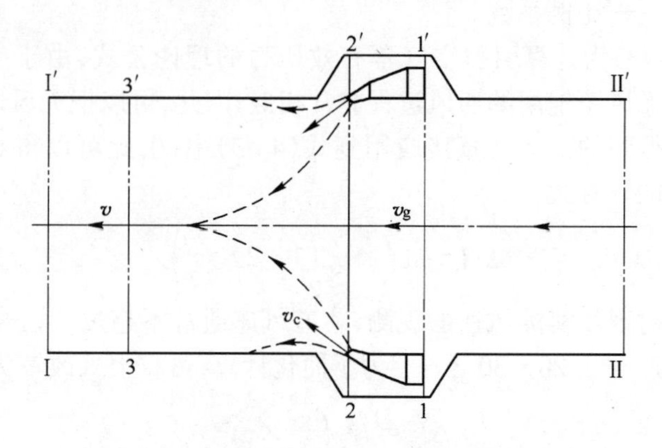

图 4-12　多机并联空气幕引射风流的流动模型

则得多机并联空气幕的有效压力：

$$\Delta H_{(n)} = H_{c}\frac{Q'_{c}}{Q} - h_{c}\frac{Q'_{c}}{Q} - h_{1-2}\frac{Q_{g}}{Q} \tag{4-47}$$

即 n 台空气幕并联后的有效压力等于当巷道两端静压差(p_{II} - p_{I})为零时，并联空气幕全能量减去由空气幕到巷道全断面的突然扩大损失和绕过空气幕风流的能量损失。该能量用于克服巷道摩擦阻力和局部阻力，并在巷道出口形成动压损失。由空气幕入风侧断面 1 到出风侧断面 2 有两股风流，其中一股进入空气幕，另一股绕过空气幕，其风流在 1、2 断面间的能量变化如下：

通过空气幕的风流：

$$p_1 Q'_c + \frac{\rho v^2}{2} Q'_c + H'_c Q'_c = p_2 Q'_c + \frac{\rho v'^2_c}{2} Q'_c \tag{4-48}$$

绕过空气幕的风流：

$$p_1 Q_g + \frac{\rho v^2}{2} Q_g = p_2 Q_g + \frac{\rho v_g^2}{2} Q_g + h_{1-2} Q_g \tag{4-49}$$

将式(4-48)及式(4-49)两式相加，除以 Q，并加以整理得：

$$p_1 - p_2 = \frac{\rho v'^2_c}{2} \times \frac{Q'_c}{Q} + \frac{\rho v_g^2}{2} \times \frac{Q_g}{Q} - \frac{\rho v^2}{2} - H'_c \frac{Q'_c}{Q} + h_{1-2} \frac{Q_g}{Q} \tag{4-50}$$

绕过空气幕部分的风流，其单位体积流量的能量方程式可写成下列形式：

$$p_1 - p_2 = \frac{\rho v_g^2}{2} - \frac{\rho v^2}{2} + h_{1-2}$$

由上两式可得：

$$H'_c \frac{Q'_c}{Q} = \frac{\rho v'^2_c}{2} \times \frac{Q'_c}{Q} - \frac{\rho v_g^2}{2} \times \frac{Q'_c}{Q} - h_{1-2} \frac{Q'_c}{Q} \tag{4-51}$$

由空气幕出口流出的风流，在扩大到巷道全断面时的突然扩大冲击损失，可按下式计算：

$$h_c = \frac{\rho (v'_c - v)^2}{2}$$

上式可展开成下列形式：

$$h_c \frac{Q'_c}{Q} = \frac{\rho v'^2_c}{2} \times \frac{Q'_c}{Q} - \rho v'_c v \frac{Q'_c}{Q} + \frac{\rho v^2}{2} \times \frac{Q'_c}{Q} \tag{4-52}$$

将式(4-51)与式(4-52)代入式(4-47)得：

$$\Delta H_{(n)} = \rho v'_c v \times \frac{Q'_c}{Q} - \frac{\rho v^2}{2} \times \frac{Q'_c}{Q} - \frac{\rho v_g^2}{2} \times \frac{Q'_c}{Q} - h_{1-2} \tag{4-53}$$

式中，$Q'_c = naQ_c$，$v'_c = \dfrac{\frac{Q'_c}{n}}{S_c} = \dfrac{\frac{naQ_c}{n}}{S_c} = \dfrac{aQ_c}{S_c} = av_c$，于是上式又可以写成：

$$\Delta H_{(n)} = na^2 \rho v_c v \times \frac{Q_c}{Q} - na\frac{\rho v^2}{2} \times \frac{Q_c}{Q} - na\frac{\rho v_g^2}{2} \times \frac{Q_c}{Q} - h_{1-2} \tag{4-53a}$$

或改写成下列形式：

$$\Delta H_{(n)} = na^2 \rho v_c v \times \frac{Q_c}{Q} - na\rho v^2 \times \frac{Q_c}{Q} + na\frac{\rho(v - v_g)^2}{2} \times \frac{Q_c}{Q} - h_{1-2} \tag{4-53b}$$

分析上式，其中最后两项与前两项相比在数值上较小，而且，其值与 v^2 相关，于是可简化为：

$$\Delta H_{(n)} = na^2 \rho v_c v \times \frac{Q_c}{Q} - na\alpha' \rho v^2 \times \frac{Q_c}{Q} \tag{4-54}$$

或写成如下形式：

$$\Delta H_{(n)} = na\rho v_c^2 \times \frac{S_c}{S}\left(a - \alpha' \times \frac{v}{v_c}\right) \tag{4-55}$$

通过对现场实际风速的观测，巷道风速通常不超过 4 m/s，而多机并联空气幕出口风速常达 20～30 m/s。为了计算简化，可将上式改写为：

$$\Delta H_{(n)} = naK_s \frac{\rho v_c^2}{2} \times \frac{S_c}{S} \tag{4-56}$$

式中，a 为风量比系数；n 为风机数量。可以看出，多机并联空气幕引射风流的有效压力在巷道中的安装条件、巷道风速、并联风机台数、并联空气幕中单台空气幕与单机空气幕的风量比以及空气幕出口风速有关。

将式(4-56)代入式(4-47)再代入式(4-46)，并将巷道平均风速 v 用巷道断面积和巷道风量 Q 表示，整理得多机并联空气幕引射风量的计算公式：

$$Q = \sqrt{\frac{naK_s \rho v_c^2 S_c S - 2S^2(p_{\mathrm{II}} - p_{\mathrm{I}})}{2S^2 R_{\mathrm{I-II}} + \rho}} \tag{4-57}$$

对以上所建立的空气幕引射风流的理论模型进行分析，可得到如下结论：

(1) 在其他条件相同的情况下，并联空气幕的有效压力与空气幕

并联台数 n 和风量比系数 a 成正比。

(2) 在其他条件相同的情况下，空气幕出口断面积与安装空气幕巷道的断面积之比 S_c/S 越大，空气幕引射风流的有效压力越高，此时，风流的突然扩大的能量损失越小。

(3) 在其他条件相同的情况下，空气幕出口的风速 v_c越大，空气幕有效压力越大，因此，适当提高空气幕出口的风速是提高有效压力的一个重要途径。

(4) 在其他条件相同的情况下，巷道反向风压($p_{\mathrm{II}}-p_{\mathrm{I}}$)越高，空气幕引射风量越小。

(5) 在其他条件相同的情况下，巷道风阻 $R_{\mathrm{I}\text{-}\mathrm{II}}$越大，空气幕引射风量越小。

4.2.3　矿用空气幕对风流增阻

在实际应用中，空气幕的有效压力很难与巷道两端的压差达到平衡，因此，当空气幕的有效压力低于巷道两端的压差时，空气幕则对风流增阻起风窗作用，其增阻效果用阻风率来衡量。而在设计对风流增阻的空气幕时，一般是依据阻风率设计选型。由于在实际应用中，大多采用循环型空气幕，故作者在本部分主要是建立和分析循环型空气幕对风流增阻的理论模型。

4.2.3.1　单机空气幕的阻风率

循环型单机增阻空气幕的流动模型如图 4-13 所示。

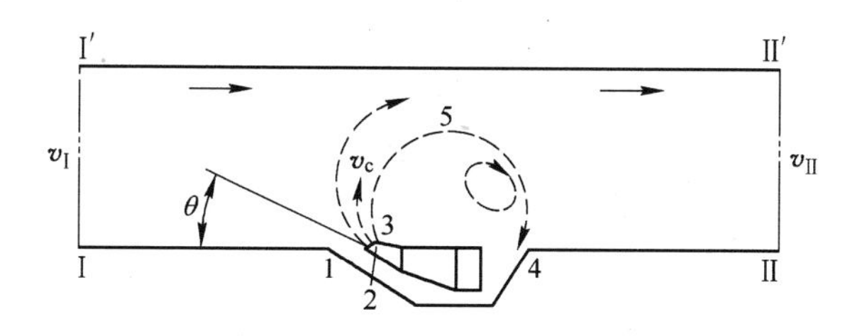

图 4-13　循环型单机增阻空气幕的流动模型

在循环型空气幕不足隔断巷道内风流时，有两股风流流入Ⅰ-Ⅰ′和Ⅱ-Ⅱ′断面间的控制体，一股为空气幕射流 Q_c，另一股为巷道的逆

向风流 Q_g。由于空气幕风流循环流动，因此，流出控制体的只有一股风流，即巷道的过风风流 Q_g。与前面相同，列风流的动量方程：

$$(p_{\mathrm{I}} - p_{\mathrm{II}} - h_{\mathrm{I\text{-}II}})S + \frac{1}{2}(p_{\mathrm{I}} - p_{\mathrm{II}})S_c\cos\theta = \rho(Q_g v_{\mathrm{II}} - Q_c v_{cx} - Q_g v_{\mathrm{I}})$$

由于 $Q_c = v_c S_c$，$v_{cx} = -v_c\cos\theta$，$v_{\mathrm{I}} = \dfrac{Q_g}{S}$，$v_{\mathrm{II}} = \dfrac{Q_g}{S}$，$h_{\mathrm{I\text{-}II}} = R_{\mathrm{I\text{-}II}} Q_g^2 + R_c Q_c^2 + 2R_c Q_c Q_g$，因此整理上式，得到循环型单机空气幕不足隔断风流时巷道两边的压差 ΔH_f 的表达式：

$$\Delta H_f = p_{\mathrm{I}} - p_{\mathrm{II}} = \frac{\rho Q_c^2\cos\theta}{S_c\left(S + \frac{1}{2}S_c\cos\theta\right)} + \frac{(R_{\mathrm{I\text{-}II}} Q_g^2 + R_c Q_c^2 + 2R_c Q_c Q_g)S}{S + \frac{1}{2}S_c\cos\theta} \tag{4-58}$$

在不足隔断风流时，循环型空气幕工作巷道两边的压差与空气幕有效压力之差可称为压力不足差量，以 H_{ud}表示，其表达式为：

$$H_{ud} = \Delta H_f - \Delta H \tag{4-59}$$

把式(4-28)、式(4-58)代入式(4-59)，并加以整理得：

$$H_{ud} = \frac{R_{\mathrm{I\text{-}II}} Q_g^2 + 2R_c Q_c Q_g}{1 + \frac{\cos\theta}{2K}} \tag{4-59a}$$

令 $z = 1 + \dfrac{\cos\theta}{2K}$，则上式可变为：

$$H_{ud} = \frac{1}{z}(R_{\mathrm{I\text{-}II}} Q_g^2 + 2R_c Q_c Q_g) \tag{4-59b}$$

将式(4-59*b*)代入式(4-59)得单机空气幕的有效压力 ΔH 表达式为：

$$\Delta H = \Delta H_f - \frac{1}{z}(R_{\mathrm{I\text{-}II}} Q_g^2 + 2R_c Q_c Q_g) \tag{4-60}$$

设$\dfrac{Q_c}{Q_g} = m$，则式(4-60)可变为下列形式：

$$\Delta H = \Delta H_f - \frac{1}{z}(R_{\mathrm{I\text{-}II}} Q_g^2 + 2mR_c Q_g^2) \tag{4-61}$$

假设在巷道中安装空气幕后不改变矿井的总风量 $Q_{总}$，只改变矿井的风量分配，则当空气幕不工作时巷道的总风量 $Q_{总}$可表达为安装空气幕的巷道风量 Q 的函数，其表达式如式(4-62)，空气幕并联网路示意图如图 4-14 所示。

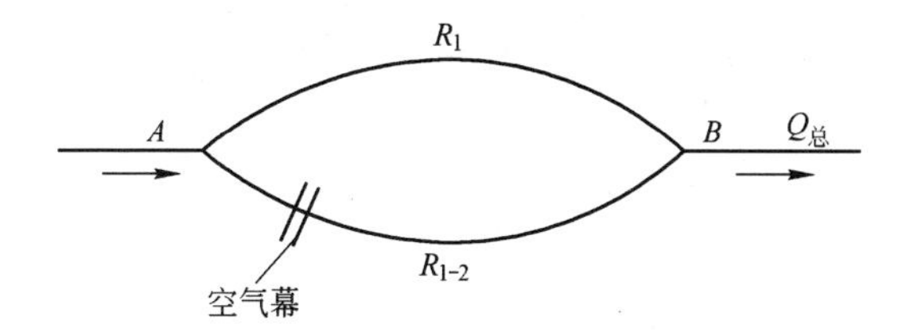

图 4-14 空气幕并联网路示意图

$$Q_{总} = Q\left(\sqrt{\frac{R_{\text{I-II}}}{R_1}} + 1\right) \tag{4-62}$$

空气幕运行后，巷道两端的压差 ΔH_f 又可以表达为下列形式：

$$\Delta H_f = R_1(Q_{总} - Q_g)^2 \tag{4-63}$$

将式(4-59a)变形得：

$$\rho\cos\theta = \frac{100R_cS_cS}{b} - R_cS_cS \tag{4-64}$$

将式(4-28)、式(4-62)、式(4-63)、式(4-64)和 $Q_c/Q_g = m$ 代入式(4-61)，经过计算并整理得安装空气幕后巷道的过风率 η_g：

$$\eta_g = \frac{\sqrt{bz}(q+1)}{\sqrt{100tm^2 + bq^2 + 2bmt} + \sqrt{bz}} \times 100\% \tag{4-65}$$

式中 q——安装空气幕的巷道与其并联巷道的风阻比，$q = \sqrt{\frac{R_{\text{I-II}}}{R_1}}$；

t——空气幕回流风阻与空气幕并联巷道风阻之比，$t = \frac{R_c}{R_1}$。

空气幕对巷道风流的阻风率 η_z 的表达式为：

$$\eta_x = (1 - \eta_g) \times 100\% = \frac{\sqrt{100tm^2 + bq^2 + 2bmt} - q\sqrt{bz}}{\sqrt{100tm^2 + bq^2 + 2bmt} + \sqrt{bz}} \times 100\% \tag{4-66}$$

从上式可以看出，安装空气幕后巷道的阻风率与空气幕所在巷道的风阻、空气幕回流风阻、空气幕的有效压力、空气幕出口断面积和巷道断面积比、巷道过风风量与空气幕风量比、空气幕的安装角等有关。

4.2.3.2 多机并联空气幕的阻风率

循环型多机并联空气幕增阻的流动模型如图 4-15 所示。

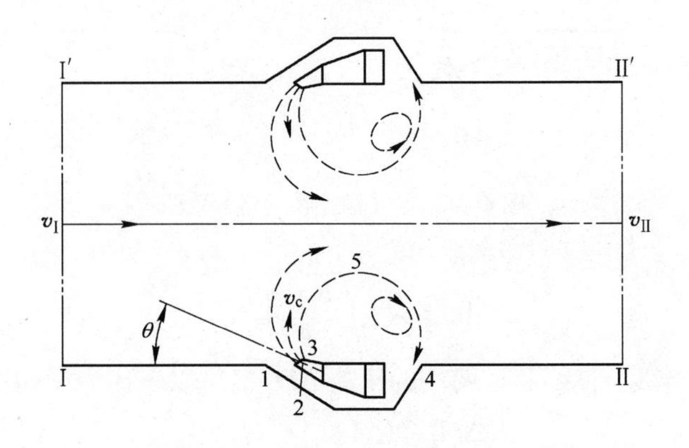

图 4-15 多机并联空气幕增阻流动模型

循环型多机并联增阻空气幕在巷道内实现增阻作用时，过风风流 Q_g在整个巷道内流动，而多机并联空气幕循环风流 Q_c'只在循环段内流动，因此，多机并联空气幕增阻时，流入控制体内有空气幕风流和巷道过流，而流出控制体的只有巷道过流，与前面相同，可列风流的动量方程：

$$(p_{\text{I}}-p_{\text{II}}-h_{\text{I-II}})S+\frac{1}{2}(p_{\text{I}}-p_{\text{II}})nS_c\cos\theta=\rho(Q_{g(n)}v_{\text{II}}-Q_c'v_{cx}-Q_{g(n)}v_{\text{I}})$$

式中 $Q_{g(n)}$——多机并联空气幕工作时巷道中过风风量，m^3/s。

由于 $Q_c'=naQ_c$，$v_c=\dfrac{\frac{Q_c'}{n}}{S_c}=\dfrac{\frac{naQ_c}{n}}{S_c}=\dfrac{aQ_c}{S_c}$，$v_{cx}=-v_c\cos\theta=-\dfrac{aQ_c}{S_c}\cos\theta$，$v_{\text{I}}=\dfrac{Q_{g(n)}}{S}$，$v_{\text{II}}=\dfrac{Q_{g(n)}}{S}$，$h_{\text{I-II}}=R_{\text{I-II}}Q_{g(n)}^2+R_cQ_c'^2+2R_cQ_c'Q_{g(n)}$，因此整理上式，得到循环型多机并联空气幕不足隔断时巷道两端的压差 $\Delta H_{f(n)}=p_{\text{I}}-p_{\text{II}}$：

$$\Delta H_{f(n)}=\frac{\rho na^2Q_c^2\cos\theta}{S_c\left(S+\frac{1}{2}nS_c\cos\theta\right)}+\frac{(R_{\text{I-II}}Q_{g(n)}^2+n^2a^2R_cQ_c^2+2naR_cQ_cQ_{g(n)})S}{S+\frac{1}{2}nS_c\cos\theta} \tag{4-67}$$

在不足隔断时循环型多机并联空气幕工作巷道两边的压差与空气幕有效压力之差可称为压力不足差量，以 $H_{ud(n)}$ 表示，其表达式如下：

$$H_{ud(n)} = \Delta H_{f(n)} - \Delta H_{(n)} \tag{4-68}$$

把式(4-34)、式(4-63)代入上式，并整理得：

$$H_{ud(n)} = \frac{R_{\text{I-II}} Q_g^2 + 2naR_c Q_c Q_{g(n)}}{1 + \dfrac{n\cos\theta}{2K}} \tag{4-68a}$$

令 $z_{(n)} = 1 + \dfrac{n\cos\theta}{2K}$，则上式可变为：

$$H_{ud(n)} = \frac{1}{z_{(n)}}(R_{\text{I-II}} Q_g^2 + 2naR_c Q_c Q_{g(n)}) \tag{4-68b}$$

由于$\dfrac{Q_c}{Q_{g(n)}} = m'$，则上式变为：

$$H_{ud(n)} = \frac{1}{z_{(n)}}(R_{\text{I-II}} Q_{g(n)}^2 + 2m'naR_c Q_{g(n)}^2) \tag{4-68c}$$

将式(4-68c)代入式(4-68)得：

$$\Delta H_{(n)} = \Delta H_{f(n)} - \frac{1}{z_{(n)}}(R_{\text{I-II}} Q_{g(n)}^2 + 2m'naR_c Q_{g(n)}^2) \tag{4-69}$$

当多机并联空气幕不工作时巷道的总风量 $Q_{总}$ 可表达为安装空气幕巷道的风量 $Q_{(n)}$ 的函数，即：$Q_{总} = Q_{(n)}\left(\sqrt{\dfrac{R_{\text{I-II}}}{R_1}} + 1\right)$ (4-70)

多机并联空气幕工作后巷道两端的压差 $\Delta H_{f(n)}$ 又可以表达为下列形式：

$$\Delta H_{f(n)} = R_1(Q_{总} - Q_{g(n)})^2 \tag{4-71}$$

将式(4-70)、式(4-71)、式(4-34)、式(4-64)和$\dfrac{Q_c}{Q_{g(n)}} = m'$代入式(4-69)，经过计算并整理得：

$$\eta_{g(n)} = \frac{\sqrt{bz_{(n)}}(q+1)}{\sqrt{100natm'^2 + n(n-1)m'^2atb + bq^2 + 2bm'nat} + \sqrt{bz_{(n)}}} \times 100\% \tag{4-72}$$

式中 $\eta_{g(n)}$——安装多机并联空气幕后巷道的过风率，$\eta_{g(n)} = \dfrac{Q_{g(n)}}{Q_{(n)}} \times 100\%$。

多机并联空气幕对巷道风流的阻风率 $\eta_{z(n)}$ 表达式如下：

$$\eta_{z(n)}=(1-\eta_{g(n)})\times 100\% \tag{4-73}$$

将式(4-72)代入式(4-73)得：

$$\eta_{z(n)}=\frac{\sqrt{100natm'^2+n(n-1)m'^2atb+bq^2+2bm'nat}-q\sqrt{bz_{(n)}}}{\sqrt{100natm'^2+n(n-1)m'^2atb+bq^2+2bm'nat}+\sqrt{bz_{(n)}}}\times 100\% \tag{4-74}$$

从上式可以看出安装多机并联空气幕后，巷道的阻风率与空气幕所在巷道和与之并联巷道的风阻比、空气幕回流风阻与其并联巷道的风阻比、空气幕的回流长度、空气幕出口断面积与巷道断面积之比、巷道过风风量与空气幕风量之比、多机并联空气幕中单台空气幕的风量与单机空气幕的风量比、空气幕并联台数等因素有关。

4.2.4　空气幕阻隔和引射风流能力的影响因素分析

多机并联空气幕供风器的出口断面积、风机的叶片角度、空气幕射流轴线与巷道轴线的夹角等对空气幕阻隔和引射风流的能力有很大影响，因此，作者在本节根据流体力学与固体力学的类比假说，开展影响空气幕阻隔和引射风流能力的分析和探讨。

对于阻隔风流空气幕，S_c越大，空气幕抵抗干扰气流的能力和节约动力方面的性能越好，但是由于受到现场条件、风机能力、允许风速等因素的制约，S_c有一个限定范围。而对于引射空气幕，缩小引射器出口的断面积会增加出口风流的动能，从而增加其在巷道内的引射风量；但另一方面却增加了空气幕的工作阻力，减少了风机风量，当后者的影响超过了前者时反而会减少引射风量。因此，利用空气幕来阻隔或引射风流时，存在一个最优出口断面积，使得空气幕获得最佳的使用效果。

在矿井巷道中一般使用循环型空气幕，所以作者以循环型空气幕为例，分析和探讨其阻隔和引射风流时供风器出口断面积与阻隔和引射风流能力的关系。

4.2.4.1　空气幕阻隔风流能力与供风器出口断面积的关系分析

将已建立的循环型多机并联空气幕的有效压力表达式(4-34)变形

得：

$$\Delta H=\frac{na^2\rho v_c^2\cos\theta}{K+\frac{1}{2}n\cos\theta}+\frac{n^2a^2R_cv_c^2SS_c}{K+\frac{1}{2}n\cos\theta}=\frac{v^2na^2(\rho\cos\theta+nR_cSS_c)}{K+\frac{1}{2}n\cos\theta} \tag{4-75}$$

从以上关系式可以看出，v_c增大，ΔH 随之增大。从理论上说，v_c应尽可能大，但是空气幕安装在行人和车辆来往频繁的地方，要考虑人体对风速的忍受能力，因此，巷道内风速不宜过高，一般情况下取 $v_m=4$ m/s，空气幕射流轴线与巷道轴线的夹角 $\theta=30°$。

由前面的研究结果，可以得出当单机空气幕的回流长度 $l=4\sqrt{S}$ 时，循环型多机并联空气幕有效压力的数值表达式为：

$$\Delta H=(n+0.082n^2)\frac{\rho a^2v_c^2\cos\theta}{K+\frac{1}{2}n\cos\theta} \tag{4-76}$$

由于 $v_c=\frac{Q_c}{S_c}=\frac{Q_c'}{naS_c}=\frac{v_mS}{naS_c}$，因此：

$$\Delta H=(n+0.082n^2)\frac{\rho a^2\cos\theta}{\frac{S}{S_c}+\frac{1}{2}n\cos\theta}\times\left(\frac{v_mS}{naS_c}\right)^2 \tag{4-77}$$

将 $v_m=4$ m/s，$\theta=30°$，$\rho=1.2$ kg/m³代入式(4-77)得：

$$\frac{S}{S_c}=\frac{n\Delta H+\sqrt{n^2\Delta H^2+28.6n^2(1+0.082n)\Delta H}}{33.26(1+0.082n)} \tag{4-78}$$

分别把 $n=1,2,4,6$ 代入上式，得两断面积之比 S/S_c与循环型多机并联空气幕有效压力 ΔH 的关系如下：

当 $n=1$ 时，$\frac{S}{S_c}\geqslant 0.028(\Delta H+\sqrt{\Delta H^2+30.95\Delta H})$；

当 $n=2$ 时，$\frac{S}{S_c}\geqslant 0.052(\Delta H+\sqrt{\Delta H^2+33.29\Delta H})$；

当 $n=4$ 时，$\frac{S}{S_c}\geqslant 0.091(\Delta H+\sqrt{\Delta H^2+37.98\Delta H})$；

当 $n=6$ 时，$\frac{S}{S_c}\geqslant 0.121(\Delta H+\sqrt{\Delta H^2+42.67\Delta H})$。

同理，当单机空气幕的回流长度 $l=2\sqrt{S}$时，多机并联空气幕有效压力的数值表达式为：

$$\Delta H=(n+0.0395n^{2})\frac{\rho a^{2}v_{c}^{2}\cos\theta}{K+\frac{1}{2}n\cos\theta}$$

把 $v_{c}=\frac{v_{m}S}{naS_{c}}$，$K=\frac{S}{S_{c}}$，$v_{m}=4\ \mathrm{m/s}$，$\theta=30°$，$\rho=1.2\ \mathrm{kg/m^{3}}$代入上式得：

$$\frac{S}{S_{c}}=\frac{n\Delta H+\sqrt{n^{2}\Delta H^{2}+28.6n^{2}(1+0.0395n)\Delta H}}{33.26(1+0.0395n)} \tag{4-79}$$

分别将 $n=1,2,4,6$ 代入式(4-79)得两断面积之比 S/S_{c}与循环型多机并联空气幕有效压力 ΔH 的关系如下：

当 $n=1$ 时，$\frac{S}{S_{c}}\geqslant0.0289(\Delta H+\sqrt{\Delta H^{2}+29.73\Delta H})$；

当 $n=2$ 时，$\frac{S}{S_{c}}\geqslant0.0557(\Delta H+\sqrt{\Delta H^{2}+30.86\Delta H})$；

当 $n=4$ 时，$\frac{S}{S_{c}}\geqslant0.1038(\Delta H+\sqrt{\Delta H^{2}+33.12\Delta H})$；

当 $n=6$ 时，$\frac{S}{S_{c}}\geqslant0.1448(\Delta H+\sqrt{\Delta H^{2}+35.38\Delta H})$。

当单机空气幕的回流长度 $l=\sqrt{S}$时，多机并联空气幕有效压力的数值表达式如下：

$$\Delta H=(n+0.0194n^{2})\frac{\rho a^{2}v_{c}^{2}\cos\theta}{K+\frac{1}{2}n\cos\theta}$$

把 $v_{c}=\frac{v_{m}S}{naS_{c}}$，$K=\frac{S}{S_{c}}$，$v_{m}=4\ \mathrm{m/s}$，$\theta=30°$，$\rho=1.2\ \mathrm{kg/m^{3}}$ 代入上式得：

$$\frac{S}{S_{c}}=\frac{n\Delta H+\sqrt{n^{2}\Delta H^{2}+28.6n^{2}(1+0.0194n)\Delta H}}{33.26(1+0.0194n)} \tag{4-80}$$

分别把 $n=1,2,4,6$ 代入式(4-80)得两断面积之比 S/S_{c}与循环型多机并联空气幕有效压力 ΔH 的关系如下：

当 $n=1$ 时，$\frac{S}{S_{c}}\geqslant0.0295(\Delta H+\sqrt{\Delta H^{2}+29.15\Delta H})$；

当 $n=2$ 时，$\frac{S}{S_{c}}\geqslant0.0596(\Delta H+\sqrt{\Delta H^{2}+29.71\Delta H})$；

当 $n=4$ 时，$\frac{S}{S_{c}}\geqslant0.1116(\Delta H+\sqrt{\Delta H^{2}+30.82\Delta H})$；

当 $n=6$ 时，$\frac{S}{S_c} \geqslant 0.1616(\Delta H+\sqrt{\Delta H^2+31.93\Delta H})$。

由以上的分析和计算可知，当巷道两端静压差和多机并联空气幕的风机台数一定时，用以上各式可以计算出 S/S_c 的最小值，从而求出 S_c 的最大值。可见：

(1) 多机并联空气幕中单台空气幕供风器的最佳出口面积的选取与空气幕风机的台数有关，风机的台数越多时，多机并联空气幕中单台空气幕供风器的最佳出口面积与单机空气幕最佳出口面积的比越小，但是，n 台空气幕并联时单台空气幕供风器的最佳出口面积并不是单机空气幕最佳出口面积的 $1/n$，而是要稍大。

(2) 多机并联空气幕中单台空气幕供风器的最佳出口面积和空气幕的有效压力有关，空气幕的有效压力越大，单台空气幕供风器的最佳出口面积越小。

(3) 多机并联空气幕供风器的最佳出口面积与空气幕的回流阻力有关，当回流阻力增大时其最佳出口断面减小。当 $n=1$ 时，多机并联空气幕的回流阻力在空气幕的有效压力中所占的比例较大，因此，在求空气幕的有效压力时要考虑空气幕回流阻力的影响。

4.2.4.2 空气幕引射能力与引射器出口断面积的关系分析

在多机并联空气幕引射风流时，其风机的特性曲线一般可用下列方程表示：

$$H'_c = A - BQ'^2_c \tag{4-81}$$

式中，$H'_c = bH_c$，$Q'_c = naQ_c$，则上式可写成：

$$bH_c = A - n^2a^2BQ_c^2 \tag{4-82}$$

式中 A、B——风机常数。

而式(4-51)中，由于巷道过风风流和空气幕气流扩大长度较小，因此后两项比第一项小得多，整理并省略小项得：

$$H'_c = \frac{\rho v'^2_c}{2} \tag{4-83}$$

式中，$H'_c = bH_c$，$v'_c = av_c$，则上式可写成：

$$bH_c = \frac{\rho a^2 v_c^2}{2} \tag{4-84}$$

把式(4-84)代入式(4-82)整理得:

$$Q_{\mathrm{c}}=\frac{1}{a}\sqrt{\frac{2S_{\mathrm{c}}^{2}A}{2n^{2}BS_{\mathrm{c}}^{2}+\rho}} \tag{4-85}$$

为了简化起见,忽略自然风压和主扇对多机并联空气幕引射能力的影响,则引射空气幕风机功率的消耗可以看成是风机出口的冲击损失、克服巷道的阻力损失及造成巷道出口的动能损失之和,即:

$$H_{\mathrm{c}}'Q_{\mathrm{c}}'=R_{\mathrm{I-II}}Q^{3}+\frac{\rho v^{2}}{2}Q+E_{\mathrm{c}} \tag{4-86}$$

式中 E_{c}——空气幕出口处的冲击能量损失,J。

只忽略空气幕气流扩大段上的阻力损失,式(4-51)又可变形为如下形式,即:

$$H_{\mathrm{c}}'Q_{\mathrm{c}}'=\frac{\rho v_{\mathrm{c}}'^{2}}{2}Q_{\mathrm{c}}'-\frac{\rho v_{\mathrm{g}}^{2}}{2}Q_{\mathrm{c}}' \tag{4-87}$$

空气幕风机出口处的冲击损失又可看成是风机出口的风流突然扩大损失和巷道风速变为旁路风速的突然扩大的能量损失之和,即:

$$E_{\mathrm{c}}=\frac{\rho(v_{\mathrm{c}}-v)^{2}}{2}Q_{\mathrm{c}}+\frac{\rho(v-v_{\mathrm{g}})^{2}}{2}Q_{\mathrm{g}} \tag{4-88}$$

将式(4-87)和式(4-88)代入式(4-86)得:

$$\frac{\rho v_{\mathrm{c}}'^{2}}{2}Q_{\mathrm{c}}'=R_{\mathrm{I-II}}Q^{3}+\frac{\rho v^{2}}{2}Q+\frac{\rho(v_{\mathrm{c}}'-v)^{2}}{2}Q_{\mathrm{c}}'+\frac{\rho(v-v_{\mathrm{c}})^{2}}{2}Q_{\mathrm{g}}+\frac{\rho v_{\mathrm{g}}^{2}}{2}Q_{\mathrm{c}}' \tag{4-89}$$

整理式(4-89)可得:

$$Q=\frac{S(S-1.5S_{\mathrm{c}}')Q_{\mathrm{c}}'}{0.5S_{\mathrm{c}}'(S-2S_{\mathrm{c}}')+(S-S_{\mathrm{c}}')}\times\frac{1}{\sqrt{0.5S_{\mathrm{c}}'(S-S_{\mathrm{c}}')+8.2R_{\mathrm{I-II}}S_{\mathrm{c}}'S^{2}(S-1.5S_{\mathrm{c}}')}} \tag{4-90}$$

式中 S_{c}'——多机并联空气幕的总过风面积,m²;

v_{c}——空气幕出口的风速,m/s;

v_{g}——过空气幕的风速,m/s。

在大断面巷道中,S_{c}' 与 S 相比很小,故可将式(4-52)中的单项 S_{c}'

略去，整理后得计算巷道引射风量的简化式为：

$$Q=\sqrt{\frac{S}{S_c'(8.2R_{\text{Ⅰ-Ⅱ}}S^2+0.5)}}\times Q_c' \tag{4-91}$$

将式(4-91)代入式(4-85)，可得 Q 与 S_c' 的关系式：

$$Q=\sqrt{\frac{S}{nS_c(8.2R_{\text{Ⅰ-Ⅱ}}S^2+0.5)}}\times na\times\frac{1}{a}\sqrt{\frac{2S_c^2A}{2n^2BS_c^2+\rho}} \tag{4-92}$$

将式(4-92)求 Q 对 S_c 的一阶偏导，并令其等于零，经过整理后求得多机并联引射空气幕供风器的最佳出口断面积公式：

$$S_c=\frac{1}{n}\sqrt{\frac{\rho}{2B}} \tag{4-93}$$

由式(4-93)可知，由于巷道风阻与断面积的大小对多机并联引射空气幕的最佳出口断面积的影响很小，因此，S_c 与并联空气幕的风机台数和风机特性方程中的参数 B 有关，而与其他参数无关。

4.2.5 空气幕出口安装角与其工作效率的关系分析

用相对有效功率评价空气幕的功率消耗及功率的利用程度时，须先求出空气幕的有效功率。空气幕的有效功率 N_e 等于空气幕的有效压力与空气幕风量的乘积。空气幕的有效功率 N_e 与空气幕的动压功率 N_v 的比值称为空气幕的相对有效功率 N_{re}。空气幕的出口动压 H_v 与空气幕风量的乘积称为空气幕的动压功率 N_v。

根据上述定义有：

$$N_e=\frac{\Delta HQ_c}{102},\quad N_v=\frac{H_vQ_c}{102},\quad N_{re}=\frac{N_e}{N_v}=\frac{\Delta H}{H_v}$$

则循环型多机并联空气幕的相对有效功率为：

$$N_{re}=\frac{\Delta HQ_c'}{H_vQ_c'}=\frac{2\left(n+\dfrac{b}{100-b}n^2\right)\cos\theta}{K+\dfrac{1}{2}n\cos\theta}$$

求 N_{re} 对 θ 的偏导，得：

$$\frac{\partial N_{re}}{\partial \theta}=\frac{\partial\left[\dfrac{2\left(n+\dfrac{b}{100-b}n^2\right)\cos\theta}{K+\dfrac{1}{2}n\cos\theta}\right]}{\partial \theta}=\frac{-K\sin\theta}{\left(K+\dfrac{1}{2}n\cos\theta\right)^2} \tag{4-94}$$

再令$\dfrac{\partial N_{re}}{\partial \theta}=0$,因为 $K\neq0$,则 $\sin\theta=0$,即 $\theta=0°$或 $\theta=180°$。

当 $\theta=180°$时,由于空气幕的供风器出口要转 180°,空气幕内部阻力增大,造成空气幕的有效压力减小,可见,$\theta=180°$不是空气幕供风器的最佳出口角度,因此只有 $\theta=0°$是循环型空气幕供风器出口安装角理论分析的最佳值。但在实际应用中,如果 $\theta=0°$,S_c要占据巷道断面,因此,应由断面比系数 $K=(S-S_c)/S_c$作为评价条件。从前人给出的单机空气幕出口安装角在不同情况下的相对有效功率的测定值(表 4-4)可以看出,在 K 相同的情况下,空气幕的有效功率 N_{re}的值随 θ 值的减小而增大。当 $\theta=0°$时,则相当于射流贴附在巷道壁面上,由于射流在壁面处不能卷吸空气,使得气流附壁流动;又由于空气幕出口断面相对于巷道来说要小得多,因此空气幕射流贴附在无限长壁面形成贴附射流,而贴附射流可以看成完整射流的一半,其平面射流的其他规律不变,因而使得空气幕射流的隔断能力和引射能力降低。

表 4-4　θ 与 N_{re}的关系表

θ	K	N_{re}	θ	K	N_{re}	θ	K	N_{re}	θ	K	N_{re}
0°	2.56	1.059	30°	2.143	1.208	45°	2.143	1.104	60°	2.143	0.893
	3.36	0.823		2.857	0.905		2.857	0.694		2.857	0.568
	5.00	0.478		4.286	0.472		4.286	0.405		4.286	0.335
	9.67	0.215		8.571	0.234		8.571	0.207		8.571	0.168

4.2.6　小结

本研究依据有效压力理论、射流理论、动量定律等建造了多机并联空气幕隔断风流、单机和多机并联空气幕对风流增阻和引射风流的多个理论模型,并对其进行了细致地分析,得到的主要结论如下:

（1）多机并联空气幕在阻隔巷道风流时，其有效压力 ΔH 与巷道断面积 S、空气幕供风器出口面积 S_c、空气幕风量 Q_c、空气幕射流轴线与巷道轴线的夹角 θ、多机并联空气幕中单台空气幕的风量与单机空气幕的风量比 a、空气幕并联风机台数 n、空气幕回流风阻 R_c 等有关，在空气幕安装条件和空气幕风机台数、空气幕风量确定后，ΔH 就是一个定量，不受并联分路风阻的影响。

（2）多机并联空气幕未完全隔断巷道风流时，其阻风率与空气幕有效压力 ΔH、巷道风阻 $R_{\text{I-II}}$、空气幕安装前巷道两端静压差 $\Delta H'_f$ 有关。

（3）多机并联空气幕引射风流时，其引射风量随空气幕并联风机台数 n、风量比 a 以及供风器出口断面积比 K 的增加而增加。当巷道断面与空气幕供风器的出口断面积之比 K 增大时，风流突然扩大损失的能量减小，同时空气幕的引射风量随巷道的反向静压（$p_{\text{II}} - p_{\text{I}}$）和巷道的风阻 $R_{\text{I-II}}$ 的增大而减小。

（4）多机并联空气幕在阻隔巷道风流时，其最佳出口面积与空气幕的回流风阻 R_c 和空气幕的有效压力 ΔH 有关，其最佳出口面积随空气幕的回流风阻 R_c 和空气幕有效压力 ΔH 的增大而增大；在引射风流时，其最佳出口面积与空气幕的并联风机台数 n 和空气幕风机的特性常数 B 有关，而与巷道的风阻及巷道的断面积无关。

（5）在理论上，多机并联空气幕射流轴线与巷道轴线的最佳夹角 θ 为 0°，但在实际应用中，由于当 $\theta = 0°$ 时的射流在流出空气幕不久时就贴附于巷道壁面，形成附壁射流，从而影响了空气幕的阻隔和引射风流的能力。实验证明，当 θ 为 30°左右时，空气幕的阻隔和引射风流的综合能力最强。

（6）当空气幕风机的叶片安装角增大时，风机的风量和风压均随之增大，而无论空气幕是隔断风流，还是引射风流，其有效压力均随风量和风压的增大而增大，因此，调整空气幕的叶片安装角，可以改变空气幕阻隔和引射风流的能力。

4.3　矿用空气幕特性与实验

本节用 Matlab 数值分析的方法，利用计算机绘出第二章所建造的数学模型的三维效果图，通过考察其随不同参数的变化趋势，分析多机并联空气幕隔断风流和引射风流的特性。

在此基础上，为了进一步检验这些数学模型对实际应用的指导意义，本节还在实验室对空气幕的特性进行试验研究，通过改变空气幕风机的型号、叶片安装角、巷道断面积等参数，研究空气幕有效压力的变化规律，寻求空气幕设计计算的依据，以便为空气幕的实际应用提供可靠的理论指导。

4.3.1　Matlab 语言的特性

Matlab 语言是数学计算的强力工具，它以矩阵作为数据操作的基本单位，在以矩阵运算为主要工作方式的数理统计、自动控制、数字信号处理、动态系统仿真等方面成为重要工具。它的主要特性有：

(1) 数值运算全面。在 Matlab 语言中，有几百种数学、统计、科学诸方面的函数，可进行初等代数、微积分、微分方程、数理统计等多种计算。

(2) 表示方法简单。在 Matlab 语言中，函数的表示方法自然，可以使用内含编辑器或其他任何字符处理器，且 Matlab 语言具有先进的资料可视化功能，可作出高品质的科学或工程图形，与文字处理器结合，完成图文并茂的文本。

(3) 丰富的工具箱。Matlab 工具箱是建构在主程序之上的应用程序集。它融于 Matlab 语言便捷开放的操作环境中，为众多的特别应用领域提供了丰富的数值与图形函数，其中符号运算、影像处理、统计分析、化学计量分析等已成为理工科工作者的标准工具。

4.3.2　空气幕隔断风流理论的数值分析

在建立了循环型和非循环型两种多机并联空气幕理论模型，如式(4-34)和式(4-35)后，本节主要利用 Matlab 语言对循环型和非循环型多机并联空气幕的理论模型进行处理，并在三维坐标系中分析循环型和非循环型多机并联空气幕的有效压力 $\Delta H_{(n)}$ 与风机台数 n、空气幕出口风量 Q_c、回流阻力 R_c、空气幕出口断面积 S_c 等之间的变化规律。

4.3.2.1 循环型空气幕理论模型的处理与分析

为了更方便直观地表示多机并联空气幕对巷道风流的实际有效压力与各参数之间的关系，分别建立空气幕有效压力与其他因素间的关系函数，利用 Matlab 语言，在三维坐标系中分别绘出循环型多机并联空气幕有效压力与各因素间关系的效果图，并进行分析。

A $\Delta H_{(n)}=f(Q_c,n)$函数

用 Matlab 的 ezsurf 命令绘制循环型空气幕隔断风流的有效压力与 Q_c和 n 关系的效果图，如图 4-16 所示，其中，取 $\rho=1.2\ kg/m^3$、$n=1\sim6$、$a=1$、$Q_c=5\sim20\ m^3/s$、$\theta=pi/6$、$S_c=1\ m^2$、$S=15\ m^2$、$R_c=0.01\ N\cdot s^2/m^8$。Matlab 命令如下：

ezsurf('(1.2 * y * (1^2) * (x^2) * cos(pi/6))/(1 * (15 + 0.5 * y * 1 * cos(pi/6))) + ((y^2) * (1^2) * 0.01 * (x^2) * 15)/(15 + 0.5 * y * 1 * cos(pi/6))',[5,20,1,6])。

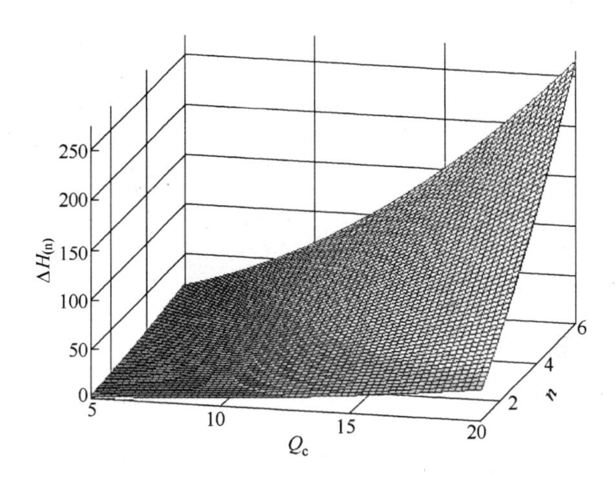

图 4-16 循环型隔断风流空气幕 $\Delta H_{(n)}=f(Q_c,n)$关系图

从图 4-16 可以看出，当其他参数为定值时，在三维坐标系中循环型空气幕的有效压力与 n 和 Q_c之间的关系形成脊背形图形。当空气幕为单机运行时，$\Delta H_{(n)}$随空气幕 Q_c增大而增加，但增加的幅度逐渐减小；当为多机并联运行时，$\Delta H_{(n)}$随空气幕 Q_c增大而增加，但到一定

风量后，$\Delta H_{(n)}$的增加幅度很小；当单机风量一定时，$\Delta H_{(n)}$随 n 的增加而增加，但增加的幅度与风机风量的大小有关，Q_c越大，$\Delta H_{(n)}$越大，但当 n 小于6时，$\Delta H_{(n)}$随 n 增大而增加，但到一定值后，$\Delta H_{(n)}$的增加幅度减小，因而，形成如图4-16所示的脊背形状。说明空气幕的有效压力与 Q_c和 n 的关系很大，但并非 Q_c和 n 越大越好。

B　$\Delta H_{(n)} = f(Q_c, S_c)$函数

用 ezsurf 命令：

ezsurf('(1.2 * 4 * (1^2) * (x^2) * cos(pi/6))/(y * (15 + 0.5 * 4 * y * cos(pi/6))) + ((4^2) * (1^2) * 0.01 * (x^2) * 15)/(15 + 0.5 * 4 * y * cos(pi/6))',[5,20,0.8,1.5])，绘制循环型空气幕隔断风流的有效压力与 Q_c和 S_c的关系图，如图4-17所示，其中，取 $\rho = 1.2\ \text{kg/m}^3$、$n = 4$、$a = 1$、$Q_c = 5 \sim 20\ \text{m}^3/\text{s}$、$\theta = \text{pi}/6$、$S_c = 0.8 \sim 1.5\ \text{m}^2$、$S = 15\ \text{m}^2$、$R_c = 0.01\ \text{N} \cdot \text{s}^2/\text{m}^8$。

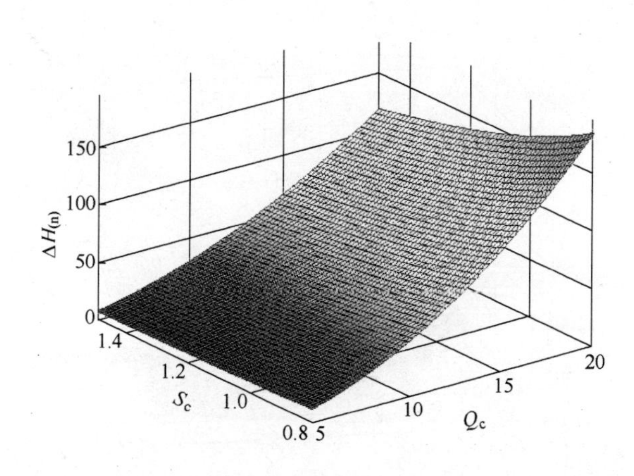

图4-17　循环型隔断风流空气幕 $\Delta H_{(n)} = f(Q_c, S_c)$关系图

从图4-17可以看出，当其他参数为定值时，在三维坐标系中，空气幕的有效压力与 S_c和 Q_c之间的关系形成凹面图形。当风机台数 $n = 4$、$Q_c = 5\ \text{m}^3/\text{s}$ 时，$\Delta H_{(n)}$几乎不随空气幕出口面积 S_c的变化而变化；当 Q_c大于 $5\ \text{m}^3/\text{s}$ 时，$\Delta H_{(n)}$随 S_c的减小而增大，其中 Q_c越大，$\Delta H_{(n)}$增加的幅度越大。当 S_c一定时，$\Delta H_{(n)}$随 Q_c的增加而呈抛物线增加，

S_c越小,$\Delta H_{(n)}$随Q_c的增加而呈抛物线增加的幅度增大。可见,当风量大时,用于隔断风流空气幕出口的S_c越小越好,但受此影响的幅度不大。

C $\Delta H_{(n)}=f(Q_c,R_c)$函数

确定$\rho=1.2\ kg/m^3$、$n=4$、$a=1$、$Q_c=5\sim20\ m^3/s$、$\theta=pi/6$、$S_c=1\ m^2$、$S=15\ m^2$、$R_c=0.003\sim0.016\ N\cdot s^2/m^8$参数,用Matlab命令:

ezsurf('(1.2*4*(1^2)*(x^2)*cos(pi/6))/(1*(15+0.5*4*1*cos(pi/6)))+((4^2)*(1^2)*y*(x^2)*15)/(15+0.5*4*1*cos(pi/6))',[5,20,0.003,0.016]),绘制其效果图,如图4-18所示。

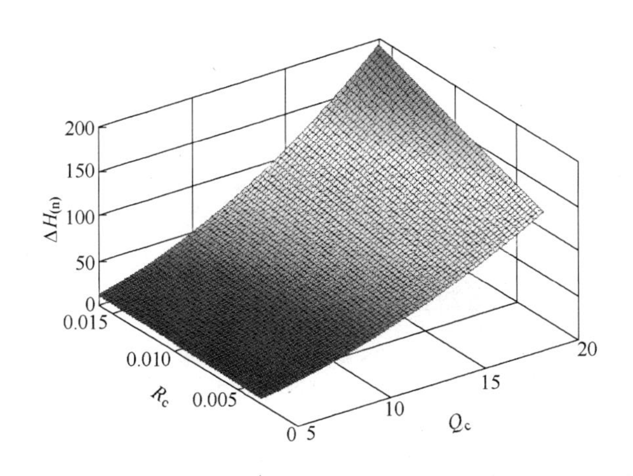

图4-18 循环型隔断风流空气幕$\Delta H_{(n)}=f(Q_c,R_c)$关系图

从图4-18可以看出,当空气幕的风量一定时,空气幕的有效压力与空气幕的回流阻力R_c有关,R_c越大,所需要的空气幕的有效压力$\Delta H_{(n)}$越大,空气幕的风量越大,空气幕的$\Delta H_{(n)}$随R_c增加而增幅大;当R_c一定时,空气幕的有效压力随空气幕风量的增加而增加,但R_c大时的有效压力增幅大于R_c小时的增幅。可见,当R_c一定时,所需要隔断的风流阻力越大,空气幕的能耗越大,选择的风机大。

4.3.2.2 非循环型空气幕理论模型的处理与分析

为便于分析非循环型空气幕的有效压力与各因素间的关系,本文

分别建立空气幕有效压力与其他因素间的关系函数，用 Matlab 命令，在三维坐标系中分别绘出其效果图，如图 4-19～图 4-21 所示。

A　$\Delta H_{(n)} = f(Q_c, n)$函数

确定 $\rho = 1.2$ kg/m^3、$n = 1 \sim 6$、$a = 1$、$Q_c = 5 \sim 20$ m^3/s、$\theta = pi/6$、$S_c = 1$ m^2、$S = 15$ m^2、$R_c = 0.01$ N·s^2/m^{8}参数，建立 Matlab 命令：

ezsurf('((1.2*y*(1^2)*(x^2))/(15+0.5*y*1*cos(pi/6)))*(y/15+cos(pi/6)/1)+((y^2)*(1^2)*0.01*(x^2)*15)/(15+0.5*y*1*cos(pi/6))',[5,20,1,6])，绘制其效果图，如图 4-19 所示。

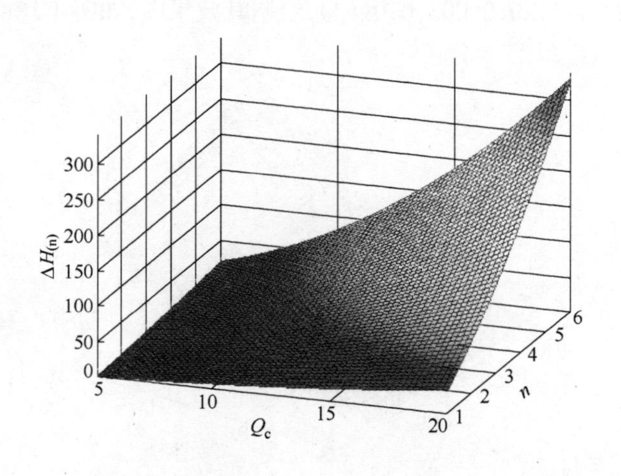

图 4-19　非循环型隔断风流空气幕 $\Delta H_{(n)} = f(Q_c, n)$关系图

从图 4-19 可以看出，当其他参数为定值时，在三维坐标系中非循环型空气幕的有效压力与 n 和 Q_c之间的关系形成脊背形图形。当空气幕为单机运行时，$\Delta H_{(n)}$随空气幕 Q_c增大而增加的幅度大于循环型空气幕的；当为多机并联运行时，$\Delta H_{(n)}$随空气幕 Q_c增大而增加，但到一定风量后，$\Delta H_{(n)}$的增加幅度小；当 $Q_c = 20$ m^3/s 时，$n = 6$，$\Delta H_{(n)}$达到 330Pa 最大，大于循环型空气幕的 270 Pa；当 $Q_c = 15$ m^3/s 时，$n > 4$ 的 $\Delta H_{(n)}$值随风机台数的增加而增加的幅度减小；当 $Q_c = 10$ m^3/s 时，$n > 2$，$\Delta H_{(n)}$值随风机台数的增加而增加的幅度减小。当单机风量一定时，$\Delta H_{(n)}$随 n 的增加而增加，但增加的幅度与风机风量的大小有

关，Q_c越大，$\Delta H_{(n)}$越大，但当 n 小于 6 时，$\Delta H_{(n)}$随 n 增大而增加，但到一定值后，$\Delta H_{(n)}$的增加幅度很小，可见，空气幕的隔断风流能力与Q_c和 n 有关，且非循环型空气幕要优于循环型的。

B　$\Delta H_{(n)} = f(Q_c, S_c)$函数

确定 $\rho = 1.2\ \text{kg/m}^3$、$n = 4$、$a = 1$、$\theta = \text{pi}/6$、$Q_c = 5 \sim 20\ \text{m}^3/\text{s}$、$S_c = 0.8 \sim 1.5\ \text{m}^2$、$S = 15\ \text{m}^2$、$R_c = 0.01\ \text{N·s}^2/\text{m}^8$参数，用 Matlab 命令：

ezsurf('((1.2*4*(1^2)*(x^2))/(15+0.5*4*y*cos(pi/6)))*(4/15+cos(pi/6)/y)+((4^2)*(1^2)*0.01*(x^2)*15)/(15+0.5*4*y*cos(pi/6)))',[5,20,0.8,1.5]，绘制有效压力与空气幕风量和出口断面积关系的效果图，如图 4-20 所示。

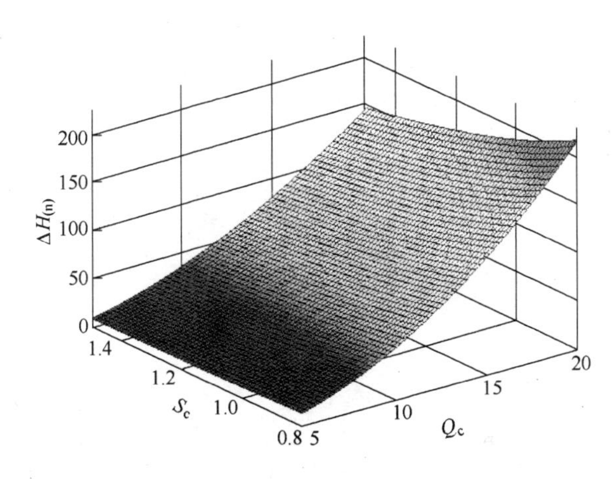

图 4-20　非循环型隔断风流空气幕 $\Delta H_{(n)} = f(Q_c, S_c)$关系图

从图 4-20 可以看出，循环型空气幕与非循环型空气幕的 $\Delta H_{(n)}$与 $f(Q_c, S_c)$关系图基本相似，但当 $Q_c = 20\ \text{m}^3/\text{s}$，$S_c = 1.6\ \text{m}^2$时，非循环型空气幕的 $\Delta H_{(n)} = 150$ Pa，大于循环型空气幕的 125 Pa；当 $Q_c = 20\ \text{m}^3/\text{s}$，$S_c = 0.8\ \text{m}^2$时，非循环型空气幕的 $\Delta H_{(n)} = 220$ Pa，大于循环型空气幕的 180 Pa，可见，由于循环型空气幕的有效压力受回流阻力的影响程度大于非循环型空气幕的，因此，对于同型号的空气幕，非循环型比循环型取风方式空气幕的有效压力大，阻隔风流的效果好。

C　$\Delta H_{(n)} = f(Q_c, R_c)$函数

确定 $\rho = 1.2\ kg/m^3$、$n = 4$、$a = 1$、$Q_c = 5 \sim 20\ m^3/s$、$\theta = pi/6$、$S_c = 1\ m^2$、$S = 15\ m^2$、$R_c = 0.003 \sim 0.016\ N \cdot s^2/m^8$参数，利用 Matlab 命令：

ezsurf('((1.2 * 4 * (1^2) * (x^2))/(15 + 0.5 * 4 * 1 * cos(pi/6))) * (4/15 + cos(pi/6)/1) + ((4^2) * (1^2) * y * (x^2) * 15)/(15 + 0.5 * 4 * 1 * cos(pi/6))', [5, 20, 0.003, 0.016])，绘制其效果图，如图 4-21 所示。

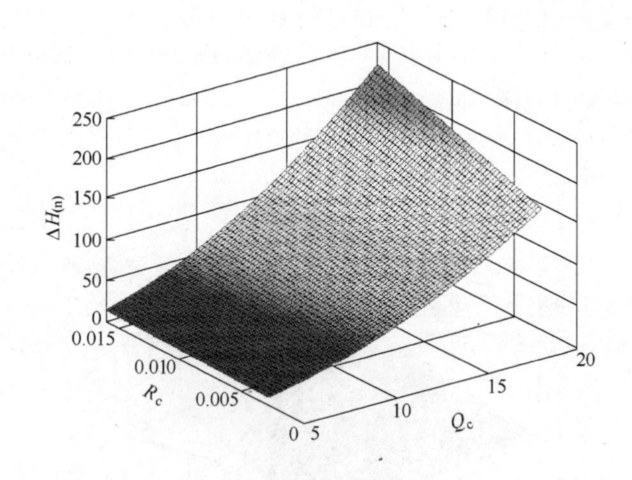

图 4-21　非循环型隔断风流空气幕 $\Delta H_{(n)} = f(Q_c, R_c)$关系图

从图 4-21 可以看出，非循环型隔断风流空气幕的 $\Delta H_{(n)} = f(Q_c, R_c)$关系图与循环型空气幕的基本相似。由于非循环型空气幕的回流阻力对入风流的影响小于循环型空气幕的，因而，对于同样型号的空气幕，非循环型空气幕的有效压力要大于循环型的。当 R_c为 0.018 $N \cdot s^2/m^8$时，循环型空气幕的 $\Delta H_{(n)}$为 190 Pa，非循环型空气幕的 $\Delta H_{(n)}$为 230 Pa；当 R_c为 0.003 时，循环型空气幕的 $\Delta H_{(n)}$为 120 Pa，而非循环型空气幕的 $\Delta H_{(n)}$为 150 Pa，可以说明，非循环型空气幕比循环型空气幕的作用效果要好，因此，在实际应用时，应根据现场的实际情况，合理选择空气幕的取风方式，充分利用空气幕的能量。

4.3.3　空气幕引射风流理论的数值分析

在前面我们已经建立了单机和多机空气幕引射风流的理论模型，如式(4-36)和式(4-46)，本节主要利用 Matlab 语言对循环型单机和多机并联空气幕的理论模型进行处理，在三维坐标系中分析其引射风量 Q 与风机台数 n、空气幕出口风速 v_c、安装空气幕巷道的通风阻力 ΔH、巷道风阻 R、空气幕出口断面积 S_c 等之间的变化规律。

4.3.3.1　单机空气幕理论模型处理与分析

为了方便直观地表示单机空气幕引射风流的风量与各参数之间的关系，本文建立了空气幕引射风量与其他因素间的关系函数 $Q=f(\Delta H,R)$ 和 $Q=f(\Delta H,S_c)$，利用 Matlab 语言，在三维坐标系中分别绘制其效果图，并进行分析。

A　$Q=f(\Delta H,R)$ 函数

确定 $\rho=1.2\ \mathrm{kg/m^3}$、$v_c=20\ \mathrm{m/s}$、$S_c=1\ \mathrm{m^2}$、$S=10\ \mathrm{m^2}$、$K_s=0.1$、$\Delta H=10\sim150\ \mathrm{Pa}$、$R=0.003\ \mathrm{N\cdot s^2/m^8}$ 参数，建立 Matlab 命令：

ezplot('sqrt((((1/10) * 1.2 * (20^2) * 10 * 1-2 * (10^2) * x)/(2 * (10^2) * 0.003 + 1.2))',[1,15])，绘制的单机引射风流空气幕的引射风量 Q 与 ΔH 和 R 间关系的效果图，如图 4-22 所示。

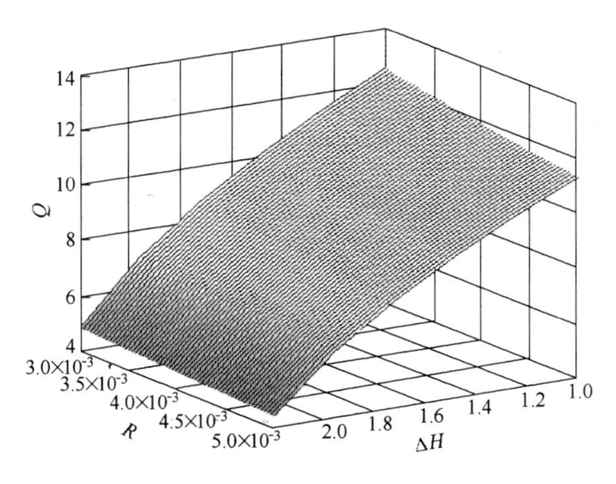

图 4-22　单机引射风流空气幕 $Q=f(\Delta H,R)$ 关系图

从图 4-22 可以看出,单机引射风流空气幕的引射风量 Q 受空气幕的有效压力和巷道的风阻 R 的影响,Q 随 R 的减小而增大,当 $R=5\times10^{-3}\text{kg}\cdot\text{s}^2/\text{m}^8$、$\Delta H=10$ Pa 时,单机空气幕引射的风量为 11.5 m^3/s;而当 $R=3\times10^{-3}\text{kg}\cdot\text{s}^2/\text{m}^8$、$\Delta H=10$ Pa 时,Q 为 13 m^3/s。当 $\Delta H=22$ Pa、$R=5\times10^{-3}$ $\text{kg}\cdot\text{s}^2/\text{m}^8$时,$Q=4.0$ m^3/s;而当 $\Delta H=22$ Pa、$R=3\times10^{-3}$ $\text{kg}\cdot\text{s}^2/\text{m}^8$时,$Q=5$ m^3/s。由于引射风流空气幕的 ΔH 随 R 的增加而增大,因此,当 R 一定时,Q 随 ΔH 的减小而增大,且 Q 的增幅随 R 的减小而增大。

B $Q=f(\Delta H,S_c)$函数

确定 $\rho=1.2$ kg/m^3、$v_c=20$ m/s、$S_c=0.8\sim1.5$ m^2、$S=10$ m^2、$K_s=S_c/10$、$\Delta H=10\sim150$ Pa、$R=0.003$ $\text{N}\cdot\text{s}^2/\text{m}^8$参数,建立 Matlab 命令:

ezsurf('sqrt((((y/10) * 1.2 * ((20/y)^2) * 10 * y-2 * (10^2) * x)/(2 * (10^2) * 0.003 + 1.2)))',[1,15,0.8,1.5]),绘制单机引射风流空气幕的引射风量 Q 与 ΔH 和 S_c间关系的效果图,如图 4-23 所示。

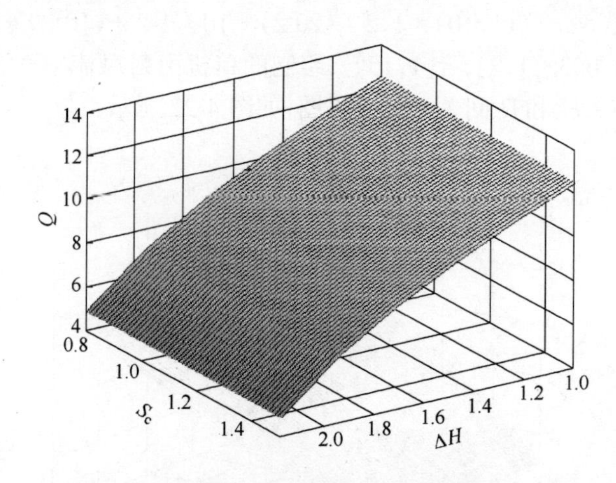

图 4-23 单机引射风流空气幕 $Q=f(\Delta H,S_c)$关系图

由图 4-23 可知,单机引射风流空气幕的引射风量 Q 与 ΔH 和 S_c 的关系图呈规整抛物面。当 $S_c=0.8\sim1.6$ m^2、$\Delta H=22$ Pa、R 一定时,$Q=5$ m^3/s;而当 $S_c=0.8\sim1.6$ m^2、$\Delta H=10$ Pa、R 一定时,$Q=$

13 m^3/s,可见，单机引射风流空气幕的 Q 与 ΔH 有关，基本上与 S_c 的变化无关，而与巷道的面积 S 有关，S 越小，空气幕在巷道里形成的风速越大，则 Q 越大。因此，单机空气幕适合于在小断面巷道内应用。

4.3.3.2　多机空气幕理论模型处理与分析

本文建立了多机并联空气幕理论模型的三种函数关系，利用 Matlab 语言在三维坐标系中绘制其效果图，并进行分析。

A　$Q=f(\Delta H, n)$函数

确定 $n=1\sim6$、$a=1$、$\rho=1.2$ kg/m^3、$v_c=20$ m/s、$S_c=1$ m^2、$S=10$ m^2、$K_s=0.1$、$\Delta H=10\sim140$ Pa、$R=0.01$ N·s^2/m^{8}参数，建立 Matlab 命令：

ezsurf('sqrt((y * 1 * (1/10) * 1.2 * (20^2) * 10 * 1-2 * (10^2) * x)/(2 * (10^2) * 0.01 + 1.2))',[1,15,1,6]),其效果图如图 4-24 所示。

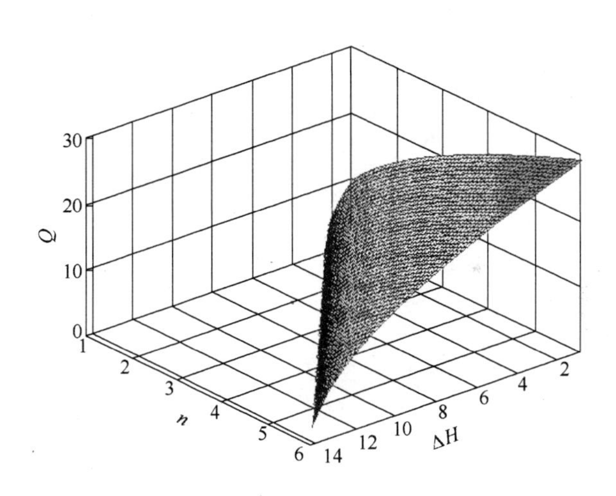

图 4-24　多机引射风流空气幕 $Q=f(\Delta H, n)$关系图

由图 4-24 可以看出，当其他参数为定值时，多机并联空气幕引射风流的风量 Q 与巷道通风阻力 ΔH 和风机台数 n 之间的关系在三维坐标系中呈抛物面形。n 越大，多机并联空气幕的引射风量越大，但引

射风量的增幅随 n 增加而增加的幅度减小,并非呈直线关系。此外,还可以看出,当巷道的风阻 $R=0.01\ \mathrm{N\cdot s^2/m^8}$时,对应于不同的巷道通风阻力 ΔH,要达到空气幕引射风流的效果,所需要的 n 是不同的,当 ΔH 小于 20 Pa 时,用单机空气幕可以实现引射风流的作用;当 ΔH 为 20～90 Pa 时,需要 $n=2\sim4$;当 ΔH 大于 90 Pa 时,则 n 应大于 4。可见,对于安装空气幕的巷道一定,多机并联空气幕引射风流的效果受 ΔH 和 n 的影响较大,但并非 n 越大越好。

B　$Q=f(\Delta H,R)$函数

当 $n=4$、$a=1$、$\rho=1.2\ \mathrm{kg/m^3}$、$Q_c=20\ \mathrm{m/s}$、$S_c=1\ \mathrm{m^2}$、$S=10\ \mathrm{m^2}$、$K_s=0.1$、$\Delta H=10\sim150$ Pa、$R=0.003\sim0.005\ \mathrm{N\cdot s^2/m^8}$时,应用 Matlab 命令:

ezplot('sqrt((4 * 1 * (1/10) * 1.2 * (20^2) * 10 * 1-2 * (10^2) * x)/(2 * (10^2) * 0.01+1.2))',[1,15]),绘出多机引射风流空气幕的 Q 与 ΔH 和 R 间的三维关系效果图,如图 4-25 所示。

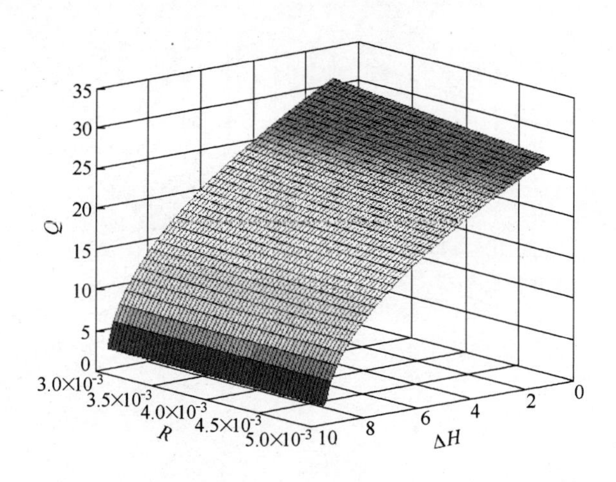

图 4-25　多机引射风流空气幕 $Q=f(\Delta H,R)$关系图

由图 4-25 可以看出,多机并联引射风流空气幕 $Q=f(\Delta H,R)$关系图为半抛物面形,与单机空气幕的图形非常相似,但可以明显看出,多机空气幕所能服务的巷道的通风阻力范围更宽,引射的风量大。若

空气幕的有效压力能完全克服巷道的通风阻力，当 $R=3\times10^3$时，则 4 台风机组成的多机并联空气幕的引射风量可以达到 31 m^3/s；当 $R=5\times10^3$时，引射风量可以达到 27 m^3/s，显著大于单机空气幕的引射风量。可见，安装空气幕巷道的风阻 R 虽然影响引射风量，但影响量较小，真正起作用的是巷道的通风阻力，其决定了空气幕所应提供的有效压力，当 R 一定时，需要引射的风量越大，则需要的空气幕有效压力也越大。

C $Q=f(\Delta H,S_c)$函数

当 $n=4$、$a=1$、$\rho=1.2$ kg/m^3、$v_c=20$ m/s、$S_c=0.8\sim1.5$ m^2、$S=10$ m^2、$K_s=S_c/10$、$\Delta H=10\sim150$ Pa、$R=0.01$ N·s^2/m^{8}时，建立 Matlab 命令：

ezsurf('sqrt((4 * 1 * (y/10) * 1.2 * ((20/y)^2) * 10 * y-2 * (10^2) * x)/(2 * (10^2) * 0.01 + 1.2))',[1,15,0.8,1.5])，绘出引射风流的多机并联空气幕 Q 与 ΔH 和 S_c间的三维关系效果图，如图 4-26 所示。

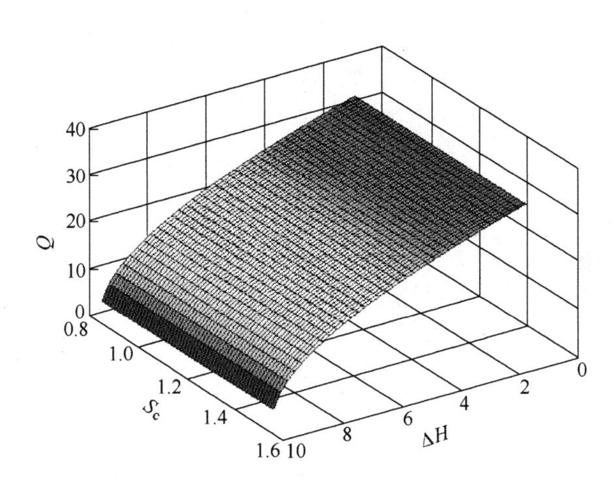

图 4-26 多机引射风流空气幕 $Q=f(\Delta H,S_c)$关系图

由图 4-26 可知，多机并联引射风流空气幕 $Q=f(\Delta H,S_c)$关系图为半抛物面形，与单机空气幕的图形非常相似，空气幕的引射风量受空气幕供风器出口的面积 S_c的影响较小。当 ΔH 大于 60 Pa 时，空气幕

的引射风量 Q 随 ΔH 减小而增加的幅度较大;而当 ΔH 小于 60 Pa 时,空气幕的引射风量 Q 随 ΔH 减小而增加的幅度较前者小。对于一确定的巷道,当要求引射的风量 Q 一定时,ΔH 也一定,则空气幕的引射风量与空气幕的供风量在巷道中形成的风速有关,风速越大,则引射风流的效果越好,因此,对于在大断面巷道内应用多机空气幕引射风流时,应考虑在同一断面内并联使用,而不采用串联布置空气幕,否则引射风流的效果不佳。

4.3.4 试验验证

受试验条件的限制,作者主要在实验室模拟风硐内对单机空气幕的特性进行研究,试验采用目前较为先进和实用的测试仪器及测试方法,研究的内容主要包括风量(风速)、风机功率、隔断压差及空气幕供风器出口断面积等。

4.3.4.1 试验仪器及测试方法

A 风速测试仪器及方法

矿山巷道的风速测试仪器主要有杯式风表、翼式风表、热线式风速仪、热球式风速仪、热敏电阻式风速仪或用皮托管和压差计联合使用测量风速,其中杯式风表用于测试大于 10 m/s 的风速,翼式风表用于测试 0.5~10 m/s 的中等风速,具有高灵敏度的翼式风表可以测试 0.1~0.5 m/s 的风速;而热球式风速仪又分为高速风速仪、中速风速仪和低速风速仪,其测试范围为 0.1~30 m/s;皮托管和压差计一般用于扇风机风硐或风筒内高速风速的测定。

在进行风速测试之前,一般先对风表进行校正,并得横坐标为风表指示风速、纵坐标为真实风速的校正曲线。测定时记录风表的指示风速,再根据校正曲线换算成真实风速。

巷道风速的测试方法主要采用走线法和测点风速法,如图 4-27 和图 4-28 所示。走线法测得的风速分别用如下公式进行校正。

迎面法
$$v = 1.14 v_s$$

侧身法
$$v = \frac{S - 0.4}{S} v_s \tag{4-95}$$

式中 v_s——实测风速,m/s;

v——真实风速，m/s；

0.4——人体占据巷道断面的面积，m^2；

S——巷道断面积，m^2。

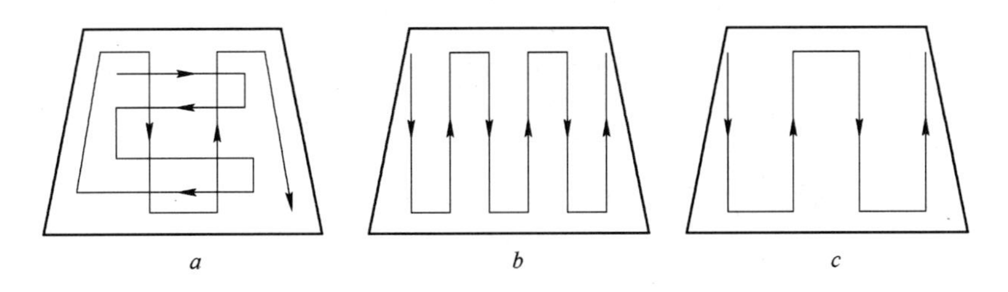

图 4-27 用风表测试断面平均风速的走线方法

采用测点风速的方法时，巷道的平均风速值用下式计算：

$$v = \frac{v_1 + v_2 + \cdots + v_n}{n} \tag{4-96}$$

式中 v_1、v_2、…、v_n——各测点的风速，m/s；

n——划分的等面积方格数。

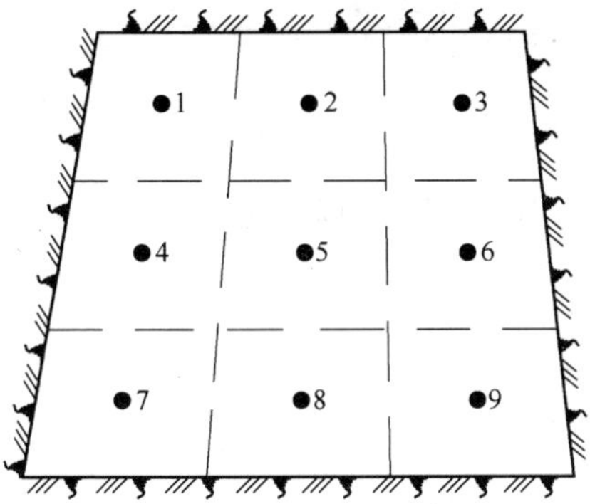

图 4-28 巷道断面划分的等面积方格

B 静压差测试仪器及方法

井下绝对静压的测试仪器主要有空盒气压计盒和数值式精密气压计；相对静压（静压差）的测试仪器主要有 U 形压差计、单管倾斜压差计、补偿式微压计、数值式精密气压计等，本项测定采用单管倾斜压差计。

C 断面积测量仪器及方法

断面积的测量仪器主要是塔尺、皮卷尺等。测量时，把巷道宽度分成 n 等分，然后测量每个等分点的高度，如图 4-29 所示。用以下公式计算出巷道的断面积：

$$S = a\left(\frac{b_1 + b_n}{2} + b_2 + \cdots + b_{n-1}\right) \tag{4-97}$$

式中 a——巷道等分宽度，m；

b_1、b_2 + ⋯、b_n——巷道等分点的高度，m。

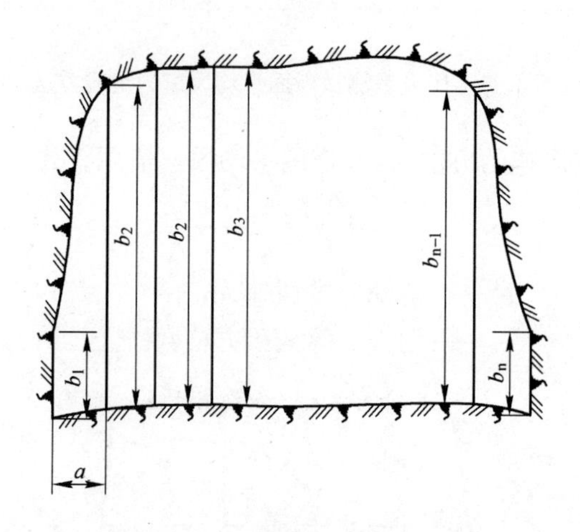

图 4-29 巷道断面测定的划分方法

D 风机功率测试仪器及方法

用电流表、电压表和功率表联合测定电机功率，其接线方式如图 4-30 所示，可直接测量风机电机的功率。

用钳形表测定功率时，工作电压不超过 600 V，电流不超过 1000 A。测单相负载的有功功率时，如电压在额定值 200 V 附近，可将一测试棒置于“W”孔内，并根据电流范围，按表 4-5 的规定选取开关与另一个测试棒的位置，然后将被测电流之导线置于钳口中心位置，同时接通电压回路，即可用功率刻度读取一数值，再将量测试棒互换，又可读得一数值，将两次读取数相减并取绝对值，乘以测试棒插孔上所标的常数即得被测的有功功率。

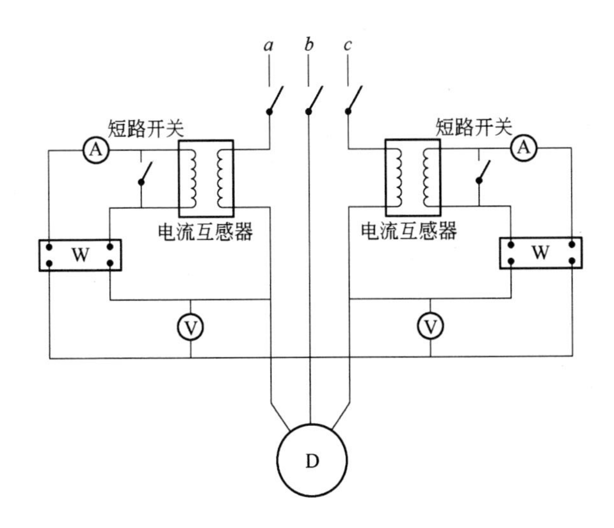

图 4-30 功率测定接线图

A—电流表；V—电压表；W—功率表；D—电机

表 4-5 测试棒位置选择

被测电流/A	开关位置	测试棒位置
0～5	10A	×1
4～15	30A	×3
14～50	100A	×10
50～150	300A	×30
150～500	1000A	×100

测试不平衡三相负载的有功功率是将分别测得的各相负载的有功功率相加。测试三相平衡负载的功率可用测其中一相然后乘以 3 的方法，也可用取相电流和线电压的方法。三相平衡负载的无功功率的测法相同，但应注意相电流、线电压的取法，应乘如表 4-6 所示常数。

表 4-6 应乘常数表

有功功率			无功功率		
相电流	线电压	应乘常数	相电流	线电压	应乘常数
I_A	U_{AB}、U_{CA} U_{BA}、U_{AC}	2 2	I_A	U_{BC}、U_{CB} U_{AB}、U_{AC}	$2\sqrt{3}$ $2\sqrt{3}$

续表 4-6

有功功率			无功功率		
相电流	线电压	应乘常数	相电流	线电压	应乘常数
I_B	U_{BA}、U_{CB} U_{AB}、U_{BC}	2 2	I_B	U_{AC}、U_{CA} U_{BA}、U_{BC}	$2\sqrt{3}$ $2\sqrt{3}$
I_C	U_{CB}、U_{AC} U_{BC}、U_{CA}	2 2	I_C	U_{AB}、U_{BA} U_{CA}、U_{CB}	$2\sqrt{3}$ $2\sqrt{3}$

E　噪声测试仪器及方法

a　HS5660A 型精密脉冲声级计

HS5660A 型精密脉冲声级计是一种便携式声学测量仪器，由电表及液晶显示器同时读出测量结果。可用来测量和分析环境、机器、车辆、电机等噪声，也可用于建筑声、炮声、冲压机声、爆炸声、打字机与电传打字机等噪声。它还可以与 HS5721 型 1/1 倍频程滤波器或 HS5731 型 1/3 倍频程滤波器构成一个操作简便的便携式频谱分析仪。如果将电容传声器换成加速度计并配用积分器，便可成为便携式振动测量和分析仪器，可以测量振动加速度和振幅。该仪器符合 EC651 声级计标准及 GB3785 声级计的电、声性能要求。

本仪器由传声器、前置放大器、频率计权网络、放大器、衰减器、LMS 电路、峰值减波电路、校正信号发生器、表头电路、A/D 转换器、电源、电表及液晶显示器等组成，其传声器的灵敏度为(－32±3)dB/Pa，声级测量范围(均以 2×10～5 Pa 为基准)为：32～138 dB(A)；40～138 dB(C)；45～138 dB(线性)。

b　HS5633 数字声级计

HS5633 数字声级计，由液晶显示器指示测量结果，具有现场声学测量的全部功能。除能进行一般声级测量外，HS5633 还有保持最大声级和设定声级测量范围的功能和声级过载指示设定功能。

测量时，先接通电源开关，把动态特性选择开关置于“F”（快)或“S”（慢)，将功能选择开关置于“MEAS”，显示器上的读数则为测量结果。当测量最大声级时，按一下最大值开关，显示器上出现箭头符号并保持在测量期间内的最大声级。

本仪器符合 IEC651 或国家 GB3784-83Ⅱ型仪器的要求，其测量范围为 40～130dB(A)。

4.3.4.2 实验研究

金川集团有限公司二矿区和龙首矿的一些主要运输巷道的断面积较大，如二矿区的 12 行分斜坡道、主斜坡道、1150 m 主运输道以及龙首矿的主斜坡道等大多大于 15 m^2，且在需设置空气幕处巷道密闭两侧的静压差均较大，大于 100 Pa。根据第二章推导的有效压力计算公式进行初步计算可知，在大断面大压差处用单机空气幕一般难以解决风流调控问题，需采用多机联合运转的空气幕。而多机并联空气幕风机的台数、风机的型号、供风器的尺寸等与巷道的设计有效断面积、隔断压差、巷道的通风阻力等因素有关。因此，在进行现场应用研究之前，根据隔断风流所需的有效压力试验确定风机及最优参数十分有意义，即试验确定在不同巷道断面积、不同风机叶片安装角条件下，不同型号空气幕的最佳隔断压差值，以便在进行空气幕设计时选择合适的风机及风机数量。

A 试验研究内容

为获取最佳设计参数和方案，在实验室进行试验研究的主要内容如下：

(1) 在空气幕供风器、隔断压差一定、巷道断面积为 4 m^2 时，研究空气幕供风器出口断面积与阻风率的关系，通过改变空气幕的型号，确定不同型号空气幕的最优出口断面积。

(2) 在空气幕的风机参数、供风器出口断面积一定，且巷道断面积为 4 m^2时，研究空气幕的隔断压差与阻风率的关系，试验确定风机叶片安装角不相同时的空气幕的有效隔断压差。

(3) 研究巷道断面积为 4 m^2时的不同型号空气幕隔断压差与阻风率的关系，通过改变风机的叶片安装角，确定不同型号空气幕供风器在不同安装角时的有效隔断压差。

(4) 当巷道断面积为 6 m^2时，重复进行上面的研究内容。

B 试验装置及试验方法

本项研究是在试验风硐内完成，具体的试验装置如示意图 4-31 所示。

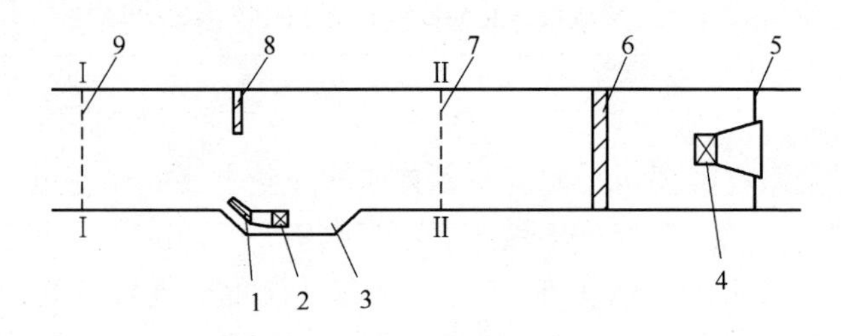

图 4-31　空气幕特性试验装置示意图

1—空气幕供风器；2—空气幕风机；3—空气幕安装硐室；4—辅扇风机；5—辅扇密闭墙；6—调节风窗；7、9—风流特性测定断面；8—改变巷道断面积的挡板

试验中，通过调整挡板 8 来改变试验巷道的断面积；通过调整调节风窗 6 来改变辅扇风机作用于试验巷道内风流的负压值，即空气幕需要隔断的静压差；通过调节空气幕风机的叶片安装角来改变空气幕的有效压力。

在空气幕运行测试中，在测定断面Ⅰ、Ⅱ上，采用倾斜压差计测定空气幕前后的静压差；在测定断面Ⅰ-Ⅰ上，采用热球风速仪测定巷道的风流速度。

4.3.4.3　试验结果与分析

根据上述试验研究内容，在试验风硐内通过采用增加通风阻力的方法改变风压，并对不同风机在不同叶片安装角条件下的阻风率进行测试，获得了一系列数据，优选其中阻风率大于 90% 的试验结果，列于表 4-7。

从表 4-7 中的试验结果可以看出：

(1) 在其他条件相同的情况下，空气幕所能隔断的风流静压差随空气幕配套风机功率的增大而升高，与理论分析相符。

(2) 在其他条件相同的情况下，空气幕所能隔断的风流静压差随空气幕风机叶片安装角的增大而升高，与理论分析相符。

(3) 在其他条件相同的情况下，对于同型号的风机，巷道断面越大，所能隔断的风流压差越小；要达到同一效果，断面越大，要求风机提高的有效压力越大。如图 4-32、图 4-33 所示。

表 4-7 空气幕型号与其隔断压差和巷道断面的关系

型号		№1	№2	№3	№4	№5	№6	№7
配套风机功率/kW		2.2	3.0	4.5	7.5	14.0	18.5	30
供风器出口面积/m^2		0.31	0.40	0.45	0.55	0.69	0.74	0.88
隔断面积/m^2	叶片角/(°)	隔断压差/Pa						
4	35	24.0	34.0	47.0	71.5	99.0	117.1	161.1
	40	27.0	44.0	54.0	83.0	117.0	141.8	194.0
	45	33.0	49.5	64.0	96.0	134.0	169.8	230.4
6	35	16.0	26.0	36.0	48.0	66.0	78.0	107.0
	40	18.3	30.0	40.1	56.1	78.0	94.5	129.0
	45	22.0	33.0	46.0	64.0	90.3	113.0	153.5
8	35	12.1	19.5	27.4	36.4	49.5	58.5	80.3
	40	13.6	22.5	30.0	42.0	58.5	70.9	96.8
	45	16.4	24.7	34.5	48.7	67.5	84.8	114.1
10	35	9.7	14.6	21.4	28.8	39.4	46.9	64.2
	40	10.7	18.4	24.0	33.5	46.8	56.8	77.5
	45	13.0	19.6	27.8	39.0	54.6	67.9	92.0
12	35	8.3	13.1	18.0	24.4	33.0	39.2	53.4
	40	9.0	14.2	20.2	28.2	39.2	47.2	64.4
	45	11.1	16.3	23.0	32.5	44.0	56.4	76.7
15	35	6.6	10.5	14.2	19.2	26.4	31.1	42.6
	40	7.1	12.5	16.1	22.4	31.2	37.7	51.5
	45	8.9	13.7	18.5	26.1	36.3	44.0	61.3

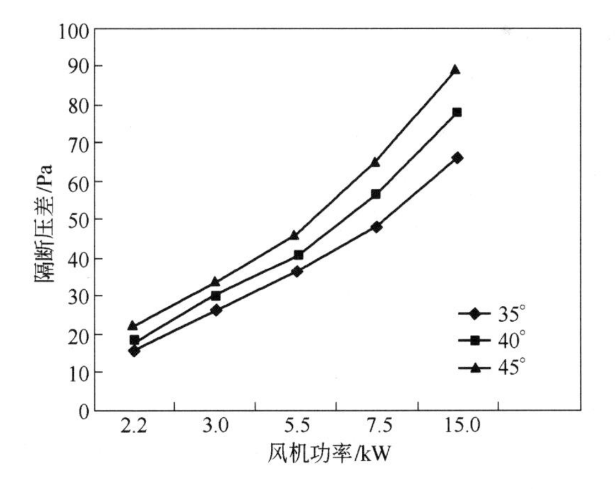

图 4-32 隔断压差与风机功率的关系($S_k = 6\ m^2$)

图 4-32 所表达的是巷道有效断面积为 6 m^2时，不同风机叶片安装角空气幕的隔断压差与风机功率之间的关系曲线。可以看出，当需隔断的巷道有效断面积一定时，空气幕所能隔断的风流的静压差随风机功率的增加而增大，即在大压差巷道内，空气幕隔断风流的能力与风机的大小有关；当需隔断的巷道有效断面积一定时，空气幕的隔断风流能力随风机的叶片安装角的增大而提高。对于 7.5 kW 空气幕，当叶片安装角等于 35°时，其隔断风流的有效压力为 50 Pa；而当叶片安装角等于 45°时，其隔断风流的有效压力为 65 Pa。此外，当巷道断面积分别为 4、8、10、12、15 m^2时，不同叶片安装角风机的隔断压差与功率之间关系曲线的变化趋势与图 4-32 基本相同。

图 4-33 所表达的是风机功率为 15 kW 的空气幕隔断压差与巷道断面积之间的关系曲线。可以看出，当风机功率一定时，空气幕所提供的能量不因巷道断面积的变化而变化，但其所能隔断的风流静压差随巷道断面积的增大而减小。当需要隔断的风流压差为 80 Pa 时，对于同一型号的空气幕，在断面积为 5 m^2的巷道内所需要的风机叶片安装角为 35°；而在断面积为 7 m^2的巷道内所需要的风机叶片安装角为 45°，可见，当风流的静压差一定时，巷道的断面越大，则风机的能耗越大。此外，风机功率不同时，隔断压差与巷道断面积之间关系曲线的变化趋势与图 4-33 基本相同。

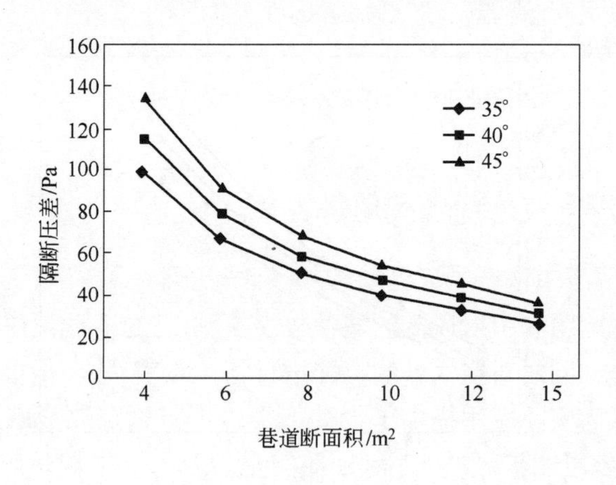

图 4-33　隔断压差与巷道断面的关系（15 kW 风机）

(4) 如图 4-34 所示,对于同一型号的风机,在叶片安装角不变时,空气幕所能隔断的风流的静压差值与巷道的有效断面积之积基本不变,此积定义为视在动量 K,即

$$K = \Delta H \times S \tag{4-98}$$

式中　ΔH——风机的有效压力,Pa;

S——空气幕所隔断的巷道有效断面积,m^2。

由图 4-34 可以看出,对于同一空气幕,其在不同断面积的巷道内所提供的视在动量基本相同,即 K 与 S 之间基本成直线关系。此外,风机的叶片安装角越大,空气幕提供的 K 值越大;同样,风机的功率越大,K 值也越大。

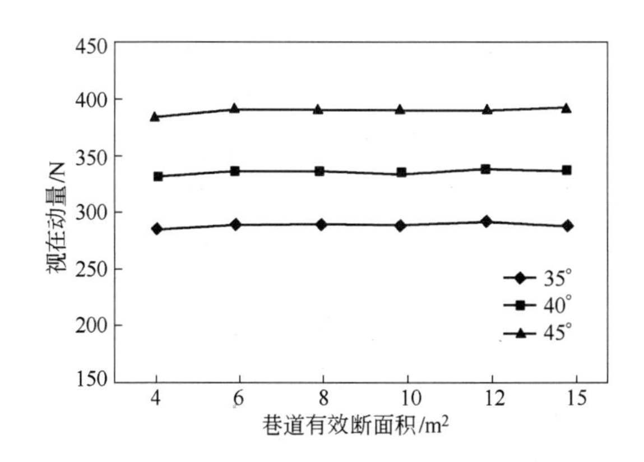

图 4-34　隔断压差与巷道有效断面积之积(7.5 kW 风机)

4.4　矿用空气幕现场应用研究

在前两节中依据风流流动的相关理论,建造了矿用空气幕隔断风流、对风流增阻和引射风流的多种数学模型,并对各理论模型进行了数值模拟分析,同时对空气幕的特性进行了实验室研究,不仅验证了其准确性,而且为实际应用提供了设计依据。本节则在此基础上选择金川集团有限公司二矿区的 12 行分斜坡道、1150 m 中段运输道、1428 m 主斜坡道、龙首矿主斜坡道、安庆铜矿主斜坡道和主井石门以及马坑铁

矿 530 m 运输道为现场试验研究对象,采用对比试验研究方法,分别开展多机并联空气幕的隔断风流、增阻减少风流和引射风流功能的现场应用试验研究,以便为其在矿山井下风流控制中的推广应用提供可行的技术方法和借鉴。

4.4.1　矿用空气幕隔断风流

在运输巷道,由于行车频繁或巷道的围岩不稳定,安装的风门极易被破坏,一般难以达到隔断风流的效果。而空气幕可以安装在巷道的硐室内,可以利用风机喷射出的风幕阻隔巷道中的风流,起到风门的作用。本研究根据空气幕隔断风流的理论模型,在二矿区的 12 行分斜坡道研究应用多机并联空气幕隔断风流。

4.4.1.1　现场试验条件及意义

二矿区 1250～1238 m 12 行分斜坡道是井下主要运输和行人巷道之一,是排风机站 TB_4 与供风机站 TB_6 供风道之间的通道,为了避免供分风机送往 1238 m 分段的新风沿此道上行被短路,原在 12 行分斜坡道设置了一道手动风门,如图 4-35 所示。由于 12 行分斜坡道为主要运输道,所设的风门常开,即使派专人开关,风门的漏风率也高达 36.3%,严重影响 1238 m 分段的新风供风量,导致 1238 m 分段作业面的污风不能顺利从分段回风系统排出,而蔓延在 1238 m 分段的进风道或在作业面停滞,严重污染了作业环境,对工人的身体健康造成极大危害,不仅影响生产效率,而且不利于安全生产,因此,现场研究应用不影响行人和运输的空气幕技术替代风门,对隔断 12 行分斜坡道的短路风流具有十分重要的意义。

为获得空气幕隔断风流技术现场试验研究的原始依据,本文在考虑自然风压影响的情况下,首先对 12 行分斜坡道的风量及原风门两侧的静压差等进行了测定,测定结果如表 4-8 所示。

从现场测定的结果可以看出,原风门打开时,12 行分斜坡道的漏风量达到 36～45 m^3/s,TB_6 供给 1238 m 分段的新鲜风几乎全部由此被短路;同时,由于 12 行分斜坡道离 TB_6 和 TB_4 较近,因而巷道两端有 100 Pa 的较大静压差,这无疑增加了空气幕研究与应用的难度。

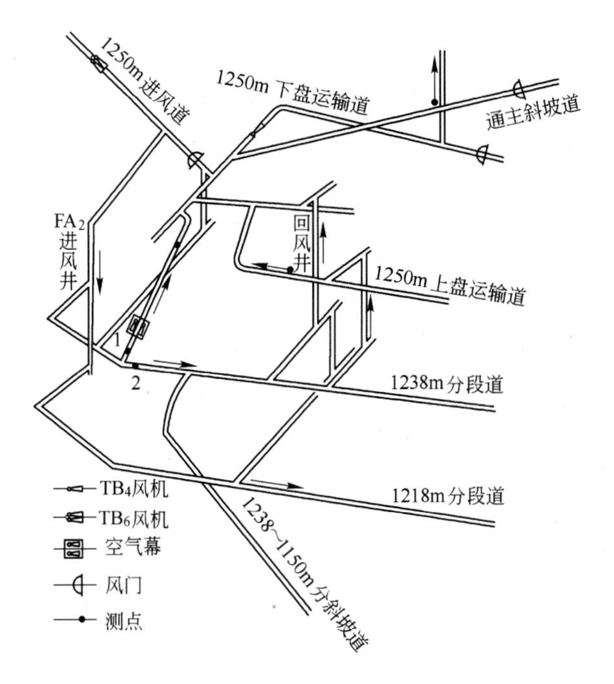

图 4-35 空气幕及测点布置示意图

表 4-8 12 行分斜坡道风流特性测定

测定内容		测定结果	备注
风量/$m^3 \cdot s^{-1}$	风门开	36～45	
漏风率/%	风门关	36.3	
有效静压差/Pa		110	有漏风
有效断面积/m^2		3.5×3.0	

4.4.1.2 试验方案及空气幕选型

根据图 4-9 进行理论推导所得到的多机并联空气幕隔断风流的理论表达式(4-34)可知，安装空气幕后巷道的漏风率与空气幕所在巷道的风阻、空气幕回流风阻、空气幕出口断面积、巷道断面积、空气幕风量、多机并联空气幕中单台空气幕的风量与单机空气幕的风量比、空气幕并联台数等因素有关。在实际应用中，当空气幕的有效压力等于巷道两端的压差时，空气幕起风门作用，其隔断风流的效果用漏风率来衡量。在进行隔断风流空气幕的设计时，首先要在现场测定安装空气幕巷道的风量、断面积、巷道风阻、安装点临时密闭两侧的静压差等参数，依据公式(4-34)确定空气幕所需提供的有效压力，再根据有效压力设计空气幕，包括风机的数量、风机的布置形式以及空气幕出口断面积等。

从现场的实际情况和表4-7的测定结果可知，12行分斜坡道的最小过车断面为3.5 m×3.0 m。当12行分斜坡道原风门关(实际有少量漏风)时，风门两侧的静压差为110 Pa，漏风率为36.3%；当风门开时，分斜坡道的风量为36～45 m^3/s，考虑现场自然风压的影响，根据表4-7可以计算空气幕的视在动量为1155 N。由于12行分斜坡道有效断面的宽度为3.5 m，有效断面积为10.5 m^2较大，若采用多机串联运行，空气幕安装在巷道的一侧，则巷道对面的气幕易被破坏，即原巷道的风流易从对面巷道壁侧通过，不利于形成有效的空气幕，因此，确定在巷道同一断面的两侧安装空气幕并联运行，使两股扁平气幕在巷道中心线交汇，形成稳定的空气幕。

由前面的试验结果表4-7可知，虽然用双机运行的空气幕能满足设计要求，但空气幕的出口高度小于分斜坡道有效断面3 m的高度，因此，考虑两侧的对称性和气幕的稳定性，根据分斜坡道的有效过车断面积等，可以计算确定采用4台风机在同一断面并联运行的空气幕。并联空气幕的供风器出口尺寸、风机的型号等相关技术参数如表4-9所列。

表4-9　空气幕技术参数

空气幕型号	空气幕数量/台	风机叶片安装角/(°)	风机型号	风机功率/kW
№4	4	40	K45-6-№10	7.5

由于在原手动风门处有一硐室，因此，为了节约掘进工程量，选定原手动风门处作为空气幕的安装地点，其具体安装位置及布置形式如图4-35和图4-36所示。

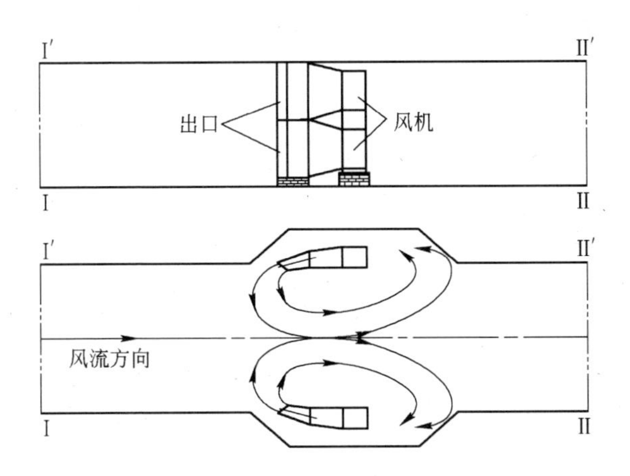

图 4-36 12 行分斜坡道空气幕布置示意图

4.4.1.3 现场试验结果与分析

A 试验研究内容及方法

12 行分斜坡道安装空气幕的目的就是要隔断风流，增加 1238 m 分段的有效进风量，因此，本部分的主要试验研究内容是测试 12 行分斜坡道的漏风率和 1238 m 分段的有效风量增加量。由于 12 行分斜坡道的过风量主要与 TB_6 和 TB_4 两机站风机的运行状况有关，一般 TB_4 风机常开，排 1238 m 分段的污风，因此，采用对比研究的方法，分别在空气幕和 TB_6 处于不同的运行状态下现场测试 12 行分斜坡道和 1238 m分段道内的风流状况，同时用照片纪录空气幕在不同运行状态下分斜坡道和 1238 m 分段道的风流方向及风质。测试的参数主要有测点的断面积、风流速度、空气幕风机的功率、空气幕运行噪声及风流方向等，测点如图 4-35 中的 1、2。为确保现场测试数据的可靠性，在改变空气幕的运行状态时，一般待风流稳定运行 30 min 后再进行有关测试。采用分格法，用热球风速仪测定 1、2 测点的风速，取多次测定结果的平均值。为减少自然风压对测试数据的影响，整个现场的测试工作基本在一个作业班内完成，一气呵成。

空气幕及 TB_6、TB_4风机的运行状态分 4 种情况：(1) TB_6 开单机、TB_4开，空气幕开；(2) TB_6 开单机、TB_4 开，空气幕关；(3) TB_6 开双机、

TB_4开,空气幕开;(4)TB_6开双机、TB_4开,空气幕关。

B 现场测试结果与分析

本试验研究在 TB_4、TB_6 风机及空气幕运行稳定的条件下分别对上述参数进行了测定,测定结果见附录 1,依据测定结果可以计算空气幕的漏风率和 1238 m 分段的有效风量增加量。

a 漏风率

空气幕的漏风率 η_z可用下式计算,计算的结果如表 4-10。

$$\eta_z = \frac{Q_1}{Q_{g1}} \times 100\% \tag{4-99}$$

式中 Q_1——空气幕关时测点 1 的风量,m^3/s;

Q_{g1}——空气幕开时测点 1 的风量,m^3/s。

表 4-10 12 行斜坡道空气幕漏风率及 1238 m 分段道风量测算结果

序号	12 行分斜坡道漏风率/%	1238 m 分段道有效风量增加量/$m^3 \cdot s^{-1}$	备 注
1	11.84	12.27	TB_6开单机
2	14.98	24.53	TB_6开双机

由表 4-10 可以看出,当 TB_6机站开单机时,空气幕的平均漏风率为 11.84%;而当 TB_6机站开双机时,其总供风量增加,空气幕的平均漏风率增加到 14.98%,但仍比原手动风门的漏风率分别低 24.46%和 21.32%。可见,空气幕在巷道内隔断风流的效果优于原风门,但当 TB_4机站风机的运行状态不变时,空气幕隔断风流的效果受 TB_6机站风机运行状态的影响,但影响的幅度并不是太大,TB_6机站开单机与开双机的空气幕漏风率只相差 3.14%。此外,试验中还发现,当 TB_4机站不开时,12 行分斜坡道的风流向下。因为 TB_6机站开双机时只增加供风量,并不增加风压;而当 TB_4关时,作用于分斜坡道的负压减少,因而空气幕的有效压力大于巷道内风流的压力,风流向下。可见,空气幕隔断风流的能力受巷道内风流压力的影响大,而受巷道内风量的大小影响较小。

b 有效风量增加量

1238 m 分段道有效风量增加量 ΔQ 可用下式计算:

风向相同 $\Delta Q = Q_{g2} - Q_2$

风向相反 $\Delta Q = Q_{g2}$ (4-100)

式中 Q_2——空气幕关时测点 2 的风量,m^3/s;

Q_{g2}——空气幕开时测点 2 的风量,m^3/s。

依据现场测定结果和式(4-100)可以计算 1238 m 分段道的有效风量增加量,结果列于表 4-10。可以看出,当 TB_6机站开单机时,1238 m 分段道的有效风量的增加量平均为 12.27 m^3/s;而当 TB_6机站开双机时,有效风量的增加量平均为 24.53 m^3/s。可见,空气幕能有效地减少 TB_6机站供给的新鲜风沿 12 行分坡道短路上行,显著增加了 1238 m 分段需风点的有效风量,使 1238m 分段的污风顺利地由 1250 m 回风系统经 TB_4机站排出,显著改善需风点的作业环境。

c TB_6机站风机有效风量率

TB_6机站的有效风量增加率 η 可用下式计算:

$$\eta = \frac{\Delta Q}{Q_f} \times 100\% \tag{4-101}$$

式中 Q_f——TB_6机站开单机或开双机时的风量,m^3/s。

实测知,TB_6机站开单机时的供风量约为 40 m^3/s,开双机时的供风量约为 80 m^3/s,因此,空气幕正常运行后,用式(4-101)可以计算得 TB_6机站开单机时的有效风量率增量为 30.68%;开双机时的有效风量率增量为 30.66%,表明 12 行分斜坡道的空气幕使 TB_6机站风机的有效风量率提高了约 31%。

d 空气幕风机运行测试

空气幕风机正常运行时,用钳型表和声积计分别对风机的运行功率和噪声进行了测试,结果列于表 4-11。从表 4-11 可以看出,4 台风机的运行功率各不相同,同一侧 1、2 号风机的运行功率分别为 6.31 kW 和 6.47kW,3、4 号风机的运行功率分别为 4.80 kW 和 4.58 kW,4 台风机的电机效率平均为 80.53%。可见,当空气幕正常运行时,其同一侧风机电机的运行功率基本接近,但与另一侧之间存在差异,说明两侧空气幕之间相互影响,两侧分别喷出的气幕一般不会在巷道的中心线交汇,这与风机的工况点和空气幕供风器出口的安装角等有关,因此,在进行空气幕风机选型时要特别注意风机的性能,尽可能选择高效节能的同型号风机。

表 4-11 空气幕运行噪声与电机功率测定结果

序 号	额定功率/kW	实测功率/kW	噪声值/dB(A)
1	7.5	6.31	92
2		6.47	
3		4.80	
4		4.58	

此外,从距空气幕约 5 m 处测得的空气幕运行噪声值可以看出,多台风机在同一断面同时运行时,其噪声值平均为 92 dB(A),虽超过国家规定的标准值,但空气幕的安装地点与井下工人的作业点较远,行人和行车经过空气幕时接触噪声的时间又较短,因而,其噪声对井下人员的危害较小,基本不影响井下的正常作业。

e TB_4 风机的作用效果

从图 4-35 可以看出,TB_4风机的作用主要是排出 1238 m 分段各作业面的污风。由于 12 行分斜坡道是主要的运输道之一,虽设置了手动风门,但行车频繁,风门常开,很难起到风门的作用,使得 1238 m 分段进风道与 TB_4回风道间有阻力小的短路风路相通,因此,TB_6风机站送出的近 12.27~24.53 m^3/s 新鲜风被 TB_4风机沿 12 行分斜坡道短路。当 12 行分斜坡道安装的空气幕正常运行后,有效阻挡了 TB_6风机送出的新风沿 12 行分斜坡道上行,降低了 TB_4风机的内部漏风率约 25%,有利于 TB_4风机排出 1238 m 分段各作业面的污风,充分发挥了 TB_4风机的作用效果。

f 风流方向及风质

现场试验研究中未测试 1238m 分段进风道的风质变化,但从拍摄的照片(见附录 2)可以反映风质和风流方向的变化。

当空气幕停时,12 行斜坡道上行的风流速度较大,达 3.0~4.5 m/s,火焰被吹平,无环绕烟;而当空气幕正常运行后,12 行斜坡道的风向上行,但风速较小,为 0.1~1.0 m/s,火焰略偏,清晰可见环绕烟流,可见,空气幕阻挡短路风流的效果十分显著。

当空气幕停时,1238 m 分段道内烟尘弥漫,热风向西,照片模糊不清,这是1238m分段作业面的污风蔓延的结果;当空气幕开启后,1238 m分段道进新风,风向向东,照片清晰,可见,空气幕正常运行后,污风由1238 m分段的回风系统经 TB_4风机排出,被阻隔的新鲜风流送到作业需风点,从而增加了1238 m分段的有效风量,提高了 TB_6风机的有效风量率,显著改善作业面的环境质量。

4.4.2 矿用空气幕引射风流

矿井通风系统运行过程中,由于矿体开采和井下自然风压等的变化,矿井通风网络中时常出现风量不足、风流反向、风流停滞、风流循环、通风死角等问题,为此,井下常采用辅扇辅助矿井通风。辅扇的应用主要有两种方式:一种是有风墙辅扇,另一种是无风墙辅扇,但要解决运输巷道的通风问题,这两种方式均难以实施。作者根据井下通风的实际需要,研究应用空气幕技术替代辅扇和风机机站在二矿区主斜坡道和二矿区1150 m运输中段引射风流,增加主斜坡道和运输中段主要作业区的新鲜风量。

4.4.2.1 二矿区主斜坡道空气幕引射风流

A 基本情况及研究意义

二矿区主斜坡道作为矿山的主要运输道,原设计进新风的风量大于30 m^3/s,但实际上,由于自然风压、三矿主扇和行车的影响,主斜坡道1428 m水平以上的进风量达不到设计的要求,因此主斜坡道上无轨柴油汽车运输过程中产生的汽车尾气和行车扬尘难以及时稀释和排走,导致主斜坡道的可见度降低,对行车安全和工人的身体健康造成严重的威胁。此外,受井下风压的影响,主斜坡道还经常出现反风现象,由于井下空气湿度大,反风会导致主斜坡道巷道壁潮湿,十分不利于巷道壁的稳定和安全。因此,为确保主斜坡道的行车安全、提高运输效率和减少巷道的维护量,采取措施增加主斜坡道的进风量,以控制主斜坡道的反风是十分必要和有重要意义的。

B 试验方案及空气幕选型

a 试验方案

在确定试验方案之前,作者对井下通风系统进行了调查和分析,并在状态1:东主扇停止运行,未设临时密闭风墙;状态2:东主扇停止运行,设临时密闭风墙;状态 3:东主扇运行,设临时密闭风墙三种不同的状态下,在主斜坡道 1428 m 以上 50 m 处对主斜坡道的风流状况进行了测定,具体测定结果列于表 4-12。

表 4-12　主斜坡道风流状况测定结果

状 态	巷道面积 /m^2	巷道墙高 /m	静压差 /Pa	风速 /$m \cdot s^{-1}$	温度/℃	湿度/%	测定时间
1	17.9	2.5		2.35	17.8	79	0:15
2			50.0	0.40	18.0	83	2:35
3			74.6	0.42	18.0	83	3:50

根据图 4-12 进行理论推导得到的多机并联空气幕引射风流的理论公式(4-57)可知,空气幕在巷道内的引射风流与空气幕所在巷道的风阻、空气幕出口断面积与巷道断面积之比、空气幕出口风速、多机并联空气幕中单台空气幕的风量与单机空气幕的风量比、空气幕并联台数等因素有关。因此,在实际应用中,考虑自然风压和东主扇的影响,依据安装空气幕巷道的风流状况、巷道特性等参数以及主斜坡道需要 30 m^3/s 进风量的要求,按照公式(4-57)确定空气幕所需提供的有效压力,再根据有效压力设计空气幕,包括风机的数量及叶片安装角、空气幕的布置形式以及空气幕出口断面积等。

从现场的实际情况和表 4-12 的测定结果可知,主斜坡道的最小过车断面为 4.0 m×4.6 m;当东主扇关时,临时密闭风墙两侧的静压差为 50.0 Pa,漏风风速为 0.40 m/s;当东主扇开时,临时密闭风墙两侧的静压差为 74.6 Pa,漏风风速为 0.42 m/s,可见,东主扇对主斜坡道的风压影响较大,对漏风也有一定影响。由于主斜坡道有效断面的宽度为 4.6 m,断面积大,若空气幕安装在巷道的一侧,则不利于形成有效的空气幕,因此,确定在巷道同一断面的两侧分别安装空气幕并联运行,使两股扁平气幕在巷道中心线交汇,形成稳定的引射气流。

b　空气幕选型

依据公式(4-57)的计算结果和表 4-7,可以计算空气幕所应提供的有效压力大于 120 Pa,故确定采用 4 台风机在同一断面并联运行的空气幕。并联空气幕的供风器出口尺寸、风机的型号等相关技术参数列于表 4-13 和表 4-14。

表 4-13 No6 空气幕的风机及技术参数

风机型号	电机功率/kW	叶片安装角/(°)	供风量/$m^3 \cdot s^{-1}$
K45-6-№12	18.5	35 40 45	22～25 26.5～29 30～32

表 4-14 空气幕供风器尺寸

空气幕型号	数量/台	供风器出口尺寸/m
№6	4	高 2.00 宽 0.52

考虑到空气幕安装后不能影响行人和运输、巷道围岩的稳定性以及东主扇的作用，在现场将空气幕的安装位置选择在主斜坡道 1428 m 以上 50 m 处，在巷道两侧掘硐室，具体布置形式如图 4-37 所示。

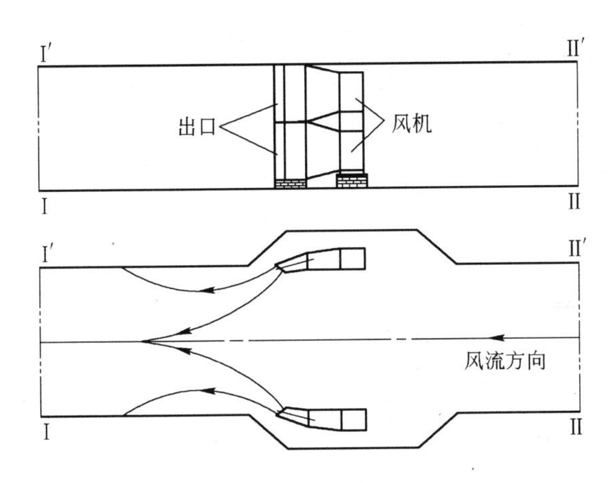

图 4-37 二矿区主斜坡道空气幕布置示意图

C 试验结果与分析

a 试验内容及方法

作者在状态 1—空气幕全开；状态 2—开双台（单侧各开一台）；状态 3—开双台（单侧开两台）；状态 4—开单台；状态 5—空气幕全关五

种不同空气幕运行状态下进行现场试验,采用多功能风速仪、热球风速仪等测定风流特性,用主斜坡道的风量增加量和三矿区东主扇进风口的风量分析评价多机并联空气幕引射风流的效果。测试方法同前。

b　试验结果与分析

在空气幕不同运转状态下,分别对主斜坡道风流特性进行了测试,其风量和风量增加量可用式(4-102)、式(4-103)计算,结果如表 4-15 和表 4-16 所列。

$$Q_{引} = vS \tag{4-102}$$

$$\Delta Q = Q_{引} - Q_{关} \tag{4-103}$$

式中　$Q_{引}$——空气幕引射风流后出口侧主斜坡道的风量,m^3/s;

ΔQ——主斜坡道的有效风量增加量,m^3/s;

$Q_{关}$——空气幕全关状态下主斜坡道的风量,m^3/s;

v——测点的风速,m/s;

S——空气幕出口端测点的断面积,m^2。

表 4-15　三矿区进风口风量测试结果

空气幕运行状态	巷道面积/m^2	巷道风量/$m^3 \cdot s^{-1}$	温度/℃	湿度/%
全　关	11.72	20.16	14.1	71.5
全　开		21.00	14.0	71.2

表 4-16　主斜坡道空气幕测试结果

空气幕运行状态	测点风速/$m \cdot s^{-1}$	测点风量/$m^3 \cdot s^{-1}$	有效风量增加量/$m^3 \cdot s^{-1}$	风流湿度/%
状态 1	3.69	57.8	32.12	49.0
状态 2	3.18	49.81	24.13	69.3
状态 3	3.04	47.61	21.93	68.0
状态 4	2.52	39.46	13.78	67.9
状态 5	1.64	24.68	0	71.1

从表 4-15 和表 4-16 可以看出:

(1) 在空气幕全关状态下,主斜坡道进风量为 24.68 m^3/s,但在东主扇的作用下,其中有 20.16 m^3/s 的风量直接进入了三矿区,而沿主斜坡道向下进入二矿区的风量只有4.52 m^3/s,导致二矿区主斜坡道风量严重不足,柴油机设备的运输等产生的有毒有害气体和粉尘对井下环境危害极大。当空气幕正常运行后,进入了三矿区的风量基本保持不变,为21.0 m^3/s,主斜坡道的风量增加量却随空气幕的运转状态的变化而变化,风量增加量为13.78~32.12 m^3/s,达到设计风量的要求,显著地改善了主斜坡道的通风效果。

(2) 空气幕并联台数 n 越大时,其出口总风量越大,引射的风量也越大,但是 n 台空气幕并联后的引射总风量并不是一台空气幕单独运行时的 n 倍。现场单机运行时的引射风量为13.78 m^3/s,双机运行时的为21.93 ~24.12 m^3/s,并非27.56 m^3/s;4台风机同时运行时的为32.12 m^3/s,而不是13.78 $m^3/s\times4$。即并联空气幕与单机空气幕之间存在一个小于1的风量比系数 a,且 n 值越大,a 值越小,这与多机并联空气幕引射风流理论分析相符。

(3) 空气幕的引射风量与风机的台数有关,当空气幕全部开启时,主斜坡道的进风量为57.8 m^3/s,比空气幕全关时,有效风量增加32.12 m^3/s,扣除进入三矿区的风量,主斜坡道的风量大于设计要求的30m^3/s;当空气幕开2台时,主斜坡道的进风量比空气幕全关时增加22~24 m^3/s,虽达不到设计要求,但当自然风压的影响减小时,开2台空气幕就能满足要求,可见,空气幕的运行状态与自然风压的影响作用有关,可适时进行调节。

(4) 并联风机台数增多时,虽然空气幕的引射风量增大,1~4台的增加量分别为13.78 m^3/s、21.93~24.13 m^3/s、32.12 m^3/s,但是引射风量的增加率减小,分别为67.13%、39.47%。而且从附录3可以看出,在状态1时,空气幕的总风量大于巷道的引射风量,这说明进入空气幕的风流中存在一部分循环风流。因此,利用空气幕引射风流时,空气幕风机的台数应限定在适当的范围之内,要克服的压差大时,可以选择大能力风机,而不能靠增加空气幕的数量。

(5) 状态2与状态3空气幕的引射风量接近一致,但2台空气幕在同一侧运行的效果比分布在两侧的效果差,表明,当巷道断面大时,多机并联空气幕最好布置在同一断面的两侧,使两侧的气幕在巷道的中心线形成交汇,避免在单侧空气幕在巷道对侧造成能量的损失。

(6) 在空气幕出口侧,主斜坡道的湿度随着引射风量的增加而减小,状态1时主斜坡道1428 m以下的湿度为49.0%;状态3时的湿度为68.0%;状态5时的湿度为71.1%,说明,在空气幕的作用下,由地表进入斜坡道的干燥空气量越大,主斜坡道的湿度越小,有利于保持巷道壁干燥。

4.4.2.2 二矿区空气幕引射风流替代风机站

由于井下微正压多级机站通风系统中存在机站的布置、通风网络复杂、通风构筑物不完善等问题,导致矿井风机的作用能力不足以克服1150 m中段的通风阻力,因而东、西副井的新风无法进入该中段的主要作业区——中心溜矿井附近,加上1150 m水平粉矿回收道不畅通,TB_{10}机站风机的回风道断面小,而TB_9和新TB_{10}的回风效果又直接影响1150m水平的通风效果,因此,1150 m中段的新风进风量少或无新风进入,且该中段作业面的污风不能及时排走,特别是1号、2号中心溜井及维修硐室附近运输道的通风状况极差,有时风温高达38℃,无轨柴油设备的尾气污染严重,导致空气缺氧、有毒有害物质浓度严重超标;尽管环形道顶部吊装局扇,中心溜井附近仍是污风循环。此外,空气缺氧又导致柴油设备的燃烧不充分,效率偏低,排出废气的有害成分量增多,使巷道内的可见度降低。这不仅严重危害工人的身体健康,而且影响生产效率和行车安全。长期以来,二矿区为解决1150 m中段进新风和排污风的难题,开展了大量的研究工作,但一直未得到很好地解决。1999年,二矿区曾研究决定在1150 m中段472岔道口掘绕到增设装机功率为160 kW的风机机站和在主运输道设置120kW的风门空气幕隔断风流,目的是将东、西副井的新风送到该中段,从而解决多年来一直未解决的困扰矿山安全生产的难题。实际上,由于多种原因,并未采用上述技术方案,而是确定用空气幕技术。

A 技术方案及空气幕选型

a 技术难点

1150 m水平空气幕现场试验研究的技术难点在于:(1)1150 m中段的上盘运输道和往1000 m的主斜坡道断面大,自然风压影响大;(2)需风点周围网络复杂;(3)柴油机设备运输频繁。为此,本文针对上述技术难点,在进行总体方案设计时,充分考虑大压差、大断面、风压不稳定等影响因素,合理设计空气幕。

b 技术方案

原设计 1150 m 中段的新风主要来源于东、西副井,但实际上,由于本中段的无轨设备运输频繁而难以设置送风机站,使得本中段的主要作业区处在通风死角内,为此,根据二矿区通风系统模拟计算的结果,1150 m 中段的实际需风量为 30 m^3/s,在不影响运输和行人的条件下,可以确定解决 1150 m 中段进新风的技术方案,即在 1150 m 上盘运输道的 472 岔道口安装空气幕替代风机机站,克服 1150 m 水平的通风阻力,将东、西副井的新风引射风流到中心溜井附近的主要作业区。此外,由于通往 1000 m 的主斜坡道常是污风上行,且进入 1150 m 中段的作业面,因此,在将新风送往中心溜井附近的同时,在往 1000 m 的主斜坡道口安装空气幕阻隔上行的污风,以减少或避免污风循环。空气幕的布置地点如图 4-38 所示。

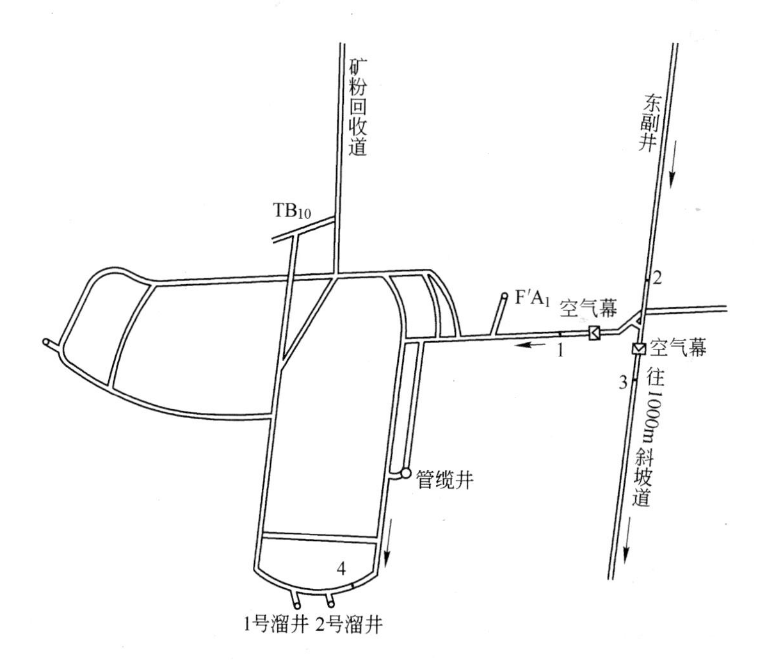

图 4-38 1150 m 中段平面示意图

1—中段运输道;2—副井运输石门;3—斜坡道口;4—中心溜井环形绕道

c　空气幕选型

在确定空气幕型号及风机的技术参数之前，采用压差计、热球式风速仪等对东、西副井马头门以及1150 m中段的部分网络进行了测定，结果列于表4-17。

表4-17　安装空气幕前1150 m中段风流状态

测定地点	风速/$m\cdot s^{-1}$	风量/$m^3\cdot s^{-1}$	静压差/Pa	风温/℃	备注
东、西副井马头门	0.15	2.8		14.0	
1150 m主运输道24行	0.05	0.95	49	24.0	向副井
1150 m中段中心溜井	0.03	0.57		33.0	风向东
往1000 m主斜坡道口	0.36	6.3	35	24.6	向副井

从现场的实际情况可知，1150 m中段主运输道和往1000 m的斜坡道口的最小过车断面为4.0 m×4.4 m，由于主斜坡道有效断面的宽度为4.6 m，断面积大，因此，确定在巷道同一断面的两侧分别安装空气幕并联运行，使两股扁平气幕在巷道中心线交汇，形成稳定的引射气流。从表4-16的测定结果可知，472岔道口空气幕既要克服反向风流49 Pa的风压，又要克服该中段约90 Pa的通风阻力，因此，按照1150 m中段主要作业区所需要30 m^3/s风量要求，依据多机并联空气幕引射风流的理论计算公式(4-57)，可以计算确定472岔道口需采用4台并联运行的№7型空气幕引射风流；用4台№6型空气幕阻隔主斜坡道上反的污风。具体空气幕风机型号和供风器尺寸等技术参数如表4-18所列。

表4-18　空气幕风机及主要技术参数

空气幕安装地点	风机型号	电机功率/kW	供风器出口尺寸/m	数量/台	叶片安装角/(°)
472岔道口	K45-6-№13	30	2.0×0.54	4	25
1000m主斜坡道口	K45-6-№12	18.5	2.0×0.46	4	30

B　现场试验研究内容及方法

1150 m水平研究应用两道多机并联空气幕的目的是将副井的新

鲜风送到中心溜井的主要作业区,因此,本研究的主要内容是测试 1150 m 中段主要运输道、中心溜井附近新鲜风流的增加量、风流温度以及风流方向的变化等。

现场采用对比试验研究的方法,即在状态 1 时:1、3 两点的空气幕关,1000 m 水平的风门关;状态 2 时:1、3 两点的空气幕开,1000 m 水平的风门开;状态 3 时:1、3 两点的空气幕开,1000 m 水平的风门关 3 种不同状态下,分别测试图 4-4 所示的各测点的风速、巷道断面积、风流温度等,同时判定巷道内风流方向,用进入 1150 m 中段的新鲜风的增加量及作业区风流温度的降低值来评价空气幕引射风流的效果。

C 试验结果及分析

按照上述的试验研究内容和方法,现场测试的结果如表 4-19 和表 4-20 所列。

表 4-19 1150 空气幕运行测定结果

运行状态	测 点	平均风速 /m·s^{-1}	测点断面 /m^2	平均风量 /m^3·s^{-1}	风温/℃	风流方向
状态 1	1	0.5	20.3	10.1	24.0	风向 1150
	2	0.36	17.7	6.3	23.0	风向副井
	3	1.31	14.6	19.1	24.6	风流向上
	4	2.54	16.1	40.8	27.2	风流向西
状态 2	1	1.85	20.3	37.6	19.0	风向 1150
	2	1.57	17.7	27.9	13.4	风向 1150
	3	0.86	14.6	12.6	24.6	风流向上
状态 3	1	1.99	20.3	40.4	19.0	风向 1150
	2	1.54	17.7	27.3	13.4	风向 1150
	3	1.05	14.6	14.3	24.6	风流向上
	4	2.37	16.1	38.2	24.0	风流向西

从表 4-19 和表 4-20 可以看出,1150 m 中段安装空气幕之前,850 m中段的污风沿 1000 m 主斜坡道上行,一部分向东、西副井方向与新鲜风混合,另一部分则向 1150 m 环形道方向与柴油设备排出的尾气

混合，在中心溜井附近局扇的作用下进行局部循环，使得该中段中心溜井附近、运输石门和运输大巷内均是污风；中心溜井附近绕道的风量虽有40 m^3/s左右，但风温较高，作业初期风温达到 27.2℃，作业 2 h 后风温达到 35～38℃，且风流污浊缺氧，巷道内可见度低，不仅危害工人的身体健康，而且影响柴油设备的燃烧效率。当安装的空气幕正常运行之后，空气幕能有效地克服 1150 m 中段的通风阻力，增加东、西副井的进风量，1150 m 中段上盘运输道、运输石门均进新风，且进风量大于设计要求的风量 30 m^3/s；1150 m 环行绕道方向进风的风速平均为 1.8～2.0 m/s，进风温度大大降低，中心溜井附近的风流状况得到显著改善。具体效果如下：

表 4-20　1150 空气幕在不同状态下各测点的风量变化对比

空气幕运行状态	测点	风量/$m^3 \cdot s^{-1}$	风量变化值/$m^3 \cdot s^{-1}$	风温降低值/℃
状态 1 状态 2	1	10.1 37.6	27.5	4.0
状态 1 状态 3	1	10.1 40.4	30.3	4.0
状态 1 状态 2	2	19.1 12.6	-6.5	0
状态 1 状态 3	2	19.1 14.3	-3.8	0
状态 1 状态 2	3	6.3 27.9	21.6	9.6
状态 1 状态 3	3	6.3 27.3	21.0	9.6
状态 1 状态 3	4	40.8 38.2	-1.6	2.2

（1）在状态 2 条件下，1150 m 主要运输道的风量达 37.6 m^3/s，其中新风增加量为 27.5 m^3/s；而往 1000 m 的斜坡道虽有污风上反，但风量减少了 6.5 m^3/s。在状态 3 条件下，进入 1150 m 主要运输道的新风增加量达到 30 m^3/s，而往 1000 m 的斜坡道上反的污风量减少 3.8 m^3/s。

可见,1150 m 水平设置的空气幕正常运行后,不仅能抑制 850 m 中段的部分污风上反,而且能将东、西副井的新鲜风引射到 1150 m 中段的主要作业区,较好地控制了环形绕道的污风循环,显著改善了中心溜井附近的通风效果。

(2) 在状态 3 条件下,送向 1150 m 的风量增至 40.4 m^3/s,但其与状态 2 相比,增加的风量主要是来自 1000 m 水平的污风,而东、西副井进风石门的进风量基本保持不变。可见,1000 m 水平的风门对空气幕的运行效果有一定的影响。在状态 2 条件下,斜坡道口空气幕克服的风流阻力比状态 3 时的要小,阻挡斜坡道上反污风的效果好,因此,加强 1000 m 水平风门的管理,有利于发挥 472 岔道口空气幕的作用效果。

(3) 在状态 1 和状态 3 条件下,中心溜井附近虽均有较大风流流动,但状态 1 条件下的中心溜井附近是污风循环,且风质逐渐恶化;而状态 3 条件下中心溜井附近的风量虽减少 1.6 m^3/s,但其流动的是新风,减少了作业产生的热量和有毒有害气体的集聚,显著改善作业区的环境质量,有利于提高柴油机设备的运行效率。

(4) 在状态 1 条件下,东、西副井进风石门和 1150 m 主运输道内均为污风,风温分别为 23℃ 和 24℃;而在状态 2、状态 3 条件下,东、西副井进风石门和 1150 m 主运输道内均为新鲜风,风温分别为 13.4℃ 和 19.0℃,比状态 1 条件下的风流温度分别降低 9.6℃ 和 4.0℃,明显地改善了中心溜井附近作业区的供风质量。

(5) 从现场还发现,在空气幕安装之前,东、西副井进风石门巷道壁及底板均十分潮湿,巷道需经常维护;而在空气幕正常运行后,进风石门内流动的是地面的干燥气流,因而能保持进风石门的干燥,有利于巷道壁的稳定,减少巷道的维护费。

4.4.2.3 安庆铜矿空气幕引射风流控制主斜坡道风流反向

解决运输巷道内风流反向难题的常规做法是安装风门、辅扇或对网络进行调节。主斜坡道作为矿山主要的运输道,行车密度非常大,安装风门控制风流既需要人看管,又难以发挥其有效作用;而用辅扇则需安装在巷道中央,既影响运输和行人,又效率偏低。为此,本节主要是应用空气幕引射风流,以替代辅扇控制主斜坡道的风流反向。

安庆铜矿为多中段同时作业,作业点从东到西最长约 3000 m,从地表到井下最深约 950 m,因此,矿山在进行深部开采之后,受不同季节自然风压作用等的影响,使得冬季和夏季进风井的风量分配变化大,导致 -580～-400 m 主斜坡道的风流方向(向上)与原设计的相反。为此,为防止污风上行,在主斜坡道 -400 m 处设置了一道手动风门。由于主斜坡道行车密度较大,即使有人看,也难以发挥风门的作用,所以风门如同虚设,基本不起作用,这无疑对 -580～-460 m 各中段的进风有较大的影响;且下部中段的污风沿斜坡道上行与新风混合后进入作业面,使风源风质恶化;此外,也导致斜坡道的可见度降低,不仅不利于安全行车,且在不同程度上影响井下的生产。因此,采取措施控制主斜坡道风流的方向十分必要。

A　现场应用条件

在安装空气幕之前,现场对主斜坡道内的风流等进行了测定,测得主斜坡道断面积约为 14 m^2,隔断风流的压差值为 53.95 Pa,向上的反风量为 26 m^3/s。现要求主斜坡道 -400 m 处向下的风流速度大于 1.5 m/s,安装空气幕后不影响主斜坡道的行人和行车,安装空气幕的硐室长期稳固,且空气幕运行稳定,维护量少。

B　技术方案及空气幕选型

依据现场的应用条件和要求,主斜坡道行人和行车的有效断面积(宽×高)应不小于 $3.5\ m \times 3.0\ m = 10.5\ m^2$,若保持主斜坡道内风流停滞,则空气幕所应提供的有效压力应等于 53.95 Pa;现要求向下的引射风量大于 21 m^3/s,根据图 4-12 进行半理论半经验分析得到的多机并联空气幕引射风流的理论公式(4-57),可计算得出空气幕所应提供的有效压力大于 98.10 Pa;再根据公式 $\Delta P = \Delta H \times S_1$ 可以计算空气幕应提供的视在动量 $\Delta P = 10.5 \times 98.1 = 1030$ N。由此依据表 4-7,通过计算和分析后,可以确定主斜坡道应采用多机并联运转的空气幕引射风流。

考虑到主斜坡道有效断面的高为 3 m,而空气幕引射器出口的高度一般为 2～2.6 m,以及单机空气幕所能提供的视在动量和作用断面积,若在巷道一侧采用单机空气幕,则空气幕引射器的出口高度不够,形成的气幕不足以控制全断面;若用四机组成的并联运转空气幕,则单台空气幕所需控制的巷道断面积为 2.6 m^2,要求风机所应提供的有效压力为 99 Pa,因此,根据表 4-7 可选四台空气幕联合作业,安装在主斜坡道－400 m水平巷道两侧的硐室内,其布置形式如图4-39所示。空气幕的型号及相关技术参数如表4-21所列。

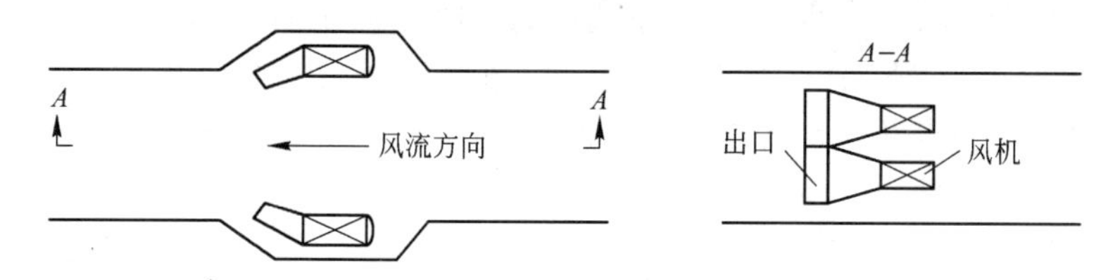

图4-39 空气幕布置示意图

表4-21 空气幕型号及主要技术参数

空气幕型号	数量/台	供风器出口尺寸		风机型号	风机叶片安装角/(°)	电机功率/kW
		高/m	宽/m			
№4	4	1.5	0.45	K45-6-№10	35	7.5

C 测点布置

现场测点的布置主要是为了便于反映空气幕引射风流的作用效果和不同状态下空气幕的运行对各中段进风量的影响情况,其布置如图4-40所示。

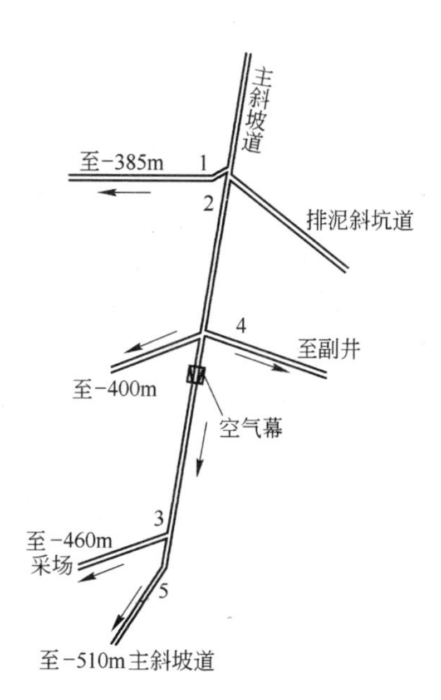

图4-40 测点布置示意图

1、2、3、4、5—测点

D 试验测试结果与分析

在井下正常生产条件下(避开有汽车运行的时间),现场用钳型表、热球风速仪等对4种不同运行状态空气幕的运行效果进行测试,即在状态1空气幕关、状态2空气幕全开、状态3开一侧2台空气幕和状态4两侧各开1台的4种运行状态下对比测试其引射风量和下部各中段的进风量,并判断风流方向,用引射风量和中段的进风量的增加值来分析评价空气幕的效果。

测试的内容主要有测点的断面积、风流速度、空气幕风机的功率及空气幕运转噪声。测定时，每个测点的风速分 9 格进行测定，不同运行状态下，每个测点测 3 次，连续测 5 组数据，取平均值。考虑到不同状态风流的稳定性对测试数据可靠性的影响，现场测试前先测定各点的断面积，且不同状态间间隔 30 min，待风流相对稳定后再对各测点同时测定。

现场对不同状态下空气幕运转时风机的功率、噪声及各测点的风速等进行多次测定和计算，其结果取平均值列入表 4-22 和表 4-23。

表 4-22 空气幕的运行功率及噪声测定结果

运行状态	2 号测点噪声 /dB(A)	3 号测点噪声 /dB(A)	空气幕附近噪声 /dB(A)	单机功率 /kW
状态 1	36	34	36	
状态 2	82	78	89	6.2
状态 3	76	71	86	5.9
状态 4	76	70	87	5.8

表 4-23 空气幕运转实测结果

测 点	状态 1		状态 2		状态 3		状态 4	
	风量/$m^3 \cdot s^{-1}$	风向	风量/$m^3 \cdot s^{-1}$	风向	风量/$m^3 \cdot s^{-1}$	风向	风量/$m^3 \cdot s^{-1}$	风向
1	23.54	向左	18.66	向左	18.72	向左	18.38	向左
2	26.67	向上	24.67	向下	21.34	向下	22.00	向下
3	8.80	向上	29.50	向下	22.50	向下	23.20	向下
4	14.30	向左	16.10	向左	16.40	向左	15.90	向左
5	7.00	向上	15.40	向下	13.90	向下	13.90	向下

从表 4-22 可以看出，空气幕的运行噪声与所开启风机的数量有关，在空气幕的附近，当空气幕全开时，噪声最大达到 89dB(A)；当开其中 2 台时，噪声为 86～87 dB(A)，低于空气幕全开时的噪声值。此外，噪声值与离空气幕的距离有关。从图 4-40 和现场的实际情况可知，空气幕的安装地点与 2 号测点间的距离小于与 3 号测点间的距离，2 号

测点的噪声值为76～82 dB(A),大于3号测点的噪声70～78dB(A),均明显小于空气幕附近的噪声值。

由于空气幕的附近无人作业,经过空气幕的行人和行车接触噪声的时间较短,受到的危害较小,因此,尽管井下的空间小,空气幕运行有一定的噪声,但远离作业地点,对作业区工人的影响较小。

从表4-22还可以看出,空气幕开启的风机数量不同,风机的电机运行功率也不同。当4台风机全开时,电机的效率平均为82.7%;当开其中2台时,电机的效率平均为78%,明显低于前者。可见,风机电机的运行效率与空气幕的引射风量和克服巷道的阻力有关,并联运行的风机数量多,单机所提供的有效压力大,引射风量大,则风机电机的效率高;反之,电机的效率降低。

从表4-23可以看出:

(1) 不论空气幕开两台还是全部开启,主斜坡道的风流均是向下,且引射的风量达22.5～29.5m^3/s,有利于增加-460～-580 m各中段的进风量,其中,状态1:-460 m中段的进风量为12.5 m^3/s,状态2:-460 m中段的进风量为30.2 m^3/s,状态3:-460 m中段的进风量为23.9 m^3/s,状态4:-460 m中段的进风量为26.3 m^3/s;而不开空气幕时,-400 m以下主斜坡道的风流方向向上,导致下部中段的进风量明显减少,不利于排烟排尘。

(2) 空气幕开启前后,主斜坡道2测点的风量差值为47.01～51.34 m^3/s,且风流方向相反,可见,空气幕不仅增加主斜坡道的进风量,而且有效地抑制了-400～-580 m主斜坡道风流的反向。

(3) 空气幕开启前后,进入-385 m中段的风量变化不大,状态1时的进风量为23.54 m^3/s;状态2～4时的进风量为18.38～18.72 m^3/s。可见,空气幕对-385 m中段的进风量影响较小,其增加的是主斜坡道入口的进风量。

(4) 空气幕不开时,主斜坡道3、2测点间的风量差值为17.87 m^3/s(风向向上);当空气幕开启后,主斜坡道2、3测点间的风量差值仅为1.16～4.83 m^3/s(风向向下),可见,安装空气幕之前,新风被上部中段短路,导致-400 m中段的进风量减少;而安装空气幕之后,其对-400 m中段进风量的影响较小。

4.4.2.4　马坑铁矿单机空气幕引射风流控制运输道风流反向

华东第一大铁矿马坑铁矿是我国著名的特大型磁铁矿床之一。井下主要采用箕斗斜主井提升矿石、串车斜副井提升废石、人员、材料的开拓方法。在前期浅部太保林中段小规模开采的基础上，实施年采选矿石 100 万 t 规模的一期技改，现已建成投产，总体形成 120 万 t/a 的采选生产能力。由于太保林中段原回风井垮塌，导致本中段作业产生的污风和柴油机车运输矿石过程中产生的尾气难以及时排出，使得井下风流紊乱，原进新鲜风的 530 m 运输和行人平巷变成了回风道，因此，巷道内的空气混浊，可见度降低，不仅对作业人员的身体健康造成严重危害，而且不利于行车安全。为此，采取积极有效的措施，解决 530 m 运输平巷的进新风和将作业过程中产生的废气排入主回风系统的问题就显得十分迫切和必要。

A　现场应用条件

在 530 m 运输平巷采取措施控制风流反向之前，对现有系统进行了调查和测定，测得巷道断面积（宽×高）为 2.9 m×3.2 m，隔断反向风流的静压差为 25.0 Pa，反向风流的风量为 9 m^3/s。据此，要控制运输道内的风流反向和解决其进新鲜风的问题，依据现场实际情况，要求运输道进风的风流速度应大于 1.5 m/s，且不影响行车和行人。

B　技术方案及空气幕选型

由于 530 m 运输平巷为太保林中段的主要运输和行人巷道，采用辅扇来控制其巷道内的风流方向，不仅影响运输和行人，而且易在辅扇附近形成局部的风流循环，使辅扇的运行效率降低。在马坑铁矿一期扩建工程的通风系统尚未完全形成之前，除了用辅扇和空气幕来解决其风流的反向外，再无更好的技术措施。为此，依据二矿区和安庆铜矿空气幕的现场应用研究的成果和经验，并结合马坑铁矿井下的实际情况，确定在 530 m 运输道采用引射风流空气幕控制巷道内风流反向的技术方案。

依据现场的应用条件和要求，530 m 运输道行人和行车的有效断面积（宽×高）应不小于 2.8 m×3.0 m，若保持运输道进约 15 m^3/s 的新鲜风，根据图 4-11 单机空气幕引射风流的流动模型进行半理论半经验分析所得到的多机并联空气幕引射风流的理论公式（4-45），可计算得空气幕所应提供的有效压力应大于 90.0 Pa。根据表 4-7,可以确定在 530 m 运输道选用一台№6 型空气幕,其具体的技术参数如表4-24所列。空气幕的安装位置如图 4-41 所示。

表 4-24 空气幕型号及其主要技术参数

空气幕型号	数量/台	供风器出口尺寸		风机型号	风机叶片安装角/(°)	电机功率/kW
		高/m	宽/m			
№6	1	2.4	0.40	K45-6-№12	40	18.5

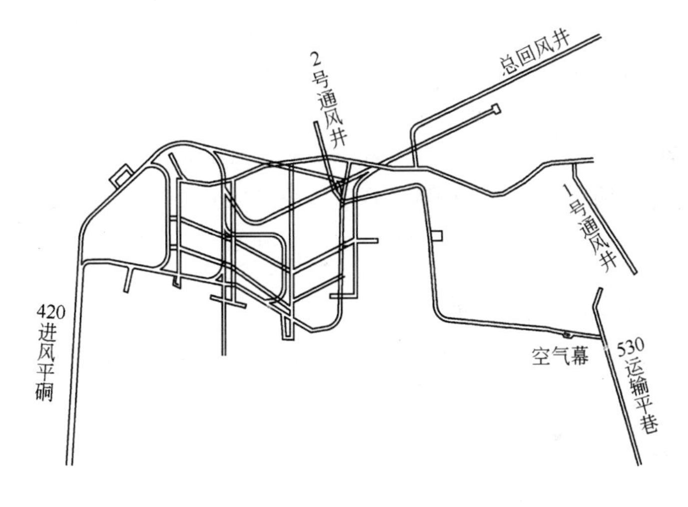

图 4-41 530 m 运输平巷空气幕安装位置示意图

C 试验测试结果与分析

在井下正常生产条件下,避开有柴油机车运行的时间,现场用热球风速仪等在空气幕关和空气幕全开两种不同运行状态下对比测试空气幕的引射风量的效果,并判断巷道内的风流方向。

测试的内容主要有测点的断面积、风流速度和风流方向。测定时,每个测点的风速分 6 格进行测定,在不同空气幕运行状态下,每个测点测 3 次,其测定结果取平均值列入表 4-25。

表 4-25 530m 运输平巷空气幕运行测定结果

空气幕运行状态	巷道断面积/m^2	测点风速/$m\cdot s^{-1}$						风速/$m\cdot s^{-1}$	风量/$m^3\cdot s^{-1}$	风流方向
		1	2	3	4	5	6			
关	9.0	1.1	1.0	0.7	0.65	1.0	1.1	0.88	7.9	出风
		1.0	0.75	1.0	0.7	0.8	0.8			
		0.75	1.1	0.65	1.0	0.7	1.0			
开	9.0	1.4	1.5	1.5	1.7	1.7	1.5	1.53	13.7	进风
		1.5	1.55	1.6	1.5	1.4	1.5			
		1.5	1.5	1.6	1.4	1.6	1.5			

从表 4-25 可以看出，当 530 m 运输平巷内的空气幕不运行时，平巷的出风量为 7.9 m^3/s，且风流污浊；当 530 m 运输平巷内的空气幕开启时，平巷的进风风速达到了 1.53 m/s，风量为 13.7 m^3/s，且为新鲜风流。这样，单机引射风流空气幕不仅控制了 530 m 运输平巷出污风，而且有效地增加了进风量，确保了井下风流的正常流动，有利于保护工人的身体健康和井下的安全生产。

4.4.3 矿用空气幕对风流增阻

4.4.3.1 龙首矿空气幕对风流增阻控制斜坡道进风量

A 现场应用研究的条件及意义

龙首矿为两翼进风中央出风的对角抽出式通风系统，全矿设计进风量为 130 m^3/s，其中主斜坡道设计进风量为 50m^3/s，但在实际生产过程中，由于主斜坡道口标高低于新 1 号主井和新 2 号副井的井口标高，因此，在冬季受自然风压作用的影响，主斜坡道的进风量增加，当气温低于 －15℃ 时，主斜坡道的进风量高达 130～150 m^3/s，风速超过 6 m/s，这样不仅影响主斜坡道无轨设备的运输和行人，而且导致新 1 号主井和新 2 号副井成为回风井，井下作业过程中产生的污风对两井筒的提升设备造成严重的腐蚀，同时使井下风流紊乱，对矿山的安全生产十分不利。为此，矿山在主斜坡道口安装了手动风门，派专人看管。当无行车时就关闭风门，控制主斜坡道的进风量，但受气候条件及地理位置等的限制，风门难以发挥作用。此外，冬季部分主斜坡道淋水结冰对行车安全也构成较大威胁。因此,采用空气幕对主斜坡道的进风风流增阻,以达到在寒冷季节减少其进风量的目的,对确保矿山的安全有序生产是十分有意义的。

B 技术方案及空气幕选型

在实际应用中,空气幕的有效压力小于巷道两端的压差时,空气幕起增阻作用,其增阻效果用阻风率来衡量。在进行增阻空气幕的设计时,一般依据阻风率确定空气幕所需提供的有效压力,再根据有效压力设计空气幕。循环型空气幕对风流增阻的风流流动模型如图 4-15 所示。

当循环型空气幕不足隔断巷道内风流时,空气幕射流 Q_c和巷道的逆向过流 Q_g流入控制体Ⅰ-Ⅰ′和Ⅱ-Ⅱ′断面间,流出控制体风量的只有 Q_g,空气幕所在巷道两端的压差 $\Delta H_{f(n)}$与空气幕的有效压力 $\Delta H_{(n)}$之差为压力不足差量 $H_{ud(n)}$。于是,通过进行半理论半经验分析得到的多机并联空气幕对巷道风流的阻风率 η_z 表达式(4-74),可知,安装空气幕后巷道的阻风率与空气幕所在巷道的风阻、空气幕回流风阻、空气幕出口断面积、巷道断面积、巷道过风风量、空气幕风量、多机并联空气幕中单台空气幕的风量与单机空气幕的风量比、空气幕并联台数等因素有关。

在确定试验研究方案前,现场对主斜坡道的风流状况等进行了调查和测试。从历史气温状况看,龙首矿主斜坡道附近的最低气温一般为－15～－20℃;当地面气温为－10℃时,主斜坡道的进风量为94.5 m^3/s;当地面气温为0℃时,主斜坡道的进风量为54.3 m^3/s;当地面气温为4～8℃时,主斜坡道的进风量为38.5 m^3/s;当地面气温达到－15～－20℃时,主斜坡道的进风量可达到130 m^3/s以上。因此,在空气幕的设计选型时,则要求按最困难时期考虑空气幕的阻风率,通过计算可知要设计的空气幕阻风率应大于60%。依据增阻空气幕阻风率的计算公式和现场的实测的风流静压值等计算空气幕所应提供的有效压力为160 Pa,据此可以确定主斜坡道增阻空气幕由4台风机并联组成,其风机的型号等有关技术参数如表4-26所列。空气幕安装在距主斜坡道口约300 m处的硐室内,硐室分布在巷道的两侧,如图4-42所示。

表 4-26　龙首矿 No7 型空气幕风机及其主要技术参数

空气幕安装地点	风机型号	电机功率/kW	供风器出口尺寸/m	数量/台	叶片安装角/(°)
主斜坡道	K45-6-№13	30	2.0×0.54	4	35

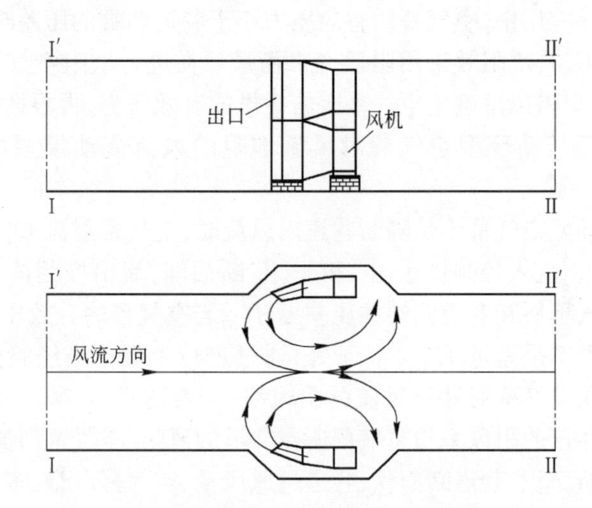

图 4-42　龙首矿空气幕布置示意图

C　现场试验研究内容及方法

主斜坡道安装空气幕的目的主要是冬季确保其进风量小于 50 m^3/s。由于地面气候条件的变化影响到矿井自然风压的变化，因此，在现场进行多机并联空气幕对风流增阻的试验时，采用对比试验的方法，分别在不同气温条件下和不同空气幕运转状态下测试空气幕的阻风率和风流方向的变化，即试验气温条件为 4～8℃、0℃和 -10℃；空气幕运转状态为：状态 1 空气幕全关；状态 2 开一侧空气幕；状态 3 空气幕全开。用主斜坡道的进风量、空气幕的阻风率及风流的方向来评价空气幕调节风流的效果。

主斜坡道空气幕的实际阻风率 η_z 可用下式计算：

$$\eta_z = (Q - Q_g)/Q \times 100\% \tag{4-104}$$

式中　Q——空气幕未开时巷道内的风量，m^3/s；

　　Q_g——空气幕开启后巷道内的风量，m^3/s。

D 试验测试结果与分析

现场试验时，在主斜坡道空气幕的下风侧 50 m 处选择一测试点，用热球风速仪等对巷道内风流状态进行反复测试。在测试过程中，为减少外界因素对测试结果的影响，主斜坡道内禁止汽车行驶，且避开井下的放炮作业。由于试验过程中没有 -15℃ 以下的气温条件，因此无此条件下的测试结果。具体结果列于表 4-27。

表 4-27 主斜坡道风量及风流方向测试结果

空气幕状态	风流速度/$m \cdot s^{-1}$	风量/$m^3 \cdot s^{-1}$	阻风率/%	风流方向	气温/℃
状态Ⅰ 状态Ⅱ 状态Ⅲ	2.28 0.63 -1.00	38.5 10.7 -16.9	72.2	进风 进风 出风	4～8
状态Ⅰ 状态Ⅱ 状态Ⅲ	3.27 1.51 0.5	54.3 24.5 8.45	54.0 84.7	进风 进风 进风	0
状态Ⅰ 状态Ⅱ 状态Ⅲ	4.6 3.05 1.45	94.5 51.5 24.5	44.5 74.0	进风 进风 进风	-10

a 控制主斜坡道的进风量

从表 4-27 的测试结果可以看出，当地表大气温度为 4～8℃ 时，若空气幕全开，则空气幕所提供的有效压力大于主扇在主斜坡道内形成的负压，使风流流向主斜坡道口，此时，主斜坡道成了回风道，出风量为 16.9 m^3/s；若开一侧空气幕，则空气幕所提供的有效压力小于主扇在主斜坡道内形成的负压，风流流向井下，主斜坡道的进风量为 10.7 m^3/s，此时，空气幕对进风流增阻，起调节风窗的作用，阻风率为 72.2%；若空气幕全关，则主斜坡道内的进风量为 38.5 m^3/s，小于设计的进风量 50 m^3/s。当地表大气温度为 0℃ 左右时，开一侧空气幕的阻风率达 54%，进风量为 24.5 m^3/s；空气幕全开时，主斜坡道的进风量为 8.45 m^3/s，阻风率达 84.7%，与设计的阻风率相比，富余了约 25%；而不开空气幕时，主斜坡道的进风量为 54.3 m^3/s，稍大于设计进风量。当地表大气温度为 -10℃ 时，开一侧空气幕，主斜坡道的进风量为 51.5 m^3/s，空气幕的阻风率达 44.5%；空气幕全开，主斜坡道的进风量为24.5 m^3/s,比空气幕全关时的94.5 m^3/s 减少70 m^3/s,阻风率达74%,与设计的阻风率相比,富余了约14%;与0℃的气温条件相比,空气幕的阻风率降低了11%。由于自然风压与气温相关,因此可以类推,如气温更低,则阻风率降低,当气温在-15~-20℃范围内时,阻风率仍能达到设计要求,大于60%,这就充分证实了第二章所建理论模型的可靠性。由此可见,当地表大气温度低于-10℃时,主斜坡道的空气幕应全开;当地表大气温度为0~-10℃时,可开一侧空气幕;当地表大气温度大于0℃时,则不需要开空气幕,因此,在实际应用过程中只需根据气温的变化,及时调整同时运行的空气幕台数就可满足实际需要。这样,在寒冷冬季,龙首矿只需正常运转空气幕,就可避免了新1号主井和新2号副井出污风,有效保护井筒内的设施,同时也确保矿山井下风流的有序流动。

b 防止主斜坡道结冰

在矿井通风正常的情况下,进入矿井的风流均与井筒或巷道周围的冷却圈之间发生冷热交换,其交换量与风量的大小有关。在寒冷冬季,进入井下的地面冷空气因吸收冷却圈的热量而使其气温升高,风量越大,风流温度升高得越慢。龙首矿主斜坡道在安装空气幕之前,冬季主斜坡道的进风量增加,在地面风流达到淋水段斜坡道时,风流的温度仍低于0℃,因而导致了淋水段斜坡道结冰;当空气幕正常运行后,主斜坡道的进风量得到了有效控制,进入斜坡道的气流在达到淋水段斜坡道之前,其风流温度已升高到0℃以上,因而就有效防止了淋水段斜坡道的结冰,不仅减少了人工挖冰的工程费用,而且有利于安全行车。

4.4.3.2 安庆铜矿空气幕对风流增阻防止井筒结冰

安庆铜矿采用单翼对角抽出式通风系统。设计新鲜风流由副井和主斜坡道流入,经各中段的井底车场、石门运输平巷、出矿穿脉,排走工作面的烟尘,通过出矿水平的回风平巷和回风天井,至-280 m总回风道、回风石门和西风井,污风由安装在地表(西风井井口)的2K60-4 №28轴流风机排出。原设计是通过在主井石门采取设置风门的办法控制主井出污风16 m^3/s,但实际上,-400 m设置的风门被撞坏而无法使用,-580 m未设置风门,因而,主井成了主要的进风井之一,且风流受-616 m破碎硐室粉尘的污染。

调查与测定的结果显示，当大气温度为5～10℃时，主井、副井和主斜坡道的进风分别为46.81、69.82和41.34 m³/s；当大气温度低于0℃时，矿井自然风压的作用还会使主井的进风量增加。由于主井的淋水量大，进入主井井筒寒冷空气易导致淋水在主井井壁、通讯电缆及钢丝绳上结冰，对安全生产造成严重威胁。同时，主井进风量增加，还会导致主井石门的风速偏大，引起矿石运输的二次扬尘，对井下风流风质造成污染。

在寒冷冬季，对于淋水较大的矿山普遍存在进风井筒结冰的问题。在北方，解决此问题的方法是利用已有的集中取暖系统，对进风流进行预热，而达到防冻的目的。南方矿山的做法大多是利用主扇反转反风，改变井下主风流的方向，或用废旧的井巷对风流进行预热等。冬季主扇反转反风时，由于自然风压的作用与主扇风压的作用相反，不仅使井下网络的风流方向紊乱，影响通风效果，而且给矿山生产带来一定的安全隐患，影响矿山持续稳定生产。

冬季井筒结冰的实质是大量冷风进入井筒所造成的，因此，通过减少井筒进风量的办法也可以防止井筒的结冰。而减少井筒的进风量可以采取增加主井石门通风阻力的风窗或风门措施来实现。安庆铜矿主井石门的有轨电机车运行十分频繁，用调节风窗或风门的方法增阻基本不可行，因此，作者应用空气幕的增阻作用，力求减少主井的进风量，有效防止主井在寒冷冬季结冰和二次扬尘的污染。

A 现场应用条件

空气幕增阻方案确定之前，在该矿井的－400 m和－580 m主井进风石门设置临时密闭，用热球风速仪和倾斜压差计等对密闭前后主井石门内的风流速度和静压差等进行了测定，结果列于表4-28。

表4-28 不同状态下主井石门风流参数

中段	测点	密闭状态	风流速度/m·s⁻¹	静压差/Pa	备注
－400 m	1	开	3.03	0	－580 m未密闭
		关	1.47	84.66	
		部分关	2.45	29.72	

续表 4-28

中　段	测　点	密闭状态	风流速度/m·s^{-1}	静压差/Pa	备　注
-580 m	2	开	2.72	0	-400 m 密闭
		关	1.1	116.74	
		部分关	2.39	29.23	

注：测点 1 为 -400 m 主井石门；测点 2 为 -580 m 主井石门。

B　技术方案及空气幕选型

根据图 4-15 进行半理论半经验分析得到的多机并联空气幕对巷道风流的阻风率 η_z的理论公式(4-74)可知，空气幕的阻风率与空气幕所在巷道的风阻、空气幕回流风阻、空气幕出口断面积、巷道断面积、巷道过风风量、空气幕风量、多机并联空气幕中单台空气幕的风量与单机空气幕的风量比、空气幕并联台数等因素有关。在实际应用中，当空气幕的有效压力小于巷道两端的压差时，空气幕起增阻作用，其增阻效果用阻风率来衡量。在进行增阻空气幕的设计时，首先要在现场测定安装空气幕巷道的风量、断面积、巷道风阻、安装点临时密闭两侧的静压差等参数，再依据阻风率公式确定空气幕所需提供的有效压力，根据有效压力设计空气幕，包括风机的数量、风机的布置形式以及空气幕出口断面积等。

从表 4-28 的测定结果可知，当石门全封(实际有少量漏风)时，封闭两侧的静压差为 80～118 Pa，风流速度为 1～1.5 m/s；当石门未完全封闭且有漏风时，风流速度为 2.4～2.45 m/s，全压差约为 30 Pa；依据现场的实际情况和对冬季主井进风流的热交换的计算，可以确定空气幕对风流的阻风率应大于 40%，故可定空气幕对主井石门内风流的增阻压力为 100～120 Pa。由于主井石门的风压较大，故确定采用多机并联空气幕技术，即在 -400 m 和 -580 m 主井进风石门(主副井之间)分别设置空气幕，且空气幕分布于同一断面巷道的两侧，如图 4-43 所示。根据主井石门的有效过车断面积(9 m^2)以及主井石门的风阻等，可以计算得并联空气幕风机的台数、空气幕供风器出口尺寸、风机的型号等相关技术参数，结果列于表 4-29 和表 4-30，空气幕布置形式如图 4-43 所示。

表 4-29 空气幕设计选型结果

应用地点	空气幕型号	风机型号	叶片安装角/(°)	风机功率/kW	数量/台
-400 m 主井石门	№6	K45-6-№12	35	18.5	2
-580 m 主井石门	№7	K45-6-№13	35	30	2

表 4-30 空气幕供风器尺寸

空气幕型号	数量/台	供风器出口尺寸/m
№6	2	高 2.6 宽 0.4
№7	2	高 2.8 宽 0.4

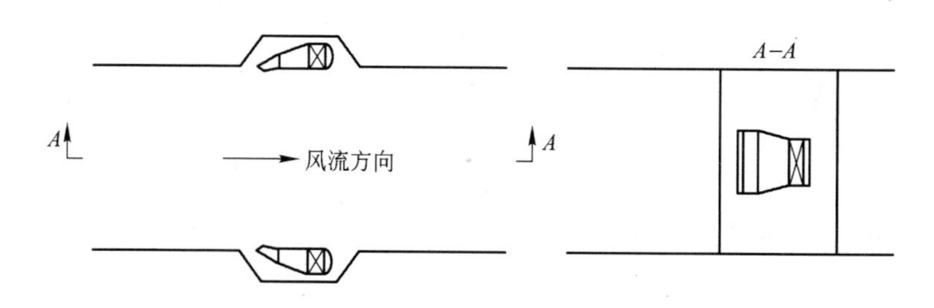

图 4-43 空气幕布置形式示意图

C 试验测试结果及分析

当 -400 m 和 -580 m 主井进风石门内的空气幕安装完毕后，在不同气候条件和空气幕的不同运行状态下，用热球风速仪同时测定其风速，用阻风率说明空气幕的增阻效果，结果列于表 4-31，其中的阻风率 η_z 用式(4-104)计算。

表 4-31 不同状态下主井石门内的风流状态

测点	空气幕运行状态	气温/℃	测点风量 /$m^3 \cdot s^{-1}$	测点风量减少量/$m^3 \cdot s^{-1}$	阻风率/%
-400 m 石门	关	-1～1	24.0		
	全开		4.4	19.6	81.67
	一侧开		16.7	7.3	30.42

续表 4-31

测　点	空气幕运行状态	气温/℃	测点风量 /$m^3·s^{-1}$	测点风量减少量/$m^3·s^{-1}$	阻风率/%
-580 m 石门	关	-1~1	37.0		
	全开		18.3	18.7	50.54
	一侧开		24.3	12.7	34.32
主　井	关	-1~1	61.0		
	全开		22.7	38.3	62.79
	一侧开		41.0	20.0	32.79
-400 m 石门	关	-4~(-1)	28.0		
	全开		12.5	15.5	55.36
	一侧开		20.1	7.9	28.21
-580 m 石门	关	-4~(-1)	41.2		
	全开		23.5	17.7	42.96
	一侧开		30.1	11.1	26.94
主　井	关	-4~(-1)	69.2		
	全开		36.0	33.2	48.0
	一侧开		50.2	19.0	27.5

从表 4-31 可以看出:(1) -400 m 和 -580 m 主井石门空气幕开启后,当气温在 -1℃ 左右时,与空气幕关时相比,主井进风量减少 38.3 m^3/s;而开其中一侧空气幕时,主井进风量减少 20 m^3/s;当气温低于 -1℃ 时,空气幕全开主井进风量减少 33.2 m^3/s,开其一侧空气幕主井进风量减少 19.0 m^3/s,可见空气幕具有较好的增阻效果,在寒冷冬季能大大减少主井的进风量,控制了寒冷气流对井筒内淋水的降温效果,从而有效地防止井筒内的结冰。(2) 从不同气温条件下空气幕的阻风率可以看出,自然风压对矿井的进风量有较大影响,当气温在 -1℃ 左右时,-400 m 和 -580 m 主井石门的空气幕只需开一侧即可;当气温低于 -1℃ 时,空气幕需要全开,可见,空气幕具有一定灵活性,能适应一定气温的变化。(3) 空气幕开启后,主井石门内的风流速度大大降低,有利于减少有轨电车运输过程中的二次扬尘,使得主井石门风流中的含尘浓度由安装空气幕前的 1 mg/m^3 左右降到现在的 0.5 mg/m^3 以下,减少了主井的进风对井下风质的影响。此外,从现场空气幕的运行

效果看,安庆铜矿冬季已完全不用主扇反风来防止主井井筒的结冰,不仅减少了主扇反风对生产所带来的影响,而且可避免冰块砸坏井筒内的电缆、设备等,有利于安全生产。(4)由于空气幕同样安装在石门巷道的两侧,因此不影响行人和电机车的运行。

4.4.4 效益分析

4.4.4.1 经济效益分析

矿井通风构筑物是矿山通风管理中的重要内容,也是矿山通风中的主要难题之一。金川集团有限公司二矿区和龙首矿、安徽铜都铜业股份公司安庆铜矿及马坑铁矿的大断面巷道内应用多机并联空气幕替代风门、辅扇或风机机站和调节风窗的现场应用研究成功,解决了矿山多年来想解决但一直尚未解决的大断面运输巷道风流控制的难题,为企业创造了显著的经济效益,主要体现在如下几方面:

(1) 减少通风设备,节约运行电耗;

(2) 改善作业环境和行车可见度,提高生产效率;

(3) 减少巷道的维护费;

(4) 防止污风对设备的腐蚀,节约设备的维护费;

(5) 减少人员对通风构筑物的看护费;

(6) 减少通风工程量,节约工程费。

4.4.4.2 社会环境效益分析

空气幕的应用不仅可以创造明显的经济效益,而且可创造显著的社会和环境效益,主要有如下几方面。

(1) 有效阻隔短路风流,提高风机的有效风量率。

12 行分斜坡道空气幕正常运行后,由于 TB_4与 TB_6之间的短路风流被有效阻隔,因而,TB_6风机供给的新风能被有效送到 1238 m 分段的作业面,这样不仅改善 1238 m 分段作业面的作业环境,而且提高了TB_6风机的有效风量率。同样,1150 m 中段 472 岔道口空气幕能有效将东、西副井的新鲜风送到中心溜井作业区,减少了短路风流,有利于提高矿井主扇的有效风量率,降低内部漏风率。

(2) 有利于排除作业面污风,提高劳动生产率。

12 行分斜坡道和 1150 m 中段运输道空气幕正常运行后,有效解决了作业面烟尘弥漫、热量集聚、氧浓度偏低、粉尘浓度严重超标等问题，有效控制了中心溜井附近的污风循环，及时排出作业区的污风，提高柴油设备的运行效率，减少尾气的排放量，有利于提高劳动生产效率。

(3) 有效控制污风循环，改善作业环境

1150 m 中段 472 岔道口和 1000 m 主斜坡道口安装空气幕有效增加了东、西副井的进风量，将 37～40m^3/s 的新风引射到 1150 m 中段的作业区，有效控制了中心溜井作业区的污风循环，不仅改善作业区的供风风质，而且降低风流温度，对保护工人的身体健康十分有利。

(4) 有效控制主斜坡道的进风量，确保井下风流有序流动。

二矿区主斜坡道空气幕的有效引射风流和龙首矿主斜坡道空气幕控制主斜坡道的进风量，防止新 1 号主井和新 2 号副井出污风，均使得主斜坡道的进风量达到设计的要求，确保了井下风流的有序流动，增强矿井通风系统的可靠性，有利于矿井的安全生产。

(5) 有效控制风流反向，确保运输道的行车安全。

主斜坡道空气幕能确保主斜坡道进新风，及时稀释和排走柴油机尾气及扬尘，且控制沿斜坡道上反的雾气或井下废气，提高行车的可见度，有利于安全生产，保护行人的身体健康；同时，还增加巷道的干燥度，减少因巷道的不稳定所带来的不安全隐患。

4.5 结论

作者依据矿内风流流动的基础理论、无风墙辅扇理论等建立了多机并联空气幕阻隔风流、单机和多机并联空气幕引射风流及对风流增阻的理论模型，并用 Matlab 软件绘制其三维效果图，详细地分析其作用特性。另外，在实验室对单机空气幕的特性进行试验研究的基础上，采用对比试验研究方法，分别在金川集团有限公司二矿区、龙首矿、安徽铜都铜业股份公司安庆铜矿以及福建马坑铁矿的井下主要运输道内对矿用空气幕的阻隔风流、引射风流及对风流增阻进行了大量现场试验研究，不仅丰富了空气幕的理论和功能作用，而且为空气幕的广泛推广应用打下了良好基础。研究的主要结论如下：

(1) 建立了多功能空气幕的理论模型。多机并联运行空气幕的风量和有效压力不是单机空气幕的简单叠加,它与巷道断面积、空气幕供风器出口面积、空气幕风量、空气幕射流轴线与巷道轴线的夹角、多机并联空气幕中单台空气幕的风量与单机空气幕的风量比、空气幕并联风机台数、空气幕回流风阻等因素有关,据此,作者研究建立了循环型多机风门空气幕、非循环型多机风门空气幕、调节风窗单机空气幕、调节风窗多机空气幕、引射风流单机空气幕、引射风流多机空气幕等矿用空气幕的一组理论模型,并在数值分析和实验室研究的基础上,在矿井运输巷道的风流控制方面开展了卓有成效的应用研究,丰富了空气幕的理论,拓宽了空气幕的应用途径。

(2) 应用 Matlab 软件对空气幕理论模型进行处理,详细地分析其作用特性及影响因素。空气幕对巷道风流的实际有效压力或引射风量与各主要参数之间关系的效果图,直观地反映出的结果表明,对于隔断风流的空气幕,风机的台数和风量对其隔断风流有效压力的影响比较直接,而空气幕出口断面积对有效压力的影响幅度有限;取风方式影响空气幕的回流阻力,对于同型号空气幕,非循环型比循环型隔断风流的效果好。对于引射风流空气幕,引射器的最佳出口面积与空气幕并联风机的台数和特性有关,引射风量受安装空气幕巷道的风阻和空气幕引射器出口面积的影响非常小,但随空气幕风机台数和安装空气幕巷道的通风阻力的增大而增加。

(3) 开展了单机空气幕的性能试验研究,确定了空气幕最佳选型参数。空气幕起风门、引射风机或调节风窗的作用取决于空气幕的有效压力值、巷道断面积、风流阻力、空气幕出口断面积等,实验室在不同巷道断面积、不同型号风机及不同风机叶片安装角条件下,对单机空气幕的性能进行试验研究的结果表明,对于同一空气幕,其隔断风流、引射风流和对风流增阻的能力随巷道有效断面积的增大而降低。有效断面积和风流的静压差越大,空气幕的功率越大,因此,在大断面大压差巷道内需要采用多机并联空气幕,这与理论分析相符。

(4) 首次在大断面大风压差运输巷道内研究应用多机并联空气幕隔断风流,降低内部漏风率,提高风机站风机的有效风量率。在金川二矿区 12 行大断面大压差运输巷道中应用多机并联空气幕阻隔风流的现场应用研究的结果表明,多机并联空气幕能替代风门有效阻隔风流,阻风率达到了85%～88%,这不仅有效增加了TB_6风机供给1238m中段的有效风量,而且显著地减少TB_4风机的短路风流,充分发挥风机站风机的作用效果。

(5) 首次应用多机并联空气幕替代风机机站引射风流,有效地防止污风循环和污风停滞。在金川二矿区1150 m中段运输道、1000 m中段和主斜坡道内引射风流的现场应用研究的结果表明,空气幕在巷道侧壁硐室内引射风流的风量均大于30 m^3/s。这不仅有效地解决了1150 m中段中心溜井附近的污风循环难题,还有效控制了主斜坡道内污风停滞、反风和污风循环,而且不影响运输巷道内的行车和行人。

(6) 研究应用多机并联空气幕对风流增阻,控制大断面大压差运输道的进风量,防止井下风流紊乱。对龙首矿斜坡道风流增阻的试验结果表明,空气幕对风流增阻的效果与安装空气幕巷道两端的静压差有关。实际应用中,通过调整同时运行的风机数量或叶片安装角,可以满足不同气温条件所引起自然风压变化的需要,有效地控制了冬季主斜坡道内的进风量,防止新1号、2号井出污风及矿内的风流紊乱,确保矿山安全、稳定、持续生产。

(7) 成功开展了多机并联空气幕防止井筒结冰的试验。依据安庆铜矿现场的实际情况,在井筒的进风石门研究应用双机并联空气幕对进风流增阻,阻风率可达到48%～63%,有效控制井筒的进风量,在冬季不用主扇反转反风的情况下,成功地防止了井筒内的结冰。

(8) 应用空气幕控制井下运输巷道风流的反向。在安庆铜矿主斜坡道-400 m处以及马坑铁矿530 m运输道研究应用空气幕控制风流反向的结果表明,空气幕不仅引射风流的效果非常好,增加下部中段的进风量,能有效抑制运输道的风流反向,确保井下风流的有序流动,而且能增加运输道的可见度,有利于行车的安全。

(9) 多机空气幕采用分布于大断面巷道两侧的布置形式,有利于形成稳定的气幕。多机并联空气幕在二矿区主斜坡道引射风流的试验结果表明,当巷道断面大时,多机并联空气幕布置在同一断面的两侧,使两侧的气幕在巷道的中心线形成交汇,避免了在单侧空气幕在巷道对侧造成能量的损失,利于形成稳定的空气幕。

(10) 矿用空气幕在矿山井下应用能收到显著的经济效益、社会效益和环境效益。多机并联空气幕在金川集团有限公司和安庆铜矿现场应用的资金投入回报率均较高。此外,本成果的应用较好地解决了矿山主斜坡道的风流控制、作业中段新鲜风的供给以及风流循环的难题,也为有效防止井筒内的结冰和井筒内设备的腐蚀找到了一项行之有效的措施,具有良好的社会效益和环境效益。

(11) 丰富了空气幕的作用功能和应用范围,使其在矿山具有广阔的推广应用前景。在矿山井下生产过程中普遍存在风流短路、漏风、风流循环、风量分配等风流控制的实际的问题下,空气幕理论及现场应用研究的成果,为解决矿山井下需要安装通风构筑物或辅扇调节风流但又因运输等而不能设置的主要运输巷道的风流调控问题找到了一条新的有效途径,因此,其具有广阔的推广应用前景。

5 溜矿井风流控制

地下开采矿山在生产过程中，主溜井是矿石运输的重要渠道，也是矿山井下主要粉尘污染源之一。溜井放矿时，一般通过支岔溜井与卸矿硐室相连通，各中段采出的矿石经过阶段运输平巷运至卸矿硐室，卸入与支岔溜井相通的高溜井，再经有轨电车至主井破碎硐室破碎。由于落矿高差较大，矿石沿溜井加速下落，类似于活塞运动，前方空气受到压缩，产生强大冲击气流。当通过各中段的支岔溜井口时，含尘浓度很高的冲击气流瞬间大量涌出，造成强大暴风，可冲出几十米远。不仅严重污染卸矿硐室以及后巷，而且还会污染入风风流，致使采场作业面风质受污染，严重时会造成全矿极大的粉尘危害。高溜井卸矿防尘情况复杂，难度较大，与矿石的卸矿频率、矿石降落速度、冲击风速以及气流扩散长度等因素有关。

5.1 溜矿井放矿时的冲击风流

矿井主溜井多位于井底车场附近，进风巷道的旁侧。溜井卸矿时，由于矿石的快速下落，产生了强大的冲击气浪，并带出大量的粉尘，严重地污染卸矿硐室及其附近的巷道，甚至造成整个入风系统的风流污染。所以，研究溜井卸矿时，冲击风流产生的规律及其控制措施，对防止矿内空气污染，保护矿工安全有很大的实际意义。

5.1.1 冲击风流的形成

球体在空气中运动时，在球体的前后形成压力差。单位体积流体因克服正面阻力所造成的能量损失，可由下式计算 h_c(Pa)：

$$h_c = c\frac{S_n}{S - S_n} \times \frac{\rho v_n^2}{2}$$

式中　v_n——风流通过溜井断面的平均流速，m/s；

S_n——正面阻力物在垂直于风流方向上的投影面积，m^2；

c ——冲击风压校正系数,与正面阻力系数、溜井口阻力系数有关。

在溜井中,一次落矿矿石在垂直于风流方向上的投影面积仅占溜井全断面的4%~15%,为了计算上方便,上式分母中 $S-S_n$,可略去 S_n 将上式简化成 h_c(Pa):

$$h_c = c\frac{S_n}{S}\times\frac{\rho v_n^2}{2} \tag{5-1}$$

从矿石与流体的相互作用来看,矿石在溜井中降落与空气绕过矿石流动具有相同的性质。只不过流体绕经物体流动,消耗流体的机械能,而矿石在空气中快速降落,增加空气的机械能。如果把矿石在溜井中的降落看成自由降落,矿石下落速度 $v_n=\sqrt{2gH}$。根据运动的相对性,矿石下落速度 v_n 应等于风流绕过矿石的速度。所以,矿石因与空气相互作用所造成的单位体积空气的能量增量,应等于 h_c。将 $v_n=\sqrt{2gH}$代入式(5-1)得:

$$h_c = c\frac{S_n}{S}\rho gH \tag{5-2}$$

式中 H——放矿高度,m。

在冲击压力作用下,由溜井口冲出的气流与溜井口风阻有关。由于冲击气流的形成与消失属非稳定流动过程,所以,其压力损失为:

$$h = \xi\frac{\rho v^2}{2} + H\rho\frac{\mathrm{d}v}{\mathrm{d}t} \tag{5-3}$$

式中 v ——由于冲击风压而造成的空气流速,m/s;

ξ ——溜井口局部阻力系数,无因次;

$H\rho\frac{\mathrm{d}v}{\mathrm{d}t}$ ——惯性阻力,随时间而变化,当空气流速达最大值时,$\frac{\mathrm{d}v}{\mathrm{d}t}=0$。

风流因克服阻力而造成风流能量损失,显然,$h_c=h$,即:

$$c\frac{S_n}{S}\rho gH = \xi\times\frac{\rho v^2}{2} + H\rho\frac{\mathrm{d}v}{\mathrm{d}t} \tag{5-4}$$

当$\frac{\mathrm{d}v}{\mathrm{d}t}=0$时,式(5-4)简化成:

$$c\frac{S_n}{S}\rho gH = \xi \times \frac{\rho v^2}{2}$$

整理后得：

$$\frac{v^2}{2gH} = \frac{c}{\xi} \times \frac{S_n}{S} \tag{5-5}$$

式中　$\frac{v^2}{2gH}$ ——称压力系数，无因次；

$\frac{S_n}{S}$ ——断面系数，无因次；

$\frac{c}{\xi}$ ——阻力系数，无因次。

式(5-5)表达了最大冲击风流与其他各项参数之间的基本关系。

5.1.2　影响冲击风速的因素

图 5-1 为溜井放矿的实验模型。溜井主体采用圆形铁筒，总高为 10.87 m，直径 160 mm。从几何相似角度来看，它相当于直径 3 m，高 200 m 的溜矿井。

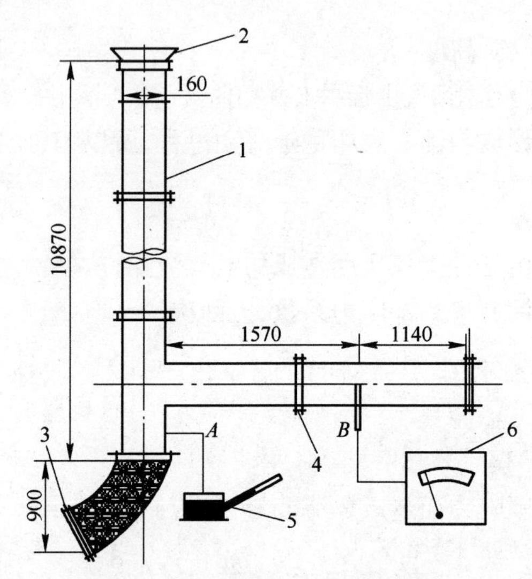

图 5-1　溜井放矿冲击气流实验模型

1—铁管；2—漏斗；3—闸门 1；4—闸门 2；5—倾斜压差计；6—热球风速计

溜井放矿中的主要动力是矿石本身的质量。矿山溜矿井一次实际放矿量有 1 t、2 t、3 t 三种情况。假定矿石在溜井口中呈松散球体自由下落，一个直径 3 m 的松散矿石球质量有 20 多吨。可见，3 t 重的松散矿石球，远远没有占满溜井断面。模型溜井直径为0.16 m，一个直径 0.16 m 的松散矿石球重 3.16 kg。为保持实验的相似条件，模型溜井中松散矿石球断面与模型溜井全断面之比应等于实际溜井中的松散矿石球断面与实际溜井全断面之比，并均应小于 1，即：

$$\frac{S_n}{S} = \frac{S'_n}{S} < 1 \tag{5-6}$$

式中 S'_n——模型溜井中，松散矿石球体的投影面积，m^2；

S——模型溜井全断面，m^2。

由此看出，模型实验中一次放矿量必须控制在 3.16 kg 以内。实验时，在模型溜井上口漏斗处，由人工翻矿，使矿石自由落下。冲击风速和压力随矿石下落逐渐增大。测定时，只取其极大值。冲击气流的速度和压力用 QDF-2A 型热球式风速计和倾斜压差计测定。测风点设在溜井下部水平管道 B 处，测压点设在 A 处，如图 5-1 所示。

在不同的放矿量 G、放矿高度 H、溜井口阻力系数 ξ 条件下，冲击气流的测定数据及其整理结果列于表 5-1 中。对表中数据可做如下分析。

(1) 放矿量对冲击风速的影响。在放矿高度、溜井口阻力系数不变的情况下，改变放矿量，测定溜井冲击风速的变化，并将测定结果绘成放矿量 G 与冲击风速 v 的关系曲线。由图 5-2 可看出，风速随放矿量而增加，在放矿量较低时，风速增加幅度较高；在放矿量较高时，风速增加幅度变小。冲击风速与放矿量之间存在非线性关系。

(2) 放矿高度对冲击风速的影响。图 5-3 为不同放矿高度时冲击风速的变化范围。由图可见，冲击风速随放矿高度逐渐增大。当高度较低时，风速变化幅度较大；高度较高时，风速变化幅度较小。冲击风速随放矿高度的变化，也是非线性关系。

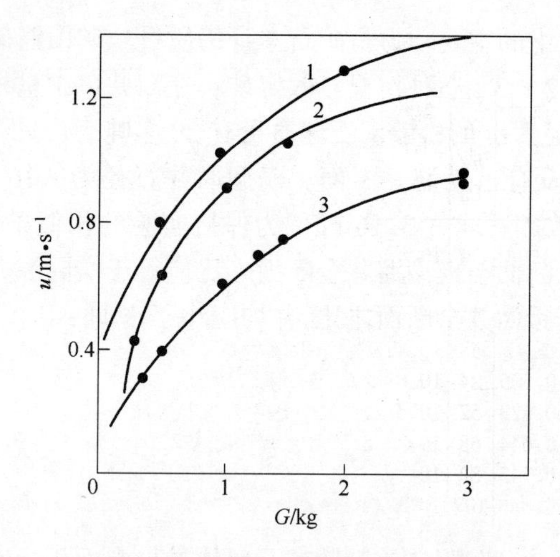

图 5-2　放矿量 G 对冲击风速 u 的影响

1—放矿高度 H=10.87 m;2—放矿高度 H=5.87 m;3—放矿高度 H=3.87 m

表 5-1　溜井放矿冲击气流参数增量表

序号	岩石量 G/kg	$\frac{\pi\left(\frac{3G}{4\pi\gamma_n}\right)^{\frac{2}{3}}}{S}$	风速 v/m·s^{-1}	静压 h/Pa	高度 H/m	$2gH$	$\frac{v^2}{2gH}$	直线斜率 K	局部阻力系数 ξ		冲击风压系数 c	$\frac{c}{\xi}\cdot\frac{\pi\left(\frac{3G}{4\pi\gamma_n}\right)^{\frac{2}{3}}}{S}$
									ξ	ξ_c		
1	1.5	0.615	0.52		2.37	45.4	0.00583	0.010		14.2	0.142	0.00615
2	3.0	0.970	0.66		2.37	45.4	0.0094	0.010		14.2	0.142	0.00970
3	1.5	0.615	0.72		3.87	75.0	0.0068	0.010		14.2	0.142	0.00615
4	3.0	0.970	0.92		3.87	75.0	0.0112	0.010		14.2	0.142	0.00970
5	0.5	0.294	0.39		3.87	75.0	0.0020	0.010		14.2	0.142	0.00294
6	1.0	0.466	0.58		3.87	75.0	0.0044	0.010		14.2	0.142	0.00466
7	0.5	0.615	0.68		3.87	75.0	0.0061	0.010		14.2	0.142	0.00615
8	3.0	0.970	0.89		3.87	75.0	0.0104	0.010		14.2	0.142	0.00970
9	0.5	0.294	0.62		5.87	135	0.00284	0.010		14.2	0.142	0.00294
10	1.0	0.466	0.87		5.87	135	0.0056	0.010		14.2	0.142	0.00466
11	1.5	0.615	1.07		5.87	135	0.0085	0.010		14.2	0.142	0.00615
12	0.5	0.294	0.75		10.87	213	0.00264	0.010		14.2	0.142	0.00294
13	0.4	0.252	0.68		10.87	213	0.0028	0.010		14.2	0.142	0.00252
14	0.5	0.294	0.85		10.87	213	0.0034	0.010		14.2	0.142	0.00294
15	1.0	0.466	0.99	5.0	10.87	213	0.0046	0.010	10	14.2	0.142	0.00466
16	2.0	0.740	1.22	12	10.87	213	0.007	0.010	12.9	14.2	0.142	0.00740
17	3.0	0.970	1.38	23	10.87	213	0.009	0.010	19.8	14.2	0.142	0.00970
18	1.0	0.466	0.83	16	10.87	213	0.00323	0.007	38	46	0.32	0.00327

续表 5-1

序号	岩石量 G/kg	$\frac{\pi\left(\frac{3G}{4\pi\gamma_n}\right)^{\frac{2}{3}}}{S}$	风速 v/m·s^{-1}	静压 h/Pa	高度 H/m	$2gH$	$\frac{v^2}{2gH}$	直线斜率 K	局部阻力系数 ξ		冲击风压系数 c	$\frac{c}{\xi}\cdot\frac{\pi\left(\frac{3G}{4\pi\gamma_n}\right)^{\frac{2}{3}}}{S}$
									ξ	ξ_c		
19	2.0	0.74	1.08	30	10.87	213	0.0055	0.007	41.7	46	0.32	0.00518
20	3.0	0.97	1.22	44	10.87	213	0.0070	0.007	48.2	46	0.32	0.0068
21	4.0	1.17	1.26	53	10.87	213	0.0075	0.007	54.2	46	0.32	0.0082
22	5.0	1.37	1.41	58	10.87	213	0.0094	0.007	48	46	0.32	0.0096
23	1.0	0.466	0.505	24	10.87	213	0.0012	0.0023	174	234	0.53	0.00107
24	2.0	0.74	0.623	52	10.87	213	0.0018	0.0023	219	234	0.53	0.0017
25	3.0	0.97	0.644	68	10.87	213	0.00195	0.0023	267	234	0.53	0.00022
26	4.0	1.17	0.743	82	10.87	213	0.0026	0.0023	243	234	0.53	0.0027
27	5.0	1.37	0.806	107	10.87	213	0.0031	0.0023	270	234	0.53	0.00315
28	1.0	0.466	0.390	42	10.87	213	0.00072	0.0014	450	482	0.68	0.00065
29	2.0	0.74	0.440	58	10.87	213	0.00097	0.0014	490	482	0.68	0.00103
30	3.0	0.97	0.508	88	10.87	213	0.00121	0.0014	455	482	0.68	0.00136
31	4.0	1.17	0.597	101	10.87	213	0.00167	0.0014	464	482	0.68	0.00163
32	5.0	1.37	0.654	123	10.87	213	0.00201	0.0014	470	482	0.68	0.00192
33	1.0	0.466	0.171	39	10.87	213	0.00014	0.0003	2180	2570	0.77	0.00019
34	2.0	0.74	0.208	73	10.87	213	0.00020	0.0003	2200	2570	0.77	0.00022
35	3.0	0.97	0.235	99	10.87	213	0.00026	0.0003	2940	2570	0.77	0.00029
36	4.0	1.17	0.260	122	10.87	213	0.00032	0.0003	2930	2570	0.77	0.00035
37	5.0	1.37	0.317	158	10.87	213	0.00047	0.0003	2580	2570	0.77	0.00041

注：$\xi = 2h/\rho v^2$；ξ_c—平均值；S—模拟溜井断面；$S = 0.02\ \mathrm{m}^2$；$\gamma_n = 1470\ \mathrm{kg/m^3}$；$\rho = 1.2\ \mathrm{kg/m^3}$。

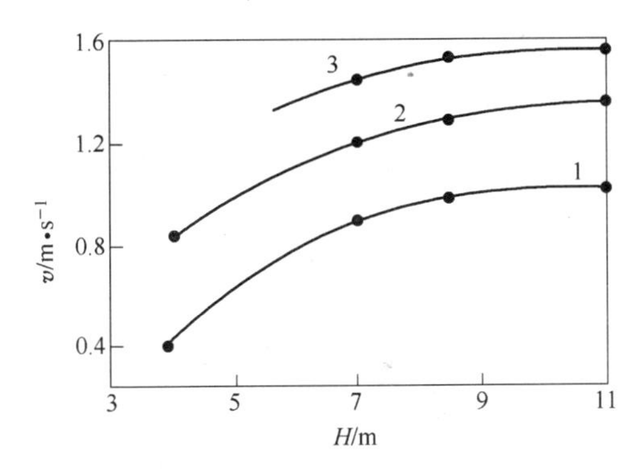

图 5-3 冲击风速随放矿高度变化曲线图

1—放矿量 $G=1$ kg；2—放矿量 $G=2$ kg；3—放矿量 $G=3$ kg

(3) 溜井口阻力对冲击风速的影响。调整图 5-1 中闸门 2,改变溜井口阻力系数 ξ,测定冲击风速的变化,并根据测定资料绘出冲击风速随溜井口阻力系数 ξ 的变化曲线。可见,冲击风速随溜井口阻力系数增大而显著减少。当风阻较小时,风速随阻力系数变化幅度较大;当风阻较大时,风速随阻力系数的变化幅度较小。风速随阻力系数的变化,也是线性关系,如图 5-4 所示。

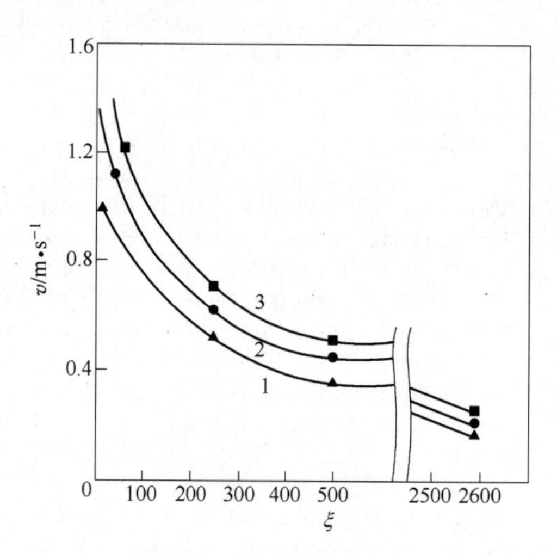

图 5-4　冲击风速随溜井口阻力变化曲线

1—放矿量 $G=1$ kg;2—放矿量 $G=2$ kg;3—放矿量 $G=3$ kg

5.1.3　冲击风速(或风量)的计算

前已导出最大冲击风速与断面系数、阻力系数和放矿高度等参数之间的关系式(5-5),其中 S_n 是下落矿石在溜井中所占的面积。矿石在溜井中所占面积的大小与矿石下落的形状有关。假定矿石下落时,呈松散球体状,那么该球体的投影面积 S_n 可按式(5-7)计算:

$$S_n = \pi\left(\frac{3G}{4\pi\gamma_n}\right)^{\frac{2}{3}} \tag{5-7}$$

式中　G——一次放矿量,t;

γ_n——矿石的密度,kg/m³,松散体矿石的重率 $\gamma_n = 1470$ kg/m³。

将此 S_n 代入式(5-5)中,得:

$$\frac{v^2}{2gH} = \frac{c}{\xi} \frac{\pi\left(\frac{3G}{4\pi\gamma_n}\right)^{\frac{2}{3}}}{S} \tag{5-8}$$

把落矿参数的测定资料,按无因次式(5-8)分别进行整理后列于表5-1中。同时,以$\frac{\pi\left(\frac{3G}{4\pi\gamma_n}\right)^{\frac{2}{3}}}{S}$为横坐标,以$\frac{v^2}{2gH}$为纵坐标,绘出图5-5,得出在不同阻力系数情况下,不同斜率的一组直线。每一条直线对应着一个 ξ 值。由这些直线的斜率及其对应的 ξ 值,可求出冲击风压校正系数 c。c 值与落体的正面阻力系数有关。表5-2列出了不同 ξ 值时的冲击风压校正系数 c,并绘出图5-6。

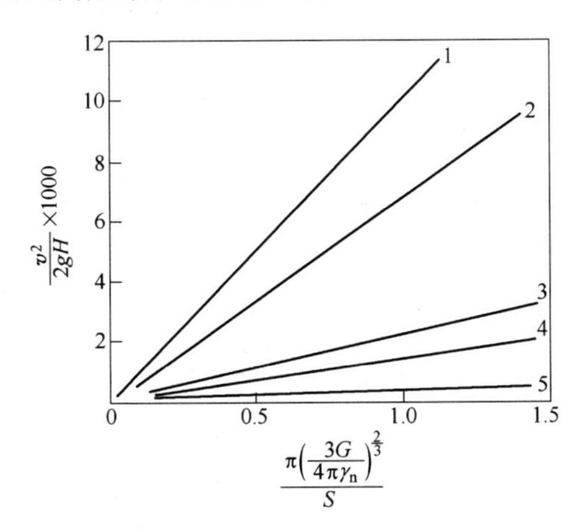

图5-5 压力系数与断面系数的关系曲线

1—$\xi=14.2$;2—$\xi=47.5$;3—$\xi=230$;4—$\xi=485$;5—$\xi=2570$

表5-2 风压校正系数 c

阻力系数 ξ	直线斜率 $k=\frac{c}{\xi}$	校正系数 c	备注
14.2	0.01	0.142	溜井口全开
46	0.007	0.32	溜井口遮挡1/3
234	0.0023	0.53	溜井口遮挡2/3
482	0.0014	0.68	溜井口全闭,有漏风
2570	0.0003	0.77	溜井口全闭,十分严密

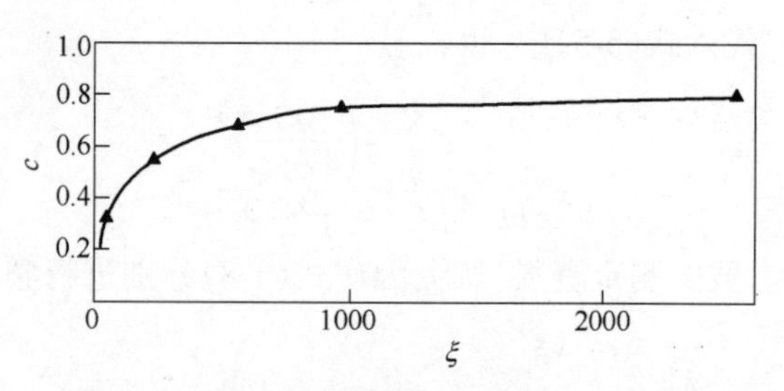

图 5-6　不同 ξ 值时的冲击风压校正系数 c 图

前人于 1975 年曾对红透山矿溜矿井的冲击风流进行了现场实际测量。该溜井位于大竖井旁的入风侧(图 5-7),是一个多中段放矿的深溜井。从 133 m 中段到 -167 m 中段,井深 300 m。放矿中段有 133、73、13、-47、-107 中段,最大放矿高度 240 m。溜井断面 2.5m×2 m,放矿量有三种情况:3 t、2 t 和 1 t。在生产过程中,由于各中段大量放矿,在各中段溜井口产生很大的冲击气流,特别是下部 -107 m 中段冲击气流最大,粉尘污染严重。将在该矿的实测资料整理后列于表 5-3 中。

表 5-3　红透山矿溜矿井冲击风流测定资料

矿石质量/kg	$\dfrac{\pi\left(\dfrac{3G}{4\pi\gamma_n}\right)^{\frac{2}{3}}}{S}$	风速/m·s^{-1}	高度/m	$2gH$	$\dfrac{v^2}{2gH}$	阻力系数 ξ	$\dfrac{c}{\xi_c}\dfrac{\pi\left(\dfrac{3G}{4\pi\gamma_n}\right)^{\frac{2}{3}}}{S}$	备　注
3000	0.390	4.9	240	4700	0.0051	10.97	0.0058	c=0.142;
2000	0.303	4.0	180	3530	0.0045	9.6	0.00455	ξ 平均
1000	0.187	2.1	60	1170	0.0036	7.4	0.0028	值 9.3

由于该溜井口没有采取有效的密闭措施,认为溜井口属于全开型,取冲击风压修正系数 c=0.142,由式(5-8)得:

$$\xi = \frac{2\pi gHc\left(\dfrac{3G}{4\pi\gamma_n}\right)^{\frac{2}{3}}}{Sv^2} \tag{5-9}$$

按式(5-9)算出的溜井口阻力系数 ξ 也列入表 5-3 中。

将模型实验与现场测定资料整理结果(表 5-1 及表 5-3)均绘于以 $\dfrac{v^2}{2gH}$ 纵坐标,以 $\dfrac{c}{\xi}\dfrac{\pi\left(\dfrac{3G}{4\pi\gamma_n}\right)^{\frac{2}{3}}}{S}$ 为横坐标的图 5-8 中,所得各点均大致分布于斜率为 1 的直线附近。这说明,公式(5-9)与实测资料基本吻合,能满足工程计算的要求。取 $\gamma_n = 1470\ \mathrm{kg/m^3}$，$g = 9.8\ \mathrm{m/s^2}$，代入式(5-9)，并加以整理后得冲击风速计算式：

$$v = 0.43\sqrt{\frac{HC}{\xi S}}\sqrt[3]{G} \tag{5-10}$$

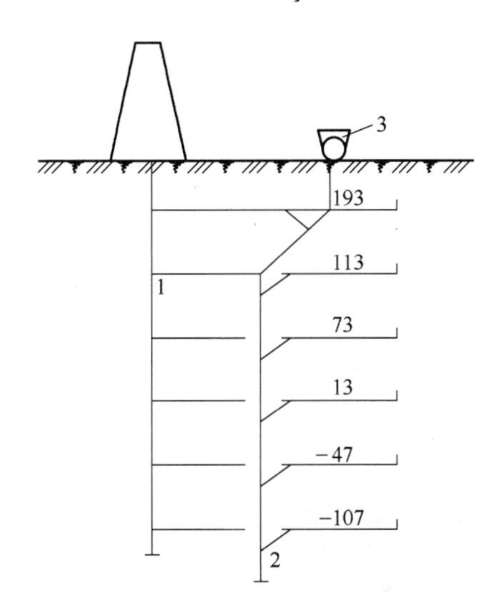

图 5-7 红透山矿放矿溜井图

1—大竖井；2—溜矿井；3—溜井排尘扇风机

式(5-10)表明，冲击风速与卸矿量的三次方根成正比，与卸矿高度的平方根成正比，而与溜井断面和溜井口阻力系数的平方根成反比。上式中的风速为测点 B 处的风速。欲求冲击风量 $Q(\mathrm{m^3/s})$，应按下式计算：

$$Q = 0.43S_0\sqrt{\frac{cH}{\xi S}}\sqrt[3]{G} \tag{5-11}$$

式中 S_0——溜矿道断面，$\mathrm{m^2}$。

溜井放矿时，最大冲击风压 h_c(Pa)可按式(5-12)计算：

$$h_c = 0.11c\frac{H}{S}G^{\frac{2}{3}} \tag{5-12}$$

式中 c ——冲击风压修正系数，由表 5-3 查得；

G ——卸矿量，kg。

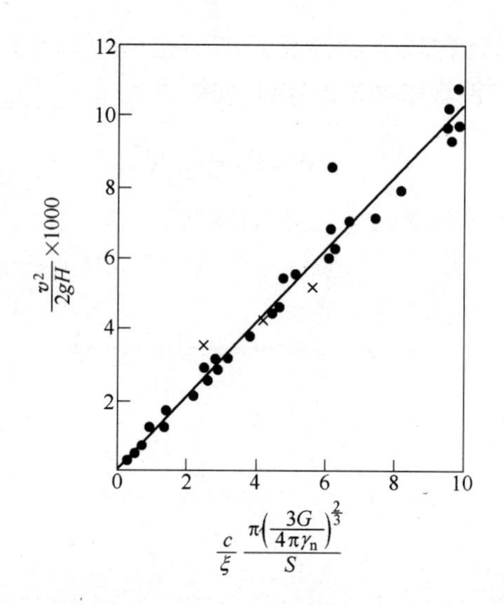

图 5-8 溜井冲击风流理论曲线与实测数据对照图

5.1.4 连续卸矿时的冲击风流

使用自翻矿车连续放矿时,能产生连续的冲击风流。当卸矿频率较高时,在前次卸矿所造成的冲击风流未完全消失之前,再次卸矿又产生新的冲击风流,形成了冲击风流互相叠加的现象,从而出现了更高的冲击风流。

模型和生产矿山的测定资料表明,冲击风流由零增加到最大值所用的时间 t 远大于矿石自由降落时间。这是由于风流惯性作用的结果。按观测资料可得如下经验式:

$$t_m = 1.35\sqrt{H} \tag{5-13}$$

表 5-4 列出了冲击风速上升时间 t_m 的观测值与计算值。

表 5-4 冲击风速上升时间的观测值与计算值

实验地点	溜井卸矿高度/m	自由落体降落时间/s	冲击风速上升时间/s	
			观测值	计算值
东工溜井模型	10.87	1.49	4.50	4.40
红透山矿	60	3.50	10.00	10.50
红透山矿	120	4.95	15.00	14.80

前已导出，冲击风速的计算式(5-10)。将式(5-11)变形后代入式(5-10)，可得冲击风速 v(m/s)与时间的关系式：

$$v = 0.32t\sqrt{\frac{c}{\xi S}}\sqrt[3]{G} \tag{5-14}$$

上式表明，冲击风速随时间的变化按线性关系增加。

当冲击风速达最大值之后，由于失去矿石的冲击作用，其风速开始衰减。此衰减的运动方程如下：

$$\xi\rho\frac{v^2}{\rho^2} + \rho H\frac{\mathrm{d}v}{\mathrm{d}t} = 0 \tag{5-15}$$

当 $t=0$ 时，$v=v_\mathrm{m}$；当 $t=t$ 时，$v=v$，按此条件积分上式，可得：

$$v = \frac{1}{\dfrac{1}{v_\mathrm{m}} + \dfrac{\xi t}{2H}} \tag{5-16}$$

S_0 在溜井口风阻较高情况下，冲击风速迅速衰减，衰减后的风速值很小，在工程上可忽略不计。

如果连续放矿时，两次卸矿的间隔时间为 Δt，而且 $\Delta t < t_\mathrm{m}$，就会出现风速迭加现象。迭加后的最大冲击风速可按下式计算：

$$\sum v_\mathrm{m} = v_\mathrm{m}\left(n + 1 - \frac{1}{t_\mathrm{m}}\sum_{i=1}^{n} i\Delta t\right) \tag{5-17}$$

式中 n ——冲击风速迭加的次数，$n=\dfrac{t_\mathrm{m}}{\Delta t}$，取正整数；

i ——序号 1,2,…,n 为正整数。

表 5-5 列出了 $v_\mathrm{m}=1$ m/s，$t_\mathrm{m}=4.5$ s，$\Delta t=1$ s、1.5 s、2 s、3 s 时的最大冲击风速值。计算的叠加风速较实测值略小，这是由于忽略衰减风速而引起的。

表 5-5 连续卸矿时迭加最大风速测算表

间隔时间 Δt/s	$n=\dfrac{t_\mathrm{m}}{\Delta t}$	计算 $\sum v_\mathrm{m}$ /m·s^{-1}	实测 $\sum v_\mathrm{m}$ /m·s^{-1}	备 注
1	4	2.8	—	$v_\mathrm{m}=1$ m/s $t_\mathrm{m}=4.5$ s
1.5	3	2.0	2.1	
2.0	2	1.65	1.80	
3.0	1	1.33	1.40	

5.2 高溜井漏风及卸矿粉尘污染控制技术

多年来，许多矿山致力于高溜井防尘技术的研究与应用，收到一定效果，其主要研究结果有：密闭抽尘、洒水降尘、卸压控制粉尘、净化除尘以及卸矿量控制等技术措施，但不同矿山的使用条件不一样，因而收到的效果也不一样。

5.2.1　控制冲击风流的措施

5.2.1.1　溜井的位置选择

溜井在通风系统中所处的位置不同，对矿井通风的风流质量有很大影响，当溜井位于进风道时，溜井冲击风流所带出的粉尘将严重污染风源；当溜井位于回风侧时，则对矿井的通风影响不大。但过去常将溜井设在主要运输巷道的进风道一侧，使许多矿山投产后因矿尘危害而被迫进行改造，所花费用较大，且取得的效果也不显著。例如有的矿山曾施行溜井与主风流之间采用水幕装置隔离，可是效果不好；或用风门隔离，这在运输频繁的情况下，风门也难起到隔离的作用，反而使该区段的运输和装卸工作复杂化，同时还需要开凿一个补充巷道将卸矿硐室的含尘空气引出，这一方法也未能很好地改善卸矿硐室的劳动卫生条件，所以溜井的位置一开始就须结合通风条件来选定。

在选择溜井位置时，宜将溜井布置在回风侧。如因条件限制需要将溜井设在进风井巷附近时，则应该使溜井离开主要入风巷道的绕道，溜井口距绕道的距离应大于冲击风流波及距离，一般为 60～100 m；或者把溜井与主要风流隔断；或者把污风导入回风系统；或者从溜井内把粉尘排至地表；或者将污风就地加以净化。所以，溜井位置不能选在回风侧布置时，都需要通过技术经济比较来确定其他布置位置或设施。

5.2.1.2　溜井结构型式的选择

合理选择溜井的结构型式是减少和消除溜井产尘危害的重要途径。一般有：采用斜溜井、降低溜井高度（分段控制直溜井、阶段式溜井）、合理设计溜井及溜井口的尺寸、改变矿石流动方向等型式，具体应根据矿山的实际情况而定。

5.2.1.3　卸矿量的控制

卸矿扬尘是坑下主要产尘源之一，单位时间向溜井卸矿量越大，则矿石在溜井断面内所占面积越大，产生的冲击风流和矿尘量就越大。自卸式卸矿过程是均匀连续地卸矿，矿石在溜井断面内占有较小的面积，故卸矿时的冲击风流不大，矿尘产生量也不高。翻笼卸矿则是不均匀和断续性的，一次卸矿量比较大，且矿石涌入溜井并几乎占据其整个断面，故易形成强大的冲击风流，带出大量粉尘。前倾式和人工侧卸式卸矿，通常在生产能力不大的中段采用，故一次卸矿量小，产生的冲击风流小，矿尘浓度一般不高。根据矿车容积及卸矿方式，分别采用限制卸矿量的措施，即减少一次连续卸矿量或延长一次卸矿时间，例如，可在溜井口的卸矿道上加设铁链条等，以适当放慢卸矿速度，这样既能减少冲击风流，又能增加井口的阻力。实行卸矿作业自动化和远距离控制可以减少和避免含尘空气对作业人员的危害。采用多中段分支共用的溜井时，应在各个水平安设信号装置，使上下卸矿口不同时向溜井中卸矿，尽量避免和减少冲击风流的互相叠加。

5.2.1.4　溜矿井高度设计

溜井的卸矿高度直接影响冲击风速大小。一些中小型有色金属矿山，中段高度不太大，卸矿高度也比较小，卸矿时产生的冲击风流并未引起严重后果。但是，有些大中型金属矿山，采用多中段集中放矿的长溜井，放矿高度达 200～300 m，上部中段卸矿时，在下部中段所造成的冲击风流，能带出大量粉尘，造成入风系统严重污染，危害很大。

在溜井设计时，应尽量避免使用多中段共用的长溜井。如果在开拓系统上必须采用这种溜井，那么，在各中段溜井的布置上，应错开一段水平距离，使上中段卸落的矿石，通过一段斜坡道再溜入下中段溜井，以缓冲矿石的下落速度。

溜井的断面不宜太小。溜井断面增大一倍，在其他条件相同情况下，可使冲击风速降低 30%。从限制冲击风速角度来看，溜井越高、溜矿量越大，溜井断面应大些。当溜井高度在 60 m 以下时，取断面 5～6 m^2为宜；当溜井高度在 100 m 以上时，其断面应增大到 8～10 m^2。

溜井的位置应设在离开主要入风巷道的绕道内，溜井口距绕道口的距离应大于连续放矿时含尘气流的最大冲击距离。一般来说，应不小于 60 m。

5.2.2　粉尘污染控制措施

通过采取在溜井口密闭、在卸矿地点密闭抽尘、装矿闸门操作室单独密闭、非生产巷道封闭等措施密闭尘源，以及采用在溜井通道循环降尘和用专用回风道排尘等措施控制粉尘，可达到较好的防尘效果。

5.2.2.1　密闭通风防尘措施

冲击风流随溜井口局部阻力系数增大而迅速减小，在溜井口采取各种密闭措施，增大溜井口的阻力是防止冲击风流的重要措施之一。有不少矿山在溜井口安设自动溜井密闭门，自动井盖，挂皮带帘或在调车场安设自动风门等措施，以减少冲击风量，均收到了一定的效果。但是，溜井密闭装置都比较笨重，并需经常检修，在管理上增加了麻烦。实际上，溜井口密闭是溜井通风防尘的基本措施之一，它能明显地限制冲击风量。当溜井口全无密闭时，其局部阻力系数 ξ 约为 10～15；采用中等程度的密闭时，ξ 值增大到 200～500，冲击风量降到原来的 1/3；若采用十分严密的密闭措施，ξ 值可增大到 2000～3000，冲击风量可降到原来的 1/10。另外，井口密闭也为充分发挥通风抽尘作用创造了先决条件。当然，单靠井口密闭并不能完全解决冲击风流的危害，还需有其他措施相配合。

溜井采用抽尘措施在天宝山、红透山、西华山等矿均取得了成功经验。在加强溜井口密闭的前提下，采用专门的排尘风机，使整个溜井都处于负压状态，能有效地防止溜井冲击风流外泄。溜井口内外压差大小与抽尘扇风机性能和溜井口密闭程度有关。当扇风机的风压较高，溜井口密闭较严，在溜井内外所造成的压差大于卸矿时所产生的冲击风压时，可使溜井口不产生尘流外泄现象。但是，如果扇风机能力不足，或溜井口密闭较差，扇风机在溜井口内外造成的压差不足以抵制瞬时的冲击风压时，还能产生溜井口尘流外泄。这种现象多出现在下部中段冲击风压较大，且扇风机工作风压较弱的区段。

在进行溜井通风排尘设计时，排尘风机的风量应等于或稍大于最下部中段溜井口的最大冲击风量与上部各中段溜井口正常排尘风量之和。即

$$Q = K(Q_{\mathrm{m}} + \sum_{i=1}^{n} Q_{\mathrm{i}}) \tag{5-18}$$

式中　Q——排尘风机风量，$\mathrm{m^3/s}$；

Q_{m}——最下部中段的最大冲击风量，按式(5-11)计算；

Q_{i}——上部各中段正常排尘风量，取巷道排尘风速为 0.5 m/s；

K——备用风量系数,取1.1~1.2。

排尘风机的风压应稍大于最下部中段最大冲击风压与排风系统总阻力之和,即:

$$H = K(h_m + \sum_{i=1}^{n} h_i) \tag{5-19}$$

式中 h_m——最下部中段的最大冲击风压,Pa;

h_i——排尘系统各段巷道的风压,Pa;

K——风压备用系数,取1.1~1.2。

5.2.2.2 卸压防尘技术

对于服务于多中段的卸矿溜井,在不改变溜井的结构及卸矿方式的前提下,要减弱冲击风流是比较困难的。但冲击风流是冲击溜井后才形成的,如果把这股风流限制在溜井内部流动,就不会造成危害或大大减弱危害。据此提出利用平行溜井互为缓冲空间的措施,即在主溜井附近开一条与之平行的防尘卸压井,并隔一定距离开凿联络道,将防尘卸压井与主溜井贯通,构成防尘卸压溜井系统,使冲击风流在溜井内循环,可减轻溜井口的冲击风流。其结构如图5-9所示。

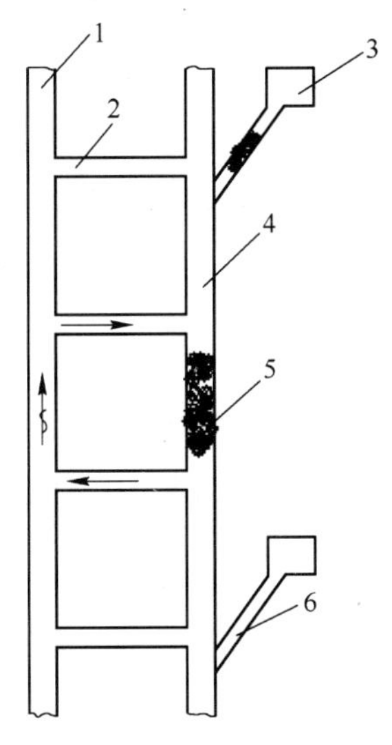

图5-9 防尘卸压溜井系统示意图

1—卸压井;2—联络道;3—卸矿硐室;4—主溜井;5—矿石;6—支岔溜井

在实验模型中,利用打开溜井口下部放矿闸门的方法,间接地测定了与主溜井有并列循环风路的溜井口的冲击风流。当放矿闸门打开的面积 A 和溜井断面 S 的比值等于 8%时,溜井口的冲击风流稍有降低;当 $A/S=1$ 时,冲击风流降低了 76%,如图 5-10 和表 5-6 所示。

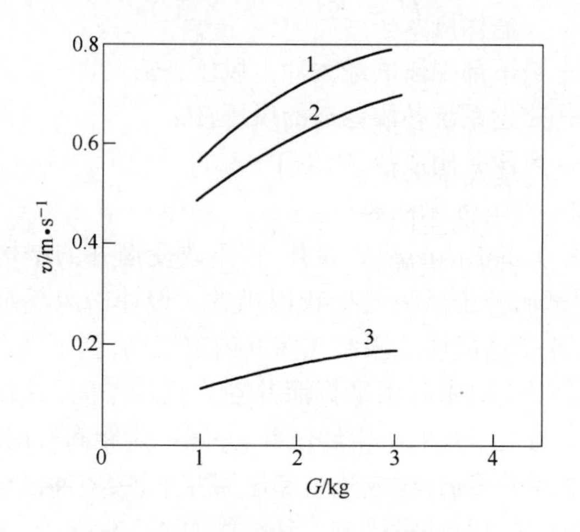

图 5-10　有并列循环溜井时的冲击风流

$1—\frac{A}{S}=0;2—\frac{A}{S}=0.08;3—\frac{A}{S}=1$

表 5-6　A/S 值对冲击风速的影响

矿石质量/kg	冲击风速/m·s^{-1}			备　注
	$A/S=0$	$A/S=0.08$	$A/S=1$	
1	0.55	0.48	0.125	放矿高度 $H=10.87$ m
2	0.72	0.612	0.135	
3	0.775	0.684	0.185	

此情况表明,在主溜井旁侧开凿一条与该溜井断面相同的副溜井,构成循环风路,可使溜井口的冲击风流大幅度下降。

卸压原理:当主溜井卸矿时,矿石降落产生强大的冲击风压,在其作用下,所产生的冲击气流分为两路。一路由支岔溜井口涌出,另一路经联络道、卸压井和主溜井构成循环风路,在防尘卸压溜井系统内部循环,使支岔溜井口的冲击风速显著降低,从而缩短了含尘气流的污染长度,防止或减弱冲击风流的危害。根据并联网路分风原理,开凿防尘卸

压井后,支岔溜井涌出的风量 Q'可用下式计算:

$$Q' = Q/K \tag{5-20}$$

式中 Q' ——无防尘卸压井时支岔溜井口涌出的风量,m^3/s;

K ——溜井口分风系数,$K = 1 + S_x/S\sqrt{\xi/\xi_x}$;

S_x——循环风路的断面面积,m^2;

S ——主溜井断面面积,m^2;

ξ_x——循环风路的局部阻力系数。

5.2.2.3 湿式净化技术

为解决高溜井防尘问题,许多矿山曾采用溜井密闭、喷雾洒水、抽风排尘以及综合防尘措施等,耗费了大量人力和物力,且收效甚微。为此,东北大学等共同研究了湿式振动纤维栅净化含尘冲击风流的技术,收到显著的效果。

湿式振动纤维栅除尘净化的机理主要包括:(1)通过惯性碰撞、滞留,尘粒与雾滴、纤维或水膜发生接触;(2)微小尘粒通过扩散与雾滴、纤维相接触;(3)尘粒润湿后相互凝聚;(4)在紊流脉动风速的作用下,迫使纤维做纵向和横向振动,提高了尘粒与水膜、纤维碰撞接触的几率。

当湿式振动纤维栅除尘净化装置启动后,由于风机的作用,卸矿硐室后巷产生负压,运输平巷中的新鲜风流进入,后巷中的污风进入支岔溜井口,经主溜井、联络道、防尘卸压井进入净化硐室,净化后的风流与主石门的新鲜风流汇合。

从应用试验结果可以看出,湿式振动纤维栅除尘净化装置具有:(1)阻力小、过滤风速高、净化效果好等特点;(2)该除尘净化装置结构简单、自动清灰方便、易于维护管理,适用于矿山井下溜井卸矿硐室、破碎硐室等的除尘,而且性能稳定、可靠。

5.3 高溜井多片式挡风板研究

安庆铜矿井下的高溜井较多,且每条溜井服务多个中段,每个中段高度 60 m,平均每隔 5 min 就向高溜井卸矿一车,平均每车矿石重 6 t。其结构示意如图 5-11 所示,各中段部分溜井口涌出风量和含尘浓度如表 5-7 所示。可以看出,卸矿时溜井口的不仅涌出风量大,造成漏风,而且涌出风流中的含尘浓度较高。涌出的含尘风流又与上盘运输道内的新鲜风流混合进入作业面,造成进入作业面风流风质较差,超过风源含尘浓度标准,对作业面工人的身体健康造成危害。

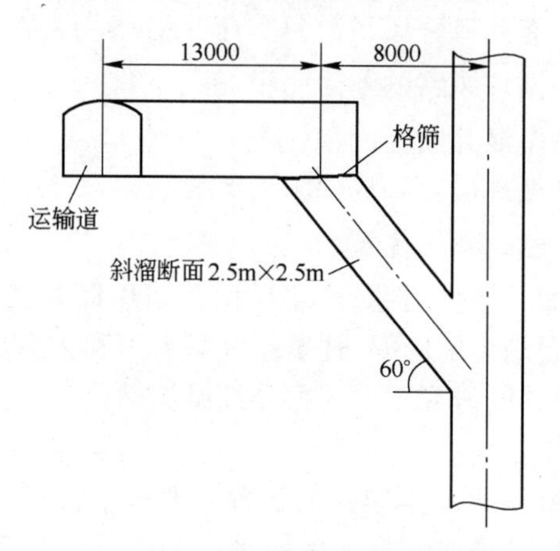

图5-11　高溜井结构示意图

5.3.1　技术方案

安庆铜矿的矿石和废石溜井基本上都是单一溜井,数量较多且都已开拓完成,因此,重新掘卸压井以形成防尘和减弱冲击风流的卸压系统不仅掘进工程量大,而且不适合安庆铜矿采矿工艺,也难以收到良好效果;另外,由于井下采用铲运机出矿,在溜井口采取密闭和喷雾洒水方法也不适合;而 VCR 法强化开采工艺又决定不宜采用控制卸矿量和降低卸矿高度的技术措施。因此,针对安庆铜矿的实际情况,确定在高溜井的支岔溜井中安装多片链板式挡风板控制漏风和粉尘污染,并选择在 4 号溜井 -510 m 溜井口进行试验研究。

5.3.2　多片挡风板结构设计

考虑到卸矿量、卸矿时的冲击力、上部溜井口的卸矿作业、维护量、检修、使用寿命以及卸矿作业的不定期性,将挡风板设计成多片链板式,在竖直方向分成两段,上长下短,之间用圆钢连接,可转动,以减少挡风板上部悬挂端的摩擦,延长使用寿命;在水平方向分成 4 块,每块宽度 750 mm,块与块之间间隙 50 mm,其安装示意图和挡风板结构如图 5-12 和图 5-13 所示。

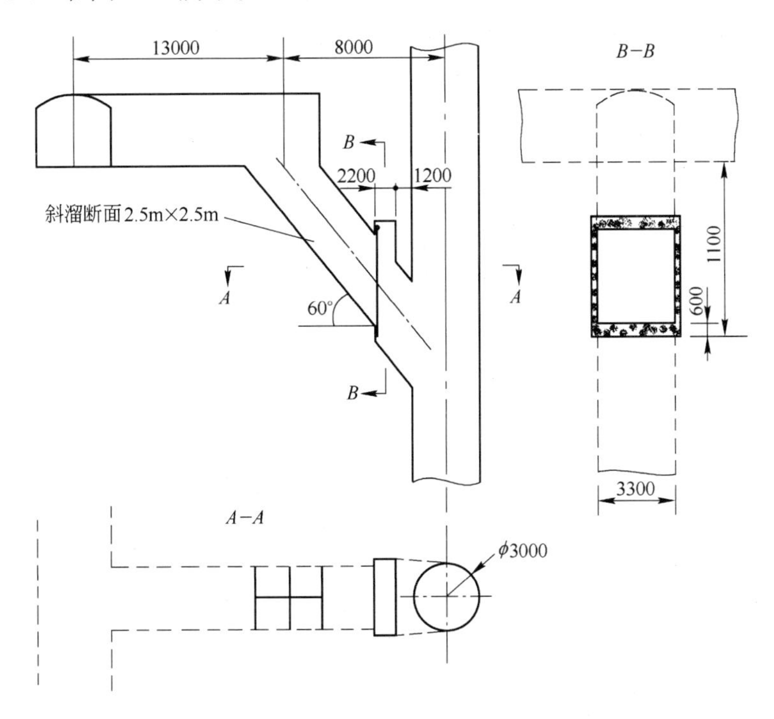

图 5-12　挡风板安装示意图

表 5-7　溜井口涌出风量和含尘浓度(平均值)

中　段	卸矿口粉尘浓度/mg·m^{-3}				溜井口涌出风量/m^3·s^{-1}			
	1 号溜井	2 号溜井	3 号溜井	4 号溜井	1 号溜井	2 号溜井	3 号溜井	4 号溜井
−280 m	0.7	0.6			7.5	6.3		
−340 m	0.5	0.5			13.5	11.7		
−385 m	0.5	0.4			11.0	12.9		
−400 m		4.1	3.2		14.3	13.8		
−460 m	5.7	4.6	3.8	5.1	16.6	15.7	7.9	8.1
−510 m	6.0	5.6	4.8	7.1	15.0	13.0	9.0	10.1
−580 m	7.2	6.8	2.5	4.9	17.9	15.0	10.7	12.0

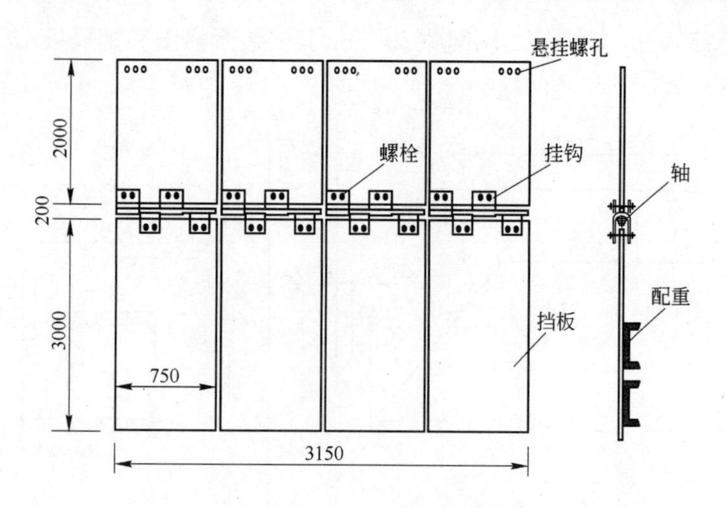

图 5-13　挡风板结构示意图

此多片链板式挡风板主要有如下技术特点：

(1) 挡风板分成 4 块,避免因放矿量少而难以冲开挡板的情况发生；

(2) 挡风板分成 2 段,减小冲开挡板所需要的冲击力,避免矿石局部堵塞；

(3) 挡风板分成 2 段,减少上部悬挂端的摩擦,延长挡风板的使用寿命；

(4) 挡风板背后用钢丝绳悬挂在岩石内的锚杠上,避免挡风板掉进主溜井内；

(5) 挡风板与岩石壁之间靠挡风板的自重尽可能紧密结合,减少漏风量；

(6) 挡风板分成 8 片,便于加工和安装,更换也容易。

5.3.3　现场应用与分析

安装多片链板式挡风板时对原已经形成的溜井结构未作大的改动,只进行安装所需要的处理,并在安装前后对溜井口冲击风流和含尘浓度在不同状态下进行测定,测定的状态分为如下 *A*、*B*、*C*、*D*、*E*、*F* 六种,即:*A*—－460 m 卸矿,－510 m、－580 m不卸矿;*B*—－460 m 卸矿，－510 m不卸矿，－580 m卸矿；C——460 m、－510 m卸矿，－580 m不卸矿；D——460 m不卸矿，－510 m、－580 m卸矿；E——460 m、－510 m不卸矿，－580 m卸矿；F——460 m、－510 m、－580 m不卸矿。测定结果如表5-8所示。

表5-8 安装挡风板前后溜井口冲击风流与含尘浓度

作业状态	冲击风流/$m^3 \cdot s^{-1}$		含尘浓度/$mg \cdot m^{-3}$	
	安装前	安装后	安装前	安装后
A	6.9	1.1	4.1	0.6
B	10.1	1.5	7.1	1.0
C	5.4	0.8	5.5	0.7
D	4.8	0.6	3.1	0.6
E	4.0	0.5	2.2	0.4
F	3.8	0.4	0.6	0.3

从表5-8可以看出，在不同作业状态下，4号溜井－510 m溜井口安装挡风板后，冲击风流量大幅减少，漏风量约为10%～15%；同时，风流的含尘浓度也大幅降低，大多数情况下溜井口的粉尘浓度较低，接近或低于0.5 mg/m^3，个别状态时的粉尘浓度虽然还较高，但与安装挡风板之前相比，其效果是十分显著的。

5.3.4 小结

多片链板式挡风板在安庆铜矿井下安装试验研究的结果表明：(1)在溜井口安装链板式挡风板，不仅能有效地减少溜井口的冲击风流，而且显著控制溜井的漏风，漏风率仅为10%～15%，在金属矿山尚属首次应用。(2)挡风板可以有效地降低漏风风流的含尘浓度，改善井下的作业环境，保护作业人员的身体健康。(3)挡风板设计独特，多片结构为其安装和维护提供便利。

高溜井漏风和冲击粉尘的危害在地下开采的矿山普遍存在，链板式挡风板的应用研究成功，为其在矿山的推广应用提供了依据。

6　矿用风机及通风节能技术

近几年来,我国的矿井通风节能技术有了比较快的发展,主要成就有高效节能风机的研制与推广;多风机多级机站通风新技术的应用;矿井通风网路的节能技术改造;建立矿井通风计算机管理系统和井下风流调控技术与手段的完善等方面。今后,矿井通风系统技术改造与建设、新型高效节能矿用风机的研制与应用、优化设计技术等仍然是矿井通风节能技术研究和发展的方向。

6.1　矿用风机

国内矿用风机的主要生产厂家山东淄博风机厂、北京燕京风机厂、沈阳风机厂、吉林风机厂、上海风机厂等生产的风机型号不一,大体有BDK、DK 系列对旋式轴流风机、K58 系列风机、KZS 系列风机等。

6.1.1　扇风机的构造与分类

矿用扇风机按其用途可分为三种:(1)用于全矿井或矿井某一翼的扇风机称为主要扇风机,简称主扇。(2)用于矿井通风网路内某些分支风路中借以调节其风量,协助主扇工作的扇风机称为辅助扇风机,简称辅扇。(3)借助风筒用于矿井中无贯通风流的局部地点通风的扇风机称为局部扇风机,简称局扇。

矿用扇风机按其构造原理可分为离心式和轴流式两大类。

6.1.1.1　离心式扇风机

离心式扇风机如图 6-1 所示,它主要是由动轮(工作轮)1、螺旋形机壳 5、吸风管 6 和锥形扩散器 7 组成。有些离心式扇风机还在动轮前面装设具有叶片的前导器(固定叶轮)。前导器的作用是使气流进入动轮入口的速度发生扭曲,以调节扇风机产生的风压。动轮是由固定在主轴 3 上的轮毂 4 和其上的叶片 2 所组成;叶片按其在动轮出口处安装角的不同,分为前倾式、径向式和后倾式三种,如图 6-2 所示。工作轮入风口分为单侧吸风和双侧吸风两种,图 6-1 所示是单侧吸风式。

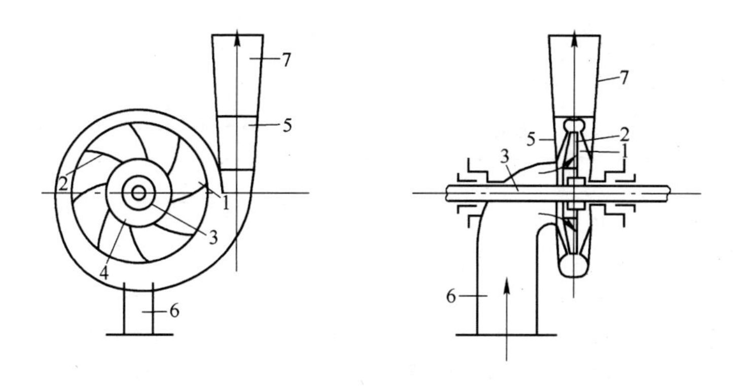

图 6-1 离心式扇风机

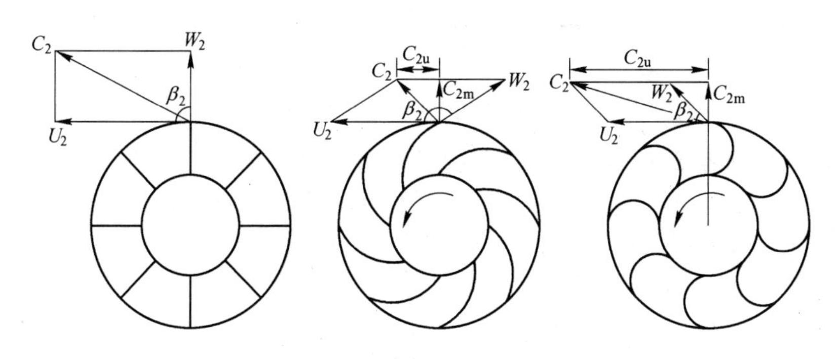

图 6-2 离心式扇风机叶轮

当电动机带动(或经过传动机构)动轮旋转时,叶道内的空气相互作用力太小,不足以维持圆周运动而被甩出,动轮吸风口处的空气随即就补充流入叶道。这样就形成连续的空气流动,空气由吸风管经过动轮、螺壳、扩散器流出。空气受到惯性力作用离开动轮时获得了能量,以压力的形式表达,就是动轮的工作提高了空气的全压。空气经过动轮以后,全压就不再增加了,但是压力的形式却发生转化。空气通过螺壳和扩散器时由于其过风断面不断扩大,空气的动压转化为静压,静压增大,动压减小,直至扩散器出口静压成为大气压,动压则为出流到大气的速度所体现的动压(抽出式工作时)。

我国生产的离心式扇风机,可作矿井通风用的有 4-72 型、T_4-72 型、4-79 型、T_4-73(Y_4-73)型等,均为机翼型后倾叶片。其中 T_4-72 型有单侧吸风和双侧吸风两种，其余都为单侧吸风。各扇风机的性能及规范列于表 6-1。

表 6-1　常用扇风机性能一览表

项　目	轴　流　式			离　心　式				
	K40	DK40	$50A_{11}-12$	4-72-11	$G_4-73-11$	4-79	T_4-72	$K_4-73-01$
叶轮直径/m	0.8~2.3	1.5~1.9	1.2~2.0	1.2~2.0	1.2~2.95	1.2~2.0	1.2~2.0	3.2
转速/$r \cdot min^{-1}$	73~1450	980	750~1250	250~1120	375~1450	260~1040	250~1170	600
风量范围/$m^3 \cdot s^{-1}$	3.8~113	16~101	11~75.5	5.4~65	8~225	6~121.5	6~115	200~389
风压范围/Pa	118~1030	98~2754	270~907	274~3116	833~7213	245~2391	225~2479	3920~4900
功率范围/kW	5.5~132	2×37~2×110	10~100	3~210	17~1250	7.5~245	5.5~310	2500
最高效率/%	92	84	94	91	93	88	92	

6.1.1.2　轴流式扇风机

如图 6-3 所示，轴流式扇风机主要由工作轮 1、圆筒形外壳 3、集风器 4、整流器 5、前流线体 6 和环形扩散器 7 所组成。集风器是一个壳呈曲面形，断面收缩的风筒。前流线体是一个遮盖动轮轮毂部分的曲面圆形锥形罩，它与集风器构成环形入风口，以减小入口对风流的阻力。工作轮是由固定在轮轴上的轮毂和等距安装的叶片 2 组成。叶片的安装角 θ 可以根据需要来调整，如图 6-4 所示。一个动轮与其后的轴流扇风机安有两段动轮。

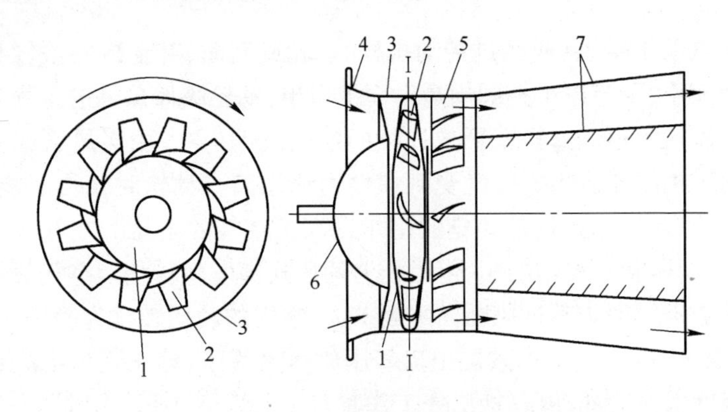

图 6-3　轴流式扇风机

当动轮叶片（机翼）在空气中快速扫过时，由于翼面（叶片的凹面）

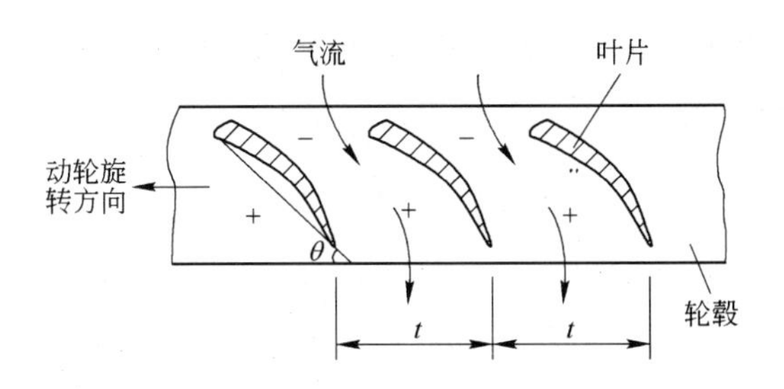

图 6-4 轴流式扇风机的叶片安装角

与空气冲击,给空气以能量,产生了正压力,空气则从叶道流出;翼背牵动背面的空气,产生负压力,将空气吸入叶道,如此一吸一推造成空气流动。空气经过动轮时获得了能量,即动轮的工作给风流提高了全压。整流器用来整直有动轮流出的旋转气流以减小涡流损失。环形扩散器是轴流风机的特有部件,其作用是使环状气流过渡到柱状(风硐或外扩散器内的)空气流,使动压逐渐变小,同时减小冲击损失。扇风机的附属装置,除扇风机和电动机以外,还应有反风装置、风硐和外扩散器等附属装置。

6.1.2 扇风机特性

6.1.2.1 扇风机工作的基本参数

扇风机工作的基本参数有风量、风压、功率和效率。它们共同表达扇风机的特性。其中,风量 Q 表示单位时间流过扇风机的空气量(m^3/s);风压 H 即当空气流过扇风机时,扇风机给予每立方米空气的总能量,称为扇风机的全压 H_t(Pa)。在抽出式通风时,常常用“有效静压”来表示扇风机的风压参数;功率 N_f 表示扇风机有效工作的总功率。

扇风机的风量与全压的乘积,即扇风机在单位时间内输出的总能量,称为扇风机的全压功率 N_t(kW)。

$$N_t = QH_t/1000 \tag{6-1}$$

如果扇风机的风压用其有效静压 H'_s 来表示,则扇风机的有效静压功率 N_s 可用下式计算:

$$N_s = QH'_s/1000 \tag{6-2}$$

效率 η 表示扇风机有效功率 N_f 与扇风机轴功率 N 之比。当采用不同风压参数时，有不同的效率计算方法：

全压效率 $\eta_t = QH_t/1000N$　　　　(6-3)

静压效率 $\eta_s = QH'_t/1000N$　　　　(6-4)

6.1.2.2　扇风机的个体特征曲线

以风量 Q 为横坐标，风压 H 为纵坐标，将扇风机在不同网路风阻值条件下测得的 Q、H 值画在坐标图上，所得出的曲线称为扇风机的风压曲线 $H-Q$。以风量为横坐标，以功率或效率为纵坐标，按同样的方法可绘出扇风机的功率曲线 $N-Q$ 和效率曲线 $\eta-Q$，如图 6-5 所示。上述诸曲线反映了扇风机在某一条件下(例如一定的转数，一定的叶片安装角和一定的空气重率等)的性能和特点，称为扇风机的个体特性曲线。

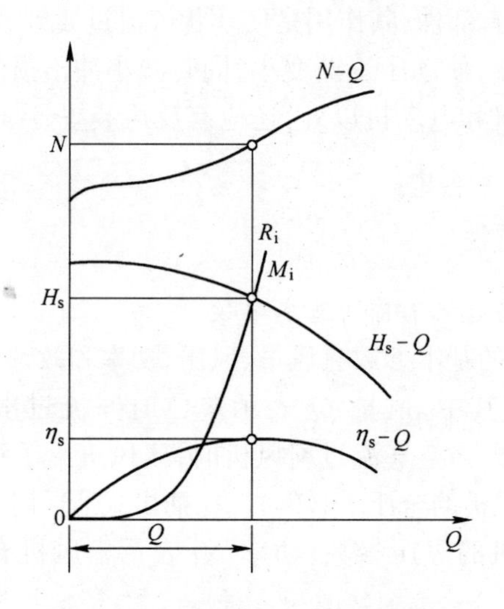

图 6-5　扇风机个体特性曲线

扇风机的个体特性曲线与网路风阻特性曲线的交点称为该扇风机的工况点。工况点的坐标就是该扇风机的工作风量和风压，由该点再引垂线与扇风机的功率曲线和效率曲线分别相交，就可找到扇风机的功率和效率。

由于扇风机的构造和空气动力性能不同，扇风机个体特性曲线的形状也有所区别。在一般情况下,叶片后倾的离心式扇风机,其 $H-Q$ 曲线呈单斜状;叶片前倾的呈驼峰状;而轴流扇风机的 $H-Q$ 曲线呈马鞍形。凡是具有驼峰状特性曲线的扇风机不应将其工况点选在驼峰的左段,因为在这个区段扇风机的效率低,且可能出现工况不稳定现象。

离心式扇风机的功率曲线 $N-Q$ 通常是向上斜的;轴流式扇风机的 $N-Q$ 曲线则呈马鞍状,在稳定工作段内,曲线向下倾斜。因此,离心式扇风机在启动时可采用关闭风道闸门的办法来减少启动电流。

6.1.2.3 扇风机参数的比例定律

由于同一类的扇风机具有几何相似、运动相似和动力相似的条件,因此,一台扇风机与另一台同类型扇风机之间存在如下关系:

$$\frac{Q}{Q'} = \frac{n}{n'}\left(\frac{D}{D'}\right)^3 \qquad (6\text{-}5)$$

式中 Q、Q'——一台扇风机与另一台扇风机的风量,m^3/s;

n、n'——一台扇风机与另一台扇风机工作轮的转速,r/min;

D、D'——一台扇风机与另一台扇风机工作轮的外径,m。

$$\frac{H}{H'} = \frac{\rho}{\rho'}\left(\frac{n}{n'}\right)^2\left(\frac{D}{D'}\right)^2 \qquad (6\text{-}6)$$

式中 ρ、ρ'——一台扇风机与另一台扇风机工作环境的空气密度,kg/m^3;

H、H'——一台扇风机与另一台扇风机的风压,Pa。

$$\frac{N}{N'} = \frac{\rho}{\rho'}\left(\frac{n}{n'}\right)^3\left(\frac{D}{D'}\right)^5 \qquad (6\text{-}7)$$

$$\eta = \eta' \qquad (6\text{-}8)$$

式中 N、N'——一台扇风机与另一台扇风机的功率,kW;

η、η'——一台扇风机与另一台扇风机的效率。

上述关系式就是同类型扇风机的比例定律,实际应用中应该注意:

(1) 不同类型的扇风机或者同类扇风机而叶片安装角不相等时,不能利用上述关系式进行参数的换算;

(2) 上述关系式所表示的参数之间的比例关系,只是当扇风机所工作的网路风阻不变时才成立。

6.1.2.4　扇风机的类型特性曲线

扇风机的类型特性曲线是用一条特性曲线来代替同一类型扇风机的共同工作特性,并可根据该曲线求得不同转速和不同直径条件下的个体特性曲线或实际工况。

由同类型扇风机的相似条件和比例定律,可引出如下类型系数:

$$\overline{Q} = \frac{Q}{\frac{\pi}{4}D^2 u} \tag{6-9}$$

式中　$\overline{Q}$ ——类型风量系数;

u ——扇风机动轮的圆周速度,$u = \frac{\pi D n}{60}$,m/s。

$$\overline{H} = \frac{H}{\rho u^2} \tag{6-10}$$

式中　$\overline{H}$——类型风压系数。

扇风机类型轴功率系数 $\overline{N}$ 为:

$$\overline{N} = \frac{\overline{HQ}}{\eta} = \frac{HQ}{\frac{\pi}{4}\rho D^2 u^3 \eta} = \frac{N \times 1000}{\frac{\pi}{4}\rho D^2 u^3} \tag{6-11}$$

式中　η、N——各风量 Q 相对应的扇风机的效率和轴功率。

扇风机类型等积孔系数 $\overline{A}$ 则为:

$$\overline{A} = \frac{\overline{Q}}{\sqrt{\overline{H}}} \tag{6-12}$$

上列扇风机类型系数都是无量纲系数。对同一类型扇风机而言,其值皆为一系列常数,而与扇风机的尺寸和转速无关。

同一类型扇风机在同一网路风阻 R 条件下工作的所有相似工况点只有一组 $\overline{H}-\overline{Q}$、$\overline{N}-\overline{Q}$ 和 $\eta-\overline{Q}$ 类型特性曲线(如图 6-6),它代表这一类型扇风机的共性,故可用它来比较不同类型扇风机的性能。

类型特性曲线是通过风机模型试验测出个体特性曲线以后再按式(6-9)~式(6-11)换算出来的。在实际使用时,需要按同一关系式作相反的换算。例如扇风机的实际直径 $D = 1.6$ m,实际转速 $n = 403$ r/min,则可算得:$u = 33.72$ m/s。那么:

$$H = \rho u^2 \overline{H} = 1.2 \times 33.72^2 \times \overline{H} = 1364.45\overline{H}$$

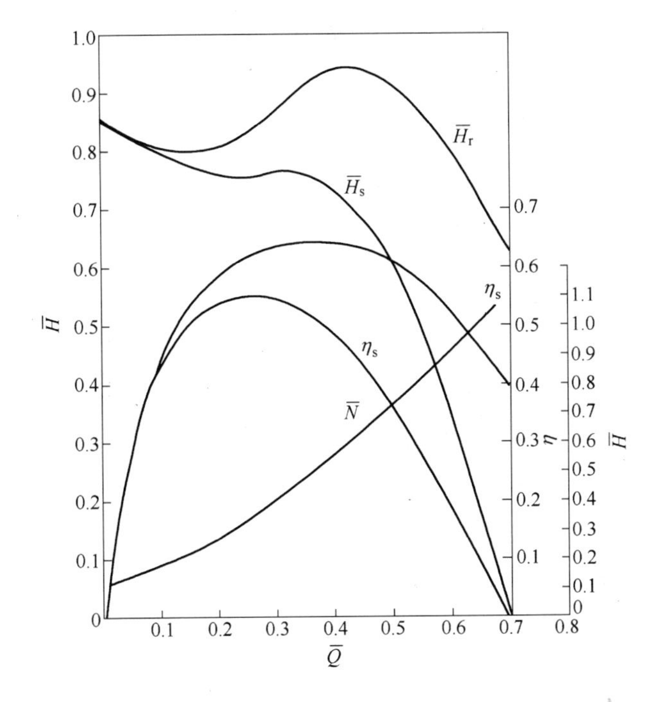

图 6-6 类型特性曲线

$$Q = \frac{\pi}{4}D^2 u\overline{Q} = 2.01 \times 33.72 \times \overline{Q} = 67.76\overline{Q}$$

$$N = \frac{1364.45 \times 67.76}{1000}\overline{N} = 92.46\overline{N}$$

根据这三个关系式,对应类型曲线图坐标轴上的 $\overline{H}$、$\overline{Q}$ 和 $\overline{N}$ 值,将坐标轴换算成为 H、Q 和 N 轴,则原曲线就成为个体特性曲线。

6.1.3 扇风机联合作业

当单台扇风机作业不能满足生产对通风的要求时,可使用多台扇风机联合作业进行通风。多台扇风机联合作业时,各个扇风机的选型方法,仍然根据通风系统和扇风机在网路中的位置,分别算出各扇风机所应负担的风量和阻力,再初选扇风机型号。有时需进一步分析扇风机联合作业时的实际工况和效果,包括:通风网路中实际的风流状况,各扇风机的实际工况及稳定性、有效性和经济性等。

扇风机联合作业工况的分析方法可采用图解法或采用电子计算机解算方程组法。本节仅介绍图解法。

作图求解法的基本程序是以扇风机个体特性曲线和网路风阻曲线为基础，运用扇风机特性曲线变位和合成的方法，将通风网路变化为等值的“单机”网路，求出等值“单机”的联合工况点。再由此联合工况点按网路变简的相反程序进行分解，逐步返回到原来网路，即可获得各扇风机的实际运转工况。

6.1.3.1　扇风机的串联作业

扇风机串联作业的特点是各扇风机的风量相等，风压之和等于网路总风阻。如图 6-7 所示，风机Ⅰ与Ⅱ串联作业，其 $H-Q$ 曲线分别为Ⅰ与Ⅱ，网路总风阻为曲线 R。首先将曲线Ⅰ与Ⅱ按风量相等、风压相加的办法，求得两扇风机合成特性曲线Ⅰ+Ⅱ。Ⅰ+Ⅱ曲线与总风阻 R 曲线的交点 M 就是联合工况点，其横坐标为联合作业的总风量 $Q_{Ⅰ+Ⅱ}$，纵坐标为总风压 $H_{Ⅰ+Ⅱ}$。

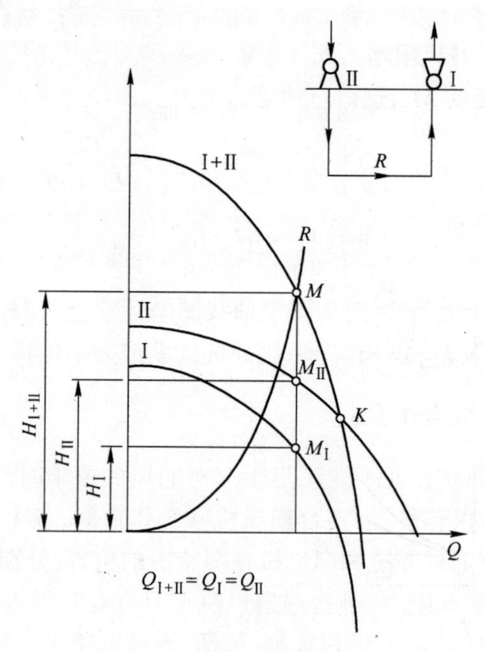

图 6-7　两扇风机联合作业

扇风机串联作业时应注意以下问题：

(1) 扇风机串联工作时，两扇风机均应在有效工作区段内工作，以保证有较高的工作效率。

(2) 两台性能相差较大的扇风机串联工作时，由于网路风阻值小或由于扇风机选型不适当，其中一台扇风机的风压可能为零或负值，成为另一台风机的阻力，这种串联是不合理的。

(3) 扇风机串联作业适用于高风阻的通风网路。

6.1.3.2 扇风机的并联作业

两台扇风机在同一井口并联作业的特点是两扇风机风压相等，风量之和等于流过网路的总风量，如图 6-8 所示。设并联的两扇风机是同型号的轴流式扇风机，其静压特性曲线为图上Ⅰ、Ⅱ曲线（相同），网路总风阻曲线为 R。首先将曲线Ⅰ与Ⅱ按风压相等风量相加的办法，作出并联合成曲线Ⅰ+Ⅱ。并联合成曲线Ⅰ+Ⅱ与网路风阻曲线 R 的交点 M 为联合工况点。由于 M 点在合成曲线驼峰以右，风机Ⅰ、Ⅱ的实际工况点为 M_1、M_2 也在曲线Ⅰ、Ⅱ的驼峰以右，因此并联工作是稳定的。如果矿井风阻增大到图上所示的 R'，那么 R' 曲线与Ⅰ+Ⅱ曲线就有两个交点 M'，这就意味着这种并联运转是不稳定的。

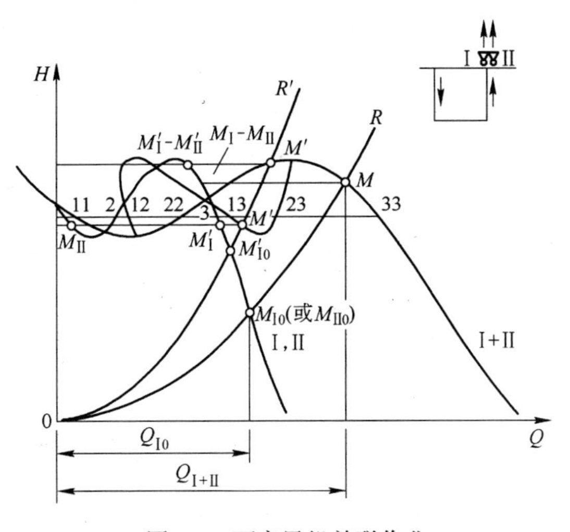

图 6-8 两扇风机并联作业

扇风机在同一井口并联作业时,应注意以下问题:

(1) 并联作业时应保证扇风机工作的稳定性。网路风阻越小,越有利于保持扇风机工作的稳定性。叶片后倾的离心式扇风机较适合并联运转。

(2) 反向自然风压的出现可能引起扇风机工作的不稳定。

两台扇风机分别在两个井口并联运转,是一种常见的通风方式。这种并联作业时,为保证扇风机工作的稳定和有效,应注意以下几点:

(1) 尽量降低通风系统中公共段井巷的风阻值。

(2) 尽量使两翼的风量和风压接近相等,以便采取相同型号和规格的扇风机。

(3) 因生产发展要求加大一台扇风机转速或叶片安装角时,应注意其对另一台扇风机工作稳定性的影响。

6.2　矿井通风节能技术

矿井通风系统的建立与调整应达到两个目标:一是改善作业环境,提高技术效果;二是节省通风能耗,提高经济效益。两者相辅相成,必须同时兼顾。矿山生产过程中,改善作业环境、节省通风能耗的技术措施主要有:(1) 采用多井口进风、多井口排风的多路通风系统;(2) 按最优分风条件合理分风;(3) 优化风量调控方法,采用多级机站通风;(4) 均衡风压减少漏风,提高有效风量率;(5) 优化井巷断面、采用低阻构筑物,降低井巷通风阻力;(6) 采用高效节能扇风机。

6.2.1　漏风控制及其节能效益

矿井漏风的控制途径主要有:(1) 提高风门和密闭墙的气密性,在行车频繁的运输巷道安设自动风门,并加强维护管理。(2) 在抽出式通风系统中,为了提高排风系统的严密性,采取留保护矿柱、封闭天井口、充填采空区等措施,在主排道与上部采空区之间建立隔离层,防止由地表短路吸风。(3) 在压入式通风系统中,除加强井底车场风门管理,保持风门有效隔断风流的作用外,可采取均衡风压的方法减少漏风。例如,利用导风板引风和利用空气幕隔风。(4) 把单一抽出式或压入式通风系统改为压抽混合式(多级机站通风系统),使全系统的通风压力趋于平衡,对整个通风网路实行均压控制。

采取漏风控制措施后的矿井总风量 Q'_k 与前矿井总风量 Q_k 之比称为漏风控制功耗比例系数 K_1,则

$$K_1 = \frac{Q'_k}{Q_k} = \frac{Q'_e/\eta'_e}{Q_e/\eta_e}$$

式中 Q_e、Q'_e——采取防漏措施前、后矿井的有效风量,m^3/s;

η_e、η'_e——采取防漏措施前、后矿井的有效风量率。

若保持有效风量不变,即 $Q_e = Q'_e$,则

$$K_1 = \frac{\eta_e}{\eta'_e} \tag{6-13}$$

防止漏风的节能效益 φ_1 为:

$$\varphi_1 = (1 - K_1) \times 100\% = \left(1 - \frac{\eta_e}{\eta'_e}\right) \times 100\% \tag{6-14}$$

6.2.2 降低井巷风阻及其节能效益

在最大阻力路线上的高阻力区段,采取扩大巷道断面或开凿并联风道的降阻措施,可取得明显的降阻效果。局部降阻的工程量小,易于实现。在风速较高的主要排风道采用空气动力性能良好的通风构筑物,也能收到较好的降阻效果。东北大学设计的流线形扩散塔、双曲线形风硐、流线形风桥等通风构筑物已逐渐被矿山采用。流线形扩散塔的局部阻力系数仅为直立形扩散塔的一半。将井巷直角转弯的内、外边壁改成双曲线形转弯,局部阻力系数可由 1.28 降到 0.174。绕流形风桥的局部阻力系数仅为 0.15,相当于 90°直角风桥的 1/40。

降阻的功耗比例系数 K_r 为:

$$K_r = \frac{R'}{R} \tag{6-15}$$

式中 R、R'——降阻前、后的矿井总风阻,$N \cdot s^2/m$。

降阻的节能效益 φ_r 为:

$$\varphi_r = (1 - K_r) \times 100\% = \left(1 - \frac{R'}{R}\right) \times 100\% \tag{6-16}$$

6.2.3 新型节能扇风机的应用及其节能效益

K 系列节能扇风机已在冶金、有色、化工等矿山迅速推广,取得了

显著的节能效益。这类扇风机有如下特点：

(1) 扇风机性能与矿井通风网路的阻力特性匹配较好,扇风机的运转效率高。

(2) 扇风机的空气动力性能良好,最高全压效率可达 90%以上,较原用 $70B_2$ 矿用扇风机性能优越。

(3) 结构简单,安装方便,易于检修。

扇风机的节能效益主要体现在其运转效率的高低。若以 η_f 表示通风系统改造前原有扇风机的运转效率,以 η'_f 表示改造后新型节能扇风机的运转效率,则扇风机的功耗比例系数 K_f 为：

$$K_f = \eta_f / \eta'_f \tag{6-17}$$

扇风机的节能效益 φ_f 为：

$$\varphi_f = (1 - K_f) \times 100\% = \left(1 - \frac{\eta_f}{\eta'_f}\right) \times 100\% \tag{6-18}$$

6.2.4　主扇调速节能技术

6.2.4.1　主扇调速技术

主扇风机的节能可以从电机调速、采用新型高效的 K 系列节能风机等方面采取措施,其中的电机调速又可分高压变频调速、可控硅串级调速和可控液体电阻启动调速器调速。在具体应用时,一般是依据矿山井下作业交接班时间表和井下自然风压的变化规律,采用电机调速技术降低主扇的运行能耗。

在矿山生产过程中,通风电耗是矿山电耗的重要部分,因此,因地制宜地采取有效措施降低矿山通风的电耗,不仅必要而且十分有意义。作者依据矿山井下不同时间的需风量要求,用可控液体电阻起动调速器对矿井主扇实行调速运行,为矿山创造了显著的经济效益。例如某铜矿采用可控液体电阻启动调速器调速技术,取得了较好的节能效果。

6.2.4.2　某铜矿西主扇调速节能技术研究

某铜矿为单翼对角抽出式通风系统,西风井是全矿唯一的回风井,其井口安装的是 2K60－4№28 型风机,额定功率为 800 kW,供电电压为 60 kV,实际运行功率约为 600 kW,有效静压约为 1962 Pa,排风风量约为 160 m^3/s,基本满足全矿井需风量的要求。尽管在矿山交接班、夜班及检修期间,井下的需风量比正常作业时少,但矿山的主扇仍是按正常参数运行,尤其是在冬季矿井的自然风压帮助主扇通风时,无疑是浪费了部分能源。

实测主扇的运行结果表明,矿山除了检修或因故停机外,西风井主扇一般是 24 h 运转,每小时的耗电量约为 614 kW·h。井下作业采用三班制,其中班与班之间的交接时间约 2 h,则每年的交接班时间约有 2000 h。因此,在矿山生产过程中,积极采取合理的节能措施是非常必要和有意义的。

A 主扇调速节能的应用条件

矿井交接班时,井下一般无作业人员,此时井下的需风量可比正常作业时的少,夜班及检修时间井下的需风量也基本如此。因此,为确定主扇的调速档,矿山分别在冬季和春夏秋季对交接班、夜班及检修期间井下的需风量及对应的电机转速进行了测定。在春夏秋季风机正常运行时,电机的转速(A 挡)535 r/min(为现有转速的 90%),交接班时电机的转速(B 挡)470 r/min (为现有转速的 80%);在冬季风机正常运行时,电机的转速采用 B 挡运行,交接班时电机的转速(C 挡)420 r/min(为现有转速的 70%);年终检修时,电机的转速为 C 挡运行。据此,通过调节风机电机的转速来控制井下的供风量,从而达到降低风机运行能耗的目的。

B 主扇调速节能技术方案及特点

a 节能技术方案

矿山可以通过调节风机的电机转速方法来实现节能目的,主要的技术途径有高压变频调速、可控液体电阻启动调速、可控硅串级调速等。考虑到应用矿山的实际情况和工程投资、工程工期、设备装置的占地面积、维护保养、可靠性等,依据矿山井下作业交接班时间表和井下自然风压的变化规律,以及西主扇的技术参数,经综合比较后选用投资省、安全可靠、节电效果好的可控液体电阻起动调速器来节约主扇的运行能耗。

b 可控液体电阻起动调速系统简介

可控液体电阻起动调速器主要由液体电阻柜和冷却系统组成,其中液体电阻柜为本系统的主体,内设液阻箱,内分三格,每格一相,由动静极板组成可变电阻,箱内附有电器控制系统和液体泵。其基本原理是以改变串入电机转子回路的液体电阻来调整电机转速的,电阻越大,电机转速越低;电阻为零,电机达到全速。

为克服在调速过程中液体因电阻产生热量而使温度升得过高,系统采用了由循环装置将液体强制进行循环冷却的冷却系统。此系统是针对西风井为无循环自来水地区而开发的一种专门的冷却水系统,即利用西风井从井下抽出的、全年水温波动不大的地下水作为液体电阻调速时水电阻散热介质。液体电阻调速系统如图 6-9 所示。

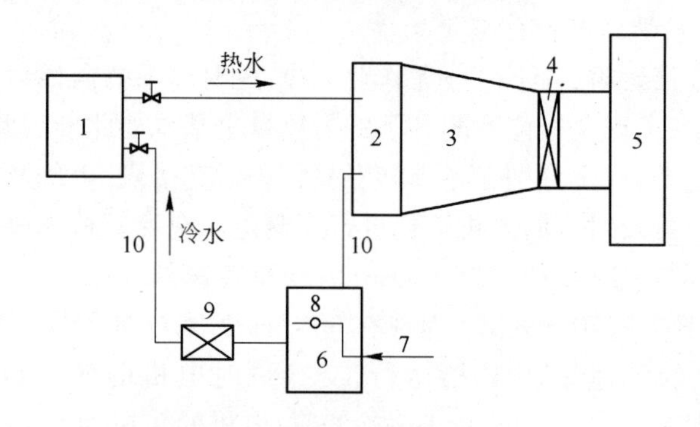

图 6-9 液体电阻调速系统示意图

1—液体电阻调速柜; 2—盘管冷却器; 3—风管; 4—轴流风机;5—出水风道;
6—水箱; 7—进水管; 8—浮球阀;9—水泵; 10—水管

液体电阻起动调速器的主要技术指标:(1) 适用电机容量为 700~1000 kW;(2)水箱内液体正常温度为 55℃;(3)循环系统功率为 2.2 kW。其主要技术特点:(1)可对大型绕线异步电机进行无级调速,调速比可达 1∶2,完全可以满足风机类设备所需的调速范围要求;(2)不必另外安装起动装置,且具备液体电阻起动器起动电流小,起动平稳的优点;(3)在输出同样风量的情况下,转子回路串联电阻比液力耦合器调速方式的电能消耗低,节能显著;(4)与变频调速、可控硅串级调速相比更经济可靠实用,维护简单,价格仅为变频调速器的 1/3~1/4;(5)调节风量的线性度好;(6)布置灵活,使用方便。

C 主扇调速节能效果与分析

在可控液体电阻起动调速器的现场应用中,矿山依据井下正常作业班、交接班以及一年四季井下的需风量设置了三个调速档进行应用试验,即A、B、C三档,其中A档是在正常作业时应用,B档是在春夏秋季的交接班时应用,C档是在冬季的交接班和年终检修时应用。本调速器已正常使用5年,从使用结果看,系统的维护量小,节能效果显著,具体分析如下:

当风机全速满载时:$I_e = 96.3$ A,$\cos\phi = 0.84$,$U_e = 6$ kV,则电机输入功率为:$N_e = \sqrt{3}\, U_e \times I_e \times \cos\phi = 840.65$ kW,而电机输出功率为800 kW,故风机全速满载时电机内部功率损耗为:$N_{dse} = 840.65 - 800 = 40.65$ kW。已知全速下电机负荷为602 kW,$I = 69$ A,则可计算出全速条件下电机的损耗功率为32 kW。因此,在全速输入功率为602 kW时,电机的输出功率 $N_{ou} = 602 - 32 = 570$ kW,即为风机的输入功率 N_{fi}。

在电机实行调速情况下,电机的输入功率 $N_i = N_{fi} + N_r + N_{ds} = N_{ou} \times i^2 + N_{ds}$,式中,$N_{fi}$为调速后风机功率;$N_r$ 为液体电阻功率;i 为调节风量与全速风量的比值。

由此可知调速条件下,电机运行时节约的功率 N_j 可按如下公式计算。

$$N_j = 602 - (N_{ou} \times i^2 + N_{ds}) = 570(1 - i^2)$$

依据矿山的实际情况,i 的值分别为90%(A档)、80%(B档)、70%(C档),现场风机的具体运行时间及调速档如表6-2所列。其他时间电机调速至A档运行。在不同调速档情况下运转所节约的功率如表6-3所列。

表6-2 主扇调速运行的时间分布

主扇运转档	运转日期	运转时段	运转天数/d	运转时间/h·d^{-1}
A	1~12月		365	18
B	3~11月	6:30~9:00 15:00~17:00 22:30~1:00	275	6
C	1、2、12月 及年终检修	6:30~9:00 15:00~17:00 22:30~1:00	90	6

表 6-3　可控液体电阻启动调速器的使用效果

调速档	电机转速/r·min^{-1}	电流/A	电压/kV	节约功率/kW	节约电量/kW·h
A	535	45×1.5	6	108.3	711531
B	470	37×1.5	6	205.2	338580
C	420	30×1.5	6	290.0	156600

可见,可控液体电阻起动调速器应用于矿山风机的调速运行,可以收到显著的经济效益。

6.2.5　合理分风及其节能效益

多风路排风的通风系统,各风路的排风量应与该风路风阻大小相适应。风阻小,通过能力强的风路应多排风;风阻大,通过能力弱的风路则应少排风。这样,可减少由于分风量与风阻状况不相适应而产生的附加能量损失。理论研究表明,各分支风路的风压相等是最优的分风方案。也就是说,多风路并联排风时,最优的分风条件是按各分支风路的风阻大小自然分风。各分支风路的风量应为:

$$Q_{\mathrm{j}} = \frac{Q}{\sum_{i=1}^{n} \sqrt{\frac{R_{\mathrm{j}}}{R_{\mathrm{i}}}}}$$

式中　Q ——矿井总风量,m^3/s;

Q_{j}——第 j 号分支风路的风量,m^3/s;

R_{i}——并联排风风路中任一分支风路的风阻,$N·s^2/s^8$,由 $1 \sim n$;

R_{j}——并联排风风路中第 j 号分支风路的风阻,$N·s^2/s^8$,在 $1 \sim n$之间。

例如,某两翼抽出式通风系统如图 6-10 所示,各风路的风阻为 $R_0 = 0.05$,$R_1 = 0.12$,$R_2 = 0.4 N·s^2/s^8$,矿井总风量 $Q = 100 m^3/s$。当 1 号分支风路的风量 Q_1 由 20 逐渐增加到 80 m^3/s,2 号分支风路的风量 Q_2 由 80 逐渐降低到 20 m^3/s 时,在不同风量分配情况下,通风网路的总功耗由 255 kW 变化到 114 kW,最低功耗为 100 kW。由图 6-11 可见,最小功耗点出现在 $Q_1 = 65$ m^3/s、$Q_2 = 35$ m^3/s 处,该点恰好符合按风阻大小自然分配的风量。

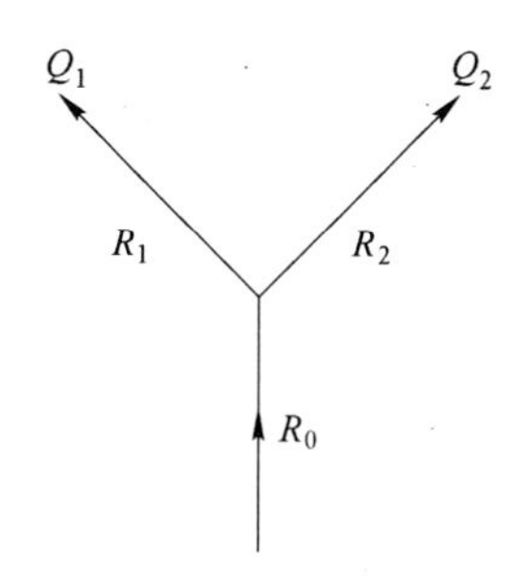

图 6-10 两翼式通风系统

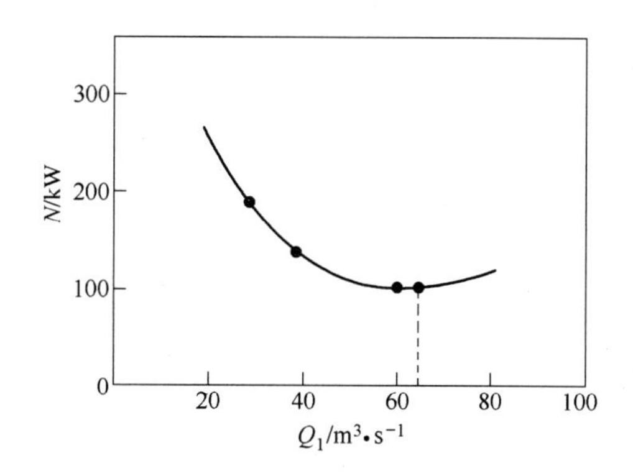

图 6-11 不同分风情况下系统的总功耗

随意分风时，排风系统的总功耗 N_p 为：

$$N_p = \sum_{i=1}^{n} h_{i\cdot p} Q_i$$

最佳分风时，各排风风路分压相等，约为 h_p，排风系统的总功耗 N'_p 为：

$$N'_p = h_p Q$$

排风系统的功耗比例系数 $K_{i\cdot p}$ 为：

$$K_{i\cdot p} = \frac{h_p Q}{\sum_{i=1}^{n} h_{i\cdot p} Q_i}$$

全系统的功耗比例系数 K_j 为：

$$K_j = 1 - j(1 - K_{i\cdot p}) \tag{6-19}$$

全系统的节能效益 φ_j 为：

$$\varphi_j = j\left[1 - \frac{h_p Q}{\sum_{i=1}^{n} h_{i\cdot p} Q_i}\right] \times 100\% \tag{6-20}$$

6.2.6　优化调控系统及其节能效益

在各类调控系统中，一般，多级机站调控系统总功耗最低，有效风量率最高，系统的可控性、有效性和经济性都最为优越；主扇—辅扇调控系统次之；而主扇—风窗调控系统的总功耗最高，有效风量率最低。在复杂通风网路中，由进风口到排风口的诸多风路中，必然存在一条最大阻力路线。采用风窗调控时，只要在这条路线的各风道上不再增加风阻，就符合该种调控方法的功耗最小原则，因此，同一通风网中的多个调控方案在功耗上是等价的。与最大阻力路线相对应，也必然存在一条最小阻力路线。采用辅扇调控时，只在最小阻力路线以外的其余风路加设辅扇，即可达到调控风量的目的，并符合该种调控方法的功耗最小原则。

采用降阻调节方法也是节省通风能耗的重要途径。但是，降阻工程本身耗资较大，花费时间较长。在生产矿山采用此类调节措施是否有利，还须结合现场条件作具体分析。

增阻调节的网路总功耗可按下式计算：

$$N_{iw} = \frac{h_{max} Q}{1000}$$

降阻调节的网路总功耗可按下式计算：

$$N_{ig} = \frac{h_{min} Q}{1000}$$

辅扇和多级机站调节的总功耗可概略地按下式计算：

$$N_{if} = \frac{1}{2}(N_{iw} + N_{ig}) = \frac{(h_{max} + h_{min})Q}{2000}$$

式中　h_{max}——最大阻力路线的总阻力，Pa；

h_{min}——最小阻力路线的总阻力，Pa。

降阻调节与增阻调节的功耗比例系数 K_{ig}为：

$$K_{ig} = h_{min}/h_{max} \tag{6-21}$$

辅扇调节与增阻调节的功耗比例系数 K_{if}为：

$$K_{ig} = \frac{1}{2}(1 + h_{min}/h_{max}) \tag{6-22}$$

相应的节能效益为：

$$\varphi_{ig} = (1 - K_{ig}) \times 100\% \tag{6-23}$$

$$\varphi_{if} = (1 - K_{if}) \times 100\% \tag{6-24}$$

6.2.7 多风路排风系统及其节能效益

排风风路的总功耗 $N_{d\cdot p}$(kW)可用下式表达：

$$N_{d\cdot p} = \frac{1}{1000}\sum_{i=1}^{n} R_i Q_i^3 \tag{6-25}$$

式中 R_i——任一排风风路的风阻,$N\cdot s^2/m^8$；

Q_i——任一排风风路的风量,m^3/s。

若排风系统原来只有 m 个排风井筒,改造后增加到 n 个,将改造后排风系统的功耗与改造前的功耗之比称为排风系统功耗比例系数,以 $K_{d\cdot p}$表示,则

$$K_{d\cdot p} = \frac{\sum_{i=1}^{n} R'_i Q'^3_i}{\sum_{i=1}^{m} R_i Q_i^3} \tag{6-26}$$

式中,带有一撇的参量为通风系统改造后的参量。

概略地估算多风路排风系统的节能效益时,可取各排风风路的风阻近似相等,均为 R,矿井的总风量 Q 保持不变,且各风路的排风量相等。此时,功耗比例系数为：

$$K_{d\cdot p} = \frac{nR\left(\frac{Q}{n}\right)^3}{mR\left(\frac{Q}{m}\right)^3} = \left(\frac{m}{n}\right)^2 \tag{6-27}$$

排风系统的功耗仅为矿井全系统功耗的一部分。排风系统的功耗比例系数 $K_{d\cdot p}$并不等于全系统功耗比例系数 K_d,两者之间存在如下关系：

$$K_{d} = 1 - j(1 - K_{d \cdot p}) \tag{6-28}$$

式中，j 为改造前排风系统功耗占全系统功耗的比例系数，可按下式估算：

$$j = \frac{1}{1 + 2\left(\frac{u_{r}}{u_{p}}\right)^{2}} \tag{6-29}$$

式中　u_{r}——进风井的平均风速，m/s；

u_{p}——排风井的平均风速，m/s。

在通风系统改造时，因采用多风路排风而节省的功率占改造前全系统总功率的百分比称为多路排风系统的节能率或称节能效益，以 φ_{d} 表示：

$$\varphi_{d} = (1 - K_{d}) \times 100\%$$

将 K_{d} 的关系式代入后，得：

$$\varphi_{d} = j\left[1 - \left(\frac{m}{n}\right)^{2}\right] \times 100\% \tag{6-30}$$

在不同的 j 值情况下，φ_{d} 随 $\left(\frac{m}{n}\right)$ 的变化情况如图 6-12 所示。

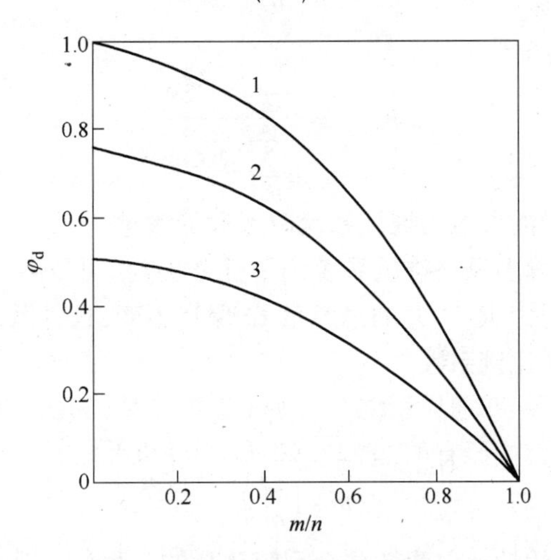

图 6-12　多风路排风系统的节能效益 φ_{d} 随 j 和 m/n 的变化

1—$j=1$；2—$j=0\sim75$；3—$j=0\sim50$

多风路排风系统的节能效益主要表现为:(1)采用多风路排风系统可显著地降低排风系统阻力,获得较高的节能效益;(2)当改造前排风系统阻力占全系统阻力的比例较高时,采用多风路排风系统后,节能效益也较高;(3)当改造前排风井的数目 m 与改造后排风井的数目 n 之比值越小时,则所获得的节能效益越大。

6.2.8 综合节能效益的估算方法

矿山通风节能工作的实践经验表明,把通风系统改造工程与新型节能扇风机的推广应用结合起来,既能改善作业环境,又能取得更高的节能效益。综合节能效益是由多种因素构成的,其中包括:多路排风效益、均压分风效益、调节效益、防漏效益、降阻效益和节能风机效益。通风系统改造的综合效益 φ 可按下式计算:

$$\varphi = \frac{N - N'}{N} \times 100\% = \left(1 - \frac{N'}{N}\right) \times 100\% \tag{6-31}$$

式中 N、N'——通风系统改造前、后的总功耗,kW。

$$N = HQ_{\mathrm{f}}/1000\eta_{\mathrm{f}}$$

$$N' = H'Q'_{\mathrm{f}}/1000\eta'_{\mathrm{f}}$$

将 N、N'的表达式代入综合效益公式,则

$$\varphi = \left[1 - \frac{\dfrac{H'}{H} \cdot \dfrac{Q'_{\mathrm{f}}}{Q_{\mathrm{f}}}}{\dfrac{\eta'_{\mathrm{f}}}{\eta_{\mathrm{f}}}}\right] \times 100\%$$

由于$\dfrac{H'}{H} = K_{\mathrm{d}} \cdot K_{\mathrm{j}} \cdot K_{\mathrm{t}} \cdot K_{\mathrm{r}}$;$\dfrac{Q'_{\mathrm{f}}}{Q_{\mathrm{f}}} = K_{\mathrm{l}}$;$\dfrac{\eta'_{\mathrm{f}}}{\eta_{\mathrm{f}}} = K_{\mathrm{f}}$,则总节能效益为:

$$\varphi = (1 - K_{\mathrm{d}}K_{\mathrm{j}}K_{\mathrm{t}}K_{\mathrm{r}}K_{\mathrm{l}}K_{\mathrm{f}}) \times 100\% \tag{6-32}$$

例如,金厂峪矿通风系统改造所采取的主要措施是:(1)选用 K 系列节能扇风机替换原有的 2BY 型扇风机,扇风机的运转效率由原来的 0.425 提高到 0.724;(2)将原来的两翼式排风系统改为三井口并联排风系统;(3)采用均压分风原则,各排风风路风压接近相等;(4)在南风井采取局部降阻措施,矿井总风阻由原来 0.46 降到 0.42 $\mathrm{N \cdot s^2/m^8}$。

该系统改造后的节能效益可做如下估算:

$$\varphi = (1 - K_d K_j K_r K_f) \times 100\%$$

$$K_d = 1 - j\left(1 - \left(\frac{m}{n}\right)^2\right) = 1 - 0.8\left[1 - \left(\frac{2}{3}\right)^2\right] = 0.556$$

计算 K_d 时已考虑均压分风的因素,此例中 $K_j = 1$,

$$K_r = \frac{R'}{R} = \frac{0.42}{0.46} = 0.91$$

$$K_f = \frac{\eta_f}{\eta'_f} = \frac{0.425}{0.724} = 0.587$$

将上列各 K 值代入总效益公式,得:

$$\varphi = (1 - 0.556 \times 1 \times 0.91 \times 0.587) \times 100\% = 70\%$$

该矿实测总节能效益达72%。

综合节能效益的预估价方法为通风系统改造工程的决策提供了技术依据,同时,也可根据各项改造措施所起作用的重要程度和经济代价的大小,选定最有效的改造方案。

6.3 网络节能技术应用研究

依据某矿矿井通风系统调查与测定的结果可以知道,某矿井下原通风效果不好的原因主要在于:(1) -280 m 中段回风系统在主扇的强负压区,风流短路严重;(2)在高阶段强化开采条件下,高溜井的漏风量大,导致污风循环;(3)深部中段回风天井的断面小(3.5 m^2),造成中段回风阻力大,各中段要集中回风较难;(4)深部 2 号矿体作业的污风汇总到 2 号矿体 -280 m 回风石门后,由总回风道经西风井排出。由于 2 号矿体 -280 m 回风石门的断面小(7.07 m^2),回风阻力大,因此影响了 2 号矿体污风的排出;(5)矿体埋藏深,且主矿体与分支矿体的分布广,导致主扇负压作用范围大,易出现通风死角;等等。因此,在制定矿井通风系统改造方案时,依据矿井通风阻力定律、风压平衡定律、通风能量方程式和现场研究经验,在通风网络调整方面以减少回风段通风阻力、增加井下通风风量,降低通风网络的通风能耗为目的,从而达到优化通风系统的效果。

矿井通风系统调整与改造应达到两个目标,既要改善作业环境,提高技术效果;又能节省通风能耗,提高经济效益。作者依据近几年来改善矿井通风状况和节约通风能耗方面的研究成果，并结合矿山的具体情况，在通风网络调整方面采用了多路进风、分区并联回风、统一排风的通风系统技术方案，即分成：(1) −400 m 以上 1 号矿体的通风网络；(2) −400 m 以下 −580 m 以上 1 号矿体的通风网络；(3)2 号矿体的通风网络分三部分，各部分之间相互联系，靠自然分风，具体技术方案如下。

6.3.1 扩大回风石门的断面

−280 m 2 号矿体回风石门原断面积约为 7.07 m^2，长约 125 m，从计算机解算结果可以看出，此段石门的通风阻力较大，约为 370 Pa，考虑到以后此石门将作为 1 号、2 号矿体的主要回风石门，并根据最佳经济断面的计算结果，最后确定此石门的最佳经济断面为 14.4 m^2 左右，这样此石门的通风阻力可降为 54.9 Pa。因此将 −280 m 2 号矿体回风石门断面扩大对改善通风效果和节能十分有利。

6.3.2 掘回风平巷

改造前，某矿井下的新风由副井和主斜坡道进入，各中段的污风通过中段回风天井汇入 −280 m 总回风巷道。由于原有的部分回风天井断面偏小，各中段要集中回风较难，而实现分路并联通风对降低回风段通风阻力有利，因此，在 −400 m 掘回风平巷的目的为：(1) 减少 −400 m以上回风巷道的通风阻力和维护量(−400 m 以上无作业面时)；(2)使 1 号矿体深部污风排出系统简单，便于管理；(3)有利于 1 号矿体深部的通风。

6.3.3 掘回风天井

某矿 −580～ −400 m 中段通风网络均是新风经中段石门→下盘沿脉道→穿脉道→上盘回风道→中段回风石门→进入 1 号矿体深部回风井。由于 −580、−510、−460 m 三个生产中段的污风均由 1 号矿体回风天井排出，而且回风天井断面积仅为 5 m^2，通风阻力大，必然导致各中段的进风量有限，加上溜井的漏风，造成中段通风网络中穿脉道风量较小或污风停滞，使作业面环境较差，危害工人的身体健康，影响安全生产。因此，为改善 1 号矿体深部 −580、−510、−460 m 三个生产中段的通风效果,在1号矿体上盘中间掘断面为5 m^2 的回风井(-510 ~ -385 m),目的在于:(1)增加各中段的进风量;(2)缩短东部作业面的回风距离;(3)有利于穿脉巷道的通风;(4)实现分区并联回风。

6.3.4 完善通风构筑物

矿井通风构筑物是矿井通风系统中至关重要的一部分,影响到矿井风量分配、有效风量率以及矿井的通风效果。某矿的采矿方法与工艺决定了井下进风段的通风构筑物少,大部分通风构筑物设在回风系统。生产过程中,由于种种原因,某矿井下的通风构筑物不够完善,因此,为了对通风系统进行有效改造,作者对全矿的通风构筑物进行了新的设计、改造和完善,实现了分区并联回风,有效地改善了矿井的通风效果。

6.4 矿井通风系统存在问题及研究方向

金属矿山的通风系统,虽经多年建设与调整,取得一些进展,但由于采矿作业不正规,通风设计不完善和通风技术管理水平不高等原因,仍存在不少问题。

(1) 多中段同时作业时,没有中段回风道,各中断间采场的排列位置又不遵守一定的顺序,加上爆破后二次补炮作业频繁,因此,采场间风流串联,烟尘污染问题严重。过去,在矿井开拓设计中,对中段通风网路结构未做专门设计,造成生产中通风困难。近几年来,不少矿山由于生产上的实际需要,创造了若干种分流式网路结构,为解决风流串联污染,提供了宝贵经验。因此,在矿井开拓系统设计时,应开凿一定数量的专用回风道或回风天井,构成中段通风网路。生产矿山也应把解决风流串联污染问题,作为调整通风系统的重要课题。

(2) 由于中段和采区通风网路不健全,或由于风量调节设施不健全,对作业地点不能实现按需分风,影响作业面的通风效果,并造成风流浪费。

(3) 井下破碎硐室和集中放矿溜井等局部污染源缺乏控制措施,容易造成入风系统风流污染。

(4) 金属矿山多在山区,由于井口间有高差和气温变化,仍受自然风压影响，使井下部分巷道风流方向不稳定。一般说来，在主扇总风压作用比较薄弱的地带，又没有辅扇对风流进行控制，易受自然风压影响，造成风流混乱。例如，抽出式通风系统中，各通达地表的入风口和采空区、塌陷区之间，有可能风流反向，使入风道变为排风道。压入式通风系统中，各通达地表的排风井、塌陷区和中立的提升井之间，也可使排风井变为入风井，烟尘倒流。造成这种现象的主要原因是通风系统不严密，漏风风路太多，主扇不能发挥应有的作用。另外，主扇过于集中，不能对全风路进行有效控制。

(5) 矿井漏风严重，有效风量率低。抽出式通风的矿井，通过地表塌陷区和采空区，直接漏入回风道的短路风流，有时可达主扇风量的40%～50%。造成这种漏风的原因，首先是由于开采上缺乏统一规划，过早地形成了地表塌陷区；在回风道上部没有保留必要的隔离矿柱；对塌陷区和采空区未及时充填或隔离。压入式通风的矿井，通过井底车场的短路漏风量也很高。产生这种漏风的原因，主要是风门失效，无其他控制措施。有些矿山井下作业面分散，废旧坑道不能及时封闭。此外，井口密闭、反风装置、井下风门、风桥、挡风墙等通风构筑物不严密，也造成较大的漏风。因此，在矿井通风设计、调整和日常管理维护工作中，应把防止漏风，提高有效风量率，作为重要问题加以解决。

(6) 主扇风硐、扩散塔以及井下风桥等通风构筑物的空气动力性能差，局部通风阻力大，增大了通风能耗。

在矿井通风系统的研究中应注意以下一些技术问题：

(1) 研究应用新型的风流调控技术，优化矿用空气幕技术。

(2) 研究减少漏风，提高有效风量率的措施，包括合理的开拓、开采技术；正确使用通风动力，平衡风压；利用新材料、新工艺研制新型通风构筑物。

(3) 研究通风系统中风流变化的规律，特别是各种动力因素、热力因素所引起的风流变化及其危害性。研究保持井下风流稳定可靠的有效控制方法。

(4) 研究适合金属矿山风量、风压特性的高效率主扇、辅扇和局扇。研究各类扇风机在通风网中合理使用方法。

(5) 研究不同类型矿山（例如，有色冶金矿山、黑色冶金矿山、有自然发火危险矿山、放射性矿山、深热矿井、高原矿山等)的自然条件和生产技术条件对构成通风系统诸要素的影响。根据不同特点确定合理的通风系统类型,并制定出各类典型的通风系统方案。

(6) 研究主要入、排风井的合理通风断面,各类井巷、通风装置及通风构筑物的阻力特性,以及降低通风阻力的措施。

(7) 研究井下破碎硐室、放矿溜井等局部污染源的粉尘扩散规律,局部净化系统以及其他防止风流污染的措施。

(8) 研究矿井通风系统的检测方法、新型测试仪表以及自动监测系统。

(9) 开展矿井通风网路结构形式的研究,提倡因地制宜创造多种类型网路结构形式,研究各类通风网路的适用条件及其技术经济效果。

附　　录

附录1　12行斜坡道空气幕阻风率测定结果

序号	空气幕运转状态	测点风速/m·s^{-1}		测点断面积/m^2	风量/m^3·s^{-1}	阻风率/%	备注
		测定值	平均值				
1	停	3.39 3.44 3.42	3.42	11.43	37.72	88.01	TB_6开单机
	开	0.41 0.417 0.411	0.41	11.43	4.52		
2	停	3.16 3.23 3.24	3.21	11.43	35.41	88.78	
	开	0.343 0.370 0.367	0.36	11.43	3.97		
3	停	3.33 3.36 3.32	3.34	11.43	36.84	87.72	
	开	0.383 0.422 0.411	0.41	11.43	4.52		
4	停	3.20 3.26 3.28	3.25	11.43	35.85	88.61	
	开	0.361 0.372 0.378	0.37	11.43	4.08		
5	停	3.41 3.46 3.37	3.41	11.43	37.61	87.68	
	开	0.406 0.428 0.411	0.42	11.43	4.63		

续附录 1

序号	空气幕运转状态	测点风速/m·s⁻¹ 测定值	测点风速/m·s⁻¹ 平均值	测点断面积/m²	风量/m³·s⁻¹	阻风率/%	备注
6	停	3.90 3.94 3.99	3.94	11.43	43.36	85.20	TB₆ 开双机
	开	0.57 0.589 0.590	0.583	11.43	6.43		
7	停	3.80 3.83 3.87	3.83	11.43	42.24	85.17	
	开	0.574 0.550 0.580	0.568	11.43	5.88		
8	停	3.90 3.89 3.87	3.89	11.43	42.91	84.96	
	开	0.584 0.592 0.580	0.585	11.43	6.06		
9	停	3.99 4.00 4.03	4.01	11.43	44.23	85.06	
	开	0.595 0.60 0.601	0.599	11.43	6.21		
10	停	3.95 3.94 3.91	3.93	11.43	43.35	84.73	
	开	0.599 0.610 0.590	0.60	11.43	6.22		

附录 2　12 行斜道空气幕有效风量增加量测定结果

序号	空气幕运转状态	测点风速/m·s^{-1}		测点断面积/m^2	风量/m^3·s^{-1}	有效风量增加量/m^3·s^{-1}	备注
		测定值	平均值				
1	停	1.59 1.74 1.88	1.74	10.76	-18.03	11.40	TB$_6$ 开单机
	开	1.09 1.07 1.13	1.10	10.76	11.4		
2	停	1.47 1.42 1.44	1.44	10.76	-14.92	13.36	
	开	1.12 1.38 1.37	1.29	10.76	13.36		
3	停	1.50 1.57 1.49	1.52	10.76	-15.75	11.81	
	开	1.07 1.14 1.20	1.14	10.76	11.81		
4	停	1.44 1.48 1.50	1.47	10.76	-15.23	13.05	
	开	1.22 1.30 1.27	1.26	10.76	13.05		
5	停	1.69 1.70 1.76	1.72	10.76	-17.82	11.71	
	开	1.10 1.11 1.17	1.13	10.76	11.71		

续附录 2

序号	空气幕运转状态	测点风速/$m \cdot s^{-1}$		测点断面积/m^2	风量/$m^3 \cdot s^{-1}$	有效风量增加量/$m^3 \cdot s^{-1}$	备注
		测定值	平均值				
6	停	0.2 0.19 0.19	0.19	10.76	1.97	25.28	TB$_6$ 开双机
	开	2.65 2.62 2.60	2.63	10.76	27.25		
7	停	0.21 0.20 0.18	0.20	10.76	2.07	24.84	
	开	2.61 2.60 2.60	2.60	10.76	26.94		
8	停	0.23 0.22 0.22	0.22	10.76	2.28	24.34	
	开	2.59 2.57 2.55	2.37	10.76	26.62		
9	停	0.18 0.14 0.16	0.16	10.76	1.66	23.51	
	开	2.45 2.42 2.41	2.43	10.76	25.17		
10	停	0.18 0.17 0.19	0.18	10.76	1.86	24.66	
	开	2.58 2.54 2.57	2.56	10.76	26.52		

附录 3　二矿区 1428m 空气幕运行测定结果

运转状态	测点位置	测点断面积/m^2		测点风速		风量/$m^3 \cdot s^{-1}$	测点静压/Pa(mmHg)	测点温度/℃	测点湿度/%	回流长度/m	仪器名称及型号
				测定值	平均值						
空气幕全开	空气幕出口侧	断面宽	4.6	3.8	3.69	57.8	113876.9 (854.15)	17.35	49	5	1. JFY-1 型矿井通风检测仪；2. QDF-2B 型热球风速仪
				3.9							
		壁高	2.2	3.8							
				3.5							
		拱高	1.6	3.7							
				3.6							
		面积	15.66	3.6							
				3.6							
				3.7							
	空气幕入口侧	断面宽	4.6	3.3	3.64	57.0	113703.7 (852.85)	21.05	46.4		1. JFY-1 型矿井通风检测仪；2. QDF-2A 型热球风速仪
				3.2							
		壁高	2.2	4.4							
				4.3							
		拱高	1.6	3.5							
				3.2							
		面积	15.66	3.1							
				3.3							
				4.5							
	空气幕出口处	断面宽	0.5	16.5	17.88	71.52					1. JFY-1 型矿井通风检测仪；2. QDF-3 型热球风速仪
		断面高	2.0	17							
		面积	1.0	18							
		总面积	4.0	20							

续附录 3

<table>
<tr><th rowspan="2">运转状态</th><th rowspan="2">测点位置</th><th rowspan="2" colspan="2">测点断面积/m²</th><th colspan="2">测点风速</th><th rowspan="2">风量/m³·s⁻¹</th><th rowspan="2">测点静压/Pa(mmHg)</th><th rowspan="2">测点温度/℃</th><th rowspan="2">测点湿度/%</th><th rowspan="2">回流长度/m</th><th rowspan="2">仪器名称及型号</th></tr>
<tr><th>测定值</th><th>平均值</th></tr>
<tr><td rowspan="22">空气幕两侧各开一台</td><td rowspan="9">空气幕出口侧</td><td rowspan="2">断面宽</td><td rowspan="2">4.6</td><td>3.5</td><td rowspan="9">3.18</td><td rowspan="9">49.81</td><td rowspan="9">113823.7(853.75)</td><td rowspan="9">16.05</td><td rowspan="9">69.3</td><td rowspan="22">3.2</td><td rowspan="9">1. JFY-1型矿井通风检测仪；2. QDF-2B型热球风速仪</td></tr>
<tr><td>3.5</td></tr>
<tr><td rowspan="2">壁高</td><td rowspan="2">2.2</td><td>3.4</td></tr>
<tr><td>3.0</td></tr>
<tr><td rowspan="2">拱高</td><td rowspan="2">1.6</td><td>3.1</td></tr>
<tr><td>3.0</td></tr>
<tr><td rowspan="3">面积</td><td rowspan="3">15.66</td><td>3.2</td></tr>
<tr><td>3.0</td></tr>
<tr><td>2.9</td></tr>
<tr><td rowspan="9">空气幕入口侧</td><td rowspan="2">断面宽</td><td rowspan="2">4.6</td><td>3.5</td><td rowspan="9">3.02</td><td rowspan="9">47.3</td><td rowspan="9">113677.0(852.65)</td><td rowspan="9">18.25</td><td rowspan="9">46.4</td><td rowspan="9">1. JFY-1型矿井通风检测仪；2. QDF-2A型热球风速仪</td></tr>
<tr><td>3.0</td></tr>
<tr><td rowspan="2">壁高</td><td rowspan="2">2.2</td><td>2.6</td></tr>
<tr><td>2.2</td></tr>
<tr><td rowspan="2">拱高</td><td rowspan="2">1.6</td><td>3.0</td></tr>
<tr><td>3.8</td></tr>
<tr><td rowspan="3">面积</td><td rowspan="3">15.664</td><td>3.6</td></tr>
<tr><td>3.0</td></tr>
<tr><td>2.5</td></tr>
<tr><td rowspan="4">空气幕出口处</td><td>断面宽</td><td>0.5</td><td>21.5</td><td rowspan="4">22.13</td><td rowspan="4">44.26</td><td rowspan="4"></td><td rowspan="4"></td><td rowspan="4"></td><td rowspan="4">1. JFY-1型矿井通风检测仪；2. QDF-3型热球风速仪</td></tr>
<tr><td>断面高</td><td>2.0</td><td>22</td></tr>
<tr><td>面积</td><td>1.0</td><td>21.5</td></tr>
<tr><td>总面积</td><td>2.0</td><td>23.5</td></tr>
</table>

续附录 3

运转状态	测点位置	测点断面积/m^2		测点风速 测定值	测点风速 平均值	风量/$m^3 \cdot s^{-1}$	测点静压/Pa(mmHg)	测点温度/℃	测点湿度/%	回流长度/m	仪器名称及型号
空气幕一侧开两台	空气幕出口侧	断面宽	4.6	3.5	3.04	47.61	113823.7(853.75)	16.35	67.9	3.2	1. JFY-1型矿井通风检测仪；2. QDF-2B型热球风速仪
				3.7							
		壁高	2.2	3.1							
				3.6							
		拱高	1.6	2.7							
				2.4							
		面积	15.66	2.8							
				2.4							
				2.6							
	空气幕入口侧	断面宽	4.6	3.5	3.04	47.61	113716.9(852.95)	19.15	46.4		1. JFY-1型矿井通风检测仪；2. QDF-2A型热球风速仪
				3.0							
		壁高	2.2	2.8							
				2.4							
		拱高	1.6	2.6							
				3.5							
		面积	15.66	3.5							
				3.5							
				2.6							
	空气幕出口处	断面宽	0.5	18	19.63	39.26					1. JFY-1型矿井通风检测仪；2. QDF-3型热球风速仪
		断面高	2.0	19							
		面积	1.0	20							
		总面积	2.0	21.5							

续附录 3

运转状态	测点位置	测点断面积/m²		测点风速 测定值	测点风速 平均值	风量/$m^3 \cdot s^{-1}$	测点静压/Pa(mmHg)	测点温度/℃	测点湿度/%	回流长度/m	仪器名称及型号
空气幕开一台	空气幕出口侧	断面宽	4.6	2.9	2.52	39.46	113823.7 (853.75)	15.45	69.9	2.35	1. JFY-1型矿井通风检测仪；2. QDF-2B型热球风速仪
				3.3							
		壁高	2.2	3.4							
				2.2							
		拱高	1.6	2.3							
				2.8							
		面积	15.66	2.4							
				2.6							
				2.8							
	空气幕入口侧	断面宽	4.6	2.3	2.19	34.3	113730.3 (853.05)	16.65	46.4		1. JFY-1型矿井通风检测仪；2. QDF-2A型热球风速仪
				2.4							
		壁高	2.2	2.4							
				2.0							
		拱高	1.6	2.0							
				2.0							
		面积	15.66	2.2							
				2.1							
				2.3							
	空气幕出口处	断面宽	0.5	25	24.13	24.13					1. JFY-1型矿井通风检测仪；2. QDF-3型热球风速仪
		断面高	2.0	24.5							
		面积	1.0	22.5							
		总面积	1.0	24.5							

续附录 3

运转状态	测点位置	测点断面积/m²		测点风速 测定值	测点风速 平均值	风量 /m³·s⁻¹	测点静压 /Pa(mmHg)	测点温度 /℃	测点湿度 /%	回流长度 /m	仪器名称及型号
空气幕全关	空气幕出口侧	断面宽	4.6	1.6	1.64	25.68	113796.9 (853.55)	15.25	71.1	2.35	1. JFY-1型矿井通风检测仪; 2. QDF-2B型热球风速仪
				1.7							
		壁高	2.2	1.7							
				1.5							
		拱高	1.6	1.8							
				1.9							
		面积	15.66	1.3							
				1.6							
				1.7							
	空气幕入口侧	断面宽	4.6	1.4	1.51	23.65	113690.3 (852.75)	16.55	46.4		1. JFY-1型矿井通风检测仪; 2. QDF-2A型热球风速仪
				1.8							
		壁高	2.2	1.7							
				1.6							
		拱高	1.6	1.8							
				1.2							
		面积	15.66	1.4							
				1.2							
				1.5							

附录 4 12 行分斜坡道空气幕现场及风向判断照片

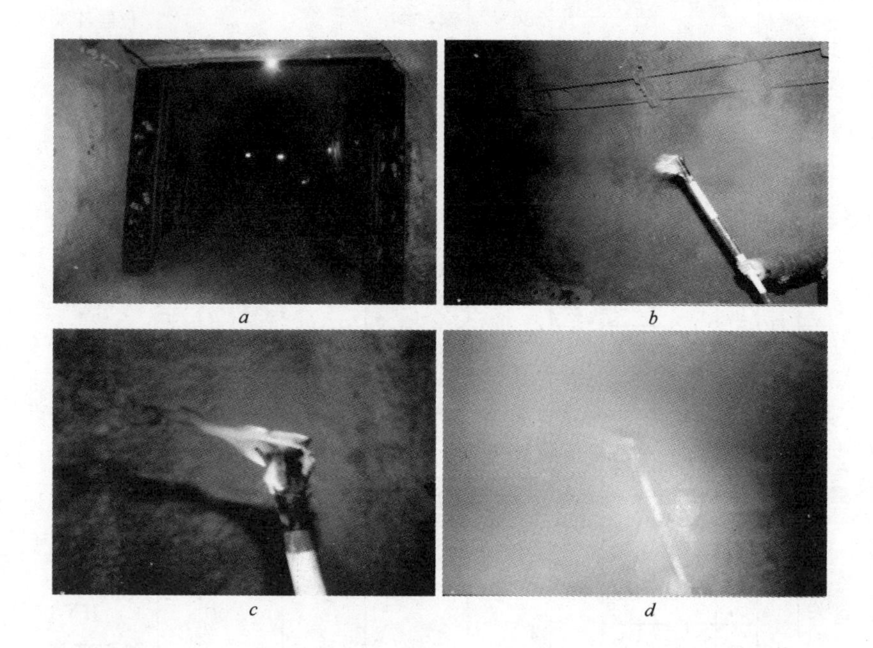

a b c d

术语索引

参考文献

1 王英敏.矿井通风与防尘.北京:冶金工业出版社,1993:160~171;212~254

2 韦冠俊.矿山环境保护.北京:冶金工业出版社,1990:55~59

3 赵以蕙.矿井通风与空气调节.徐州:中国矿业大学出版社,1991:88~112

4 白铭声.矿井通风设备运行与组合设计.北京:煤炭工业出版社,1987:80~88

5 阿伯拉莫夫著,矿井通风测量仪表与测量方法.张素芬译.北京:煤炭工业出版社,1984:7~17;45~46

6 沈斐敏等.矿井通风微机程序设计与应用.北京:煤炭工业出版社,1995:213~224

7 张永惠等.金属矿山自动化.北京.冶金工业出版社,1987:33~48

8 谭国运等.矿井通风网络分析及解算方法.北京:煤炭工业出版社,1991:165~173;196~200

9 李恕和等.矿井通风网络图论.北京:煤炭工业出版社,1984:112~133

10 徐瑞龙.通风网络理论.北京:煤炭工业出版社,1993:37~38;66~81;161~179

11 中国大百科全书总编辑委员会矿冶编辑委员会等.中国大百科全书矿冶卷[M].北京:中国大百科全书出版社,1984:386~388;401;590

12 王英敏.矿内空气动力学与矿井通风系统.北京:冶金工业出版社,1994:209~241;323~376;403~427

13 黄元平.矿井通风动力和阻力的关系及应用.北京:中国工业出版社,1964:47~77

14 张惠忱.计算机在矿井通风中的应用.徐州:中国矿业大学出版社,1992:162~234

15 刘雪峰等.矿井通风安全管理计算方法及程序设计.徐州:中国矿业大学出版社,1991:32~41

16 丛善本.矿井通风系统分析.北京:冶金工业出版社,1981:10~33

17 吴中立等.矿井通风与安全.徐州:中国矿业大学出版社,1989:143~155;222~241

18 谭允祯.矿井通风系统优化.北京:煤炭工业出版社,1992:1;23~43

19 阳昌明.矿井通风网络的风流状态与控制.北京:煤炭工业出版社,1982:1~28

20 金属矿井通风防尘设计参考资料编写组.金属矿井通风防尘设计参考资料[M].北京:冶金工业出版社,1982:55~56;107~111

21 采矿手册编辑委员会.采矿手册(第六卷).第 33 章 矿山通风.北京:冶金工业出版社,1991:54~60;101;120~144

22 采矿设计手册编写委员会.采矿设计手册(2).矿床开采卷(下册).第 16 章矿井通风.北京:中国建筑工业出版社,1987:1563~1602

23 美国采矿工程师协会卡明斯 A B,吉文 I A. 采矿工程手册(第二分册).岩层控制、地下运输、提升及通风.第 16 章通风.《采矿工程手册》翻译组译.北京:冶金工业出版社,1982:423~424;496~502

24 平松良雄著.通风学.刘运洪等译.北京:冶金工业出版社,1991:78~88

25 萨师煊,王珊等.数据库系统理论,高等教育出版社,2000
26 [美]Richard C. Leinecker 等著 .Visual C+ +6 宝典.张艳等译.北京:电子工业出版社,1999
27 蒋金泉等.巷道围岩结构稳定性与控制设计.煤炭工业出版社,1998:179~182
28 吴超等.大冶有色金属公司丰山铜矿矿井通风系统优化研究阶段研究报告.2001
29 陆璇.应用统计.北京:清华大学出版社,1999
30 湛垦华,沈小峰等.普利高津与耗散结构理论.西安:陕西科学技术出版社,1998
31 蔡绍洪,彭仕政,伍进等.耗散结构与非平衡相变原理及应用.贵阳:贵州科学技术出版社,1998:349~360
32 吴超,孟廷让 .矿山安全系统工程基础.长沙:中南工业大学出版社,1992:1~4
33 巴图林 B B.著.工业通风原理.刘永年译.北京:中国工业出版社,1965
34 湖南大学,同济大学,太原工学院 .工业通风.北京:中国建筑工业出版社,1980
35 普朗特.流体力学概论.郭水怀译.北京:科学出版社,1981
36 魏润柏.通风工程空气流动理论.北京:中国建筑工业出版社,1981:40~96
37 赵全福.矿井安全手册(第一篇,矿井通风与空调).北京:煤炭工业出版社,1987
38 [美]霍尔著.矿井通风工程.侯运广,贺敦良,刘冠姝等译.北京:煤炭工业出版社,1988
39 约阿希姆·福斯著 .矿井气候.刘从孝译.北京:煤炭工业出版社,1989
40 孔珑.工程流体力学.北京:中国水利电力出版社,1990
41 赵国凌.防排烟工程.天津:天津科技翻译出版公司,1991
42 严荣林,侯贤文.矿井空调技术.北京:煤炭工业出版社,1993
43 周谟仁.流体力学——泵与风机.北京:中国建筑工业出版社,1994
44 曾键年.矿山安全与矿山劳动保护.北京:地质出版社,1997
45 余常昭.紊动射流.北京:高等教育出版社,1998
46 韦冠俊.矿山环境工程.北京:冶金工业出版社,2001
47 孙一坚.简明通风设计手册.北京:中国建筑工业出版社,1999
48 戴元熙.纺织工厂通风与除尘.北京:中国纺织大学出版社,1994
49 陈维 .高层建筑火灾和防火安全.北京:群众出版社,1986:277~278
50 日本防灾设施研究会著.建筑防烟排烟设备.安中义译.北京:中国建筑工业出版社,1983:45~49
51 陆耀庆.供暖通风设计手册.北京:中国建筑工业出版社,1987
52 [日]林太郎.工厂通风.张本华等译.北京:中国建筑工业出版社,1986
53 谭天佑.工业通风除尘技术 北京:中国建筑工业出版社, 1984
54 刘金言.工程建设百问丛书.给排水.暖通.空调百问.北京:中国建筑工业出版社,2001
55 孙一坚.工业通风.北京:中国建筑工业出版社,1985
56 巴舍.防火设计中的烟控.王磊译.北京:中国建筑工业出版社,1990
57 赵荣义,范存养,薛殿华等编.空气调节(第3版).北京:中国建筑工业出版社,1981
58 王英敏.矿山通风与安全技术经验100例.北京冶金工业部安全环保研究院,1992

59 谢壮宁,顾明.脉动风压测压系统的优化设计.同济大学学报(自然科学版),2002,30(2)
60 申维.自组织理论和耗散结构理论及其地学应用.地质地球化学,2001,29(3):1~7
61 张长琳.经络现代科学研究50年.自然杂志,2000,22(1):11~15
62 王海宁,吴超.多级机站矿井通风系统FTA.南方冶金学院学报,1995,16(2):
63 黄继声.矿井通风设计自动化.煤炭工程师,1995,(3):7~11
64 谢宁芳.通风专家3.0版主要功能及在矿山中的应用.矿业快报,2001,(13):33~37
65 龚建才.煤矿通风安全管理信息系统.煤矿自动化,1998,(2):16~18
66 袁梅.煤矿通风安全管理信息系统[MVS·MIS]的开发与设计.煤,2000,9(1):35~37
67 李学文,常心坦等.矿井火灾通风动态模拟并行计算及其可视化.煤矿安全,2000,31(1):28~29
68 蒋瑾瑜.计算机在矿井通风系统设计中的应用.有色冶金设计与研究,1989,10(3):1
69 刘师少,张大同等.计算机通风信息管理系统的设计与实现.计算机系统应用,1994,(3)
70 谢贤平,严春风等.矿井通风自动监控系统数学模型的研究与实现.金属矿山,1995,(5)
71 范明训,李秉芮等.矿井通风网路解算与系统图绘制的一体化.煤炭科学技术,1993,(8)
72 戚宜欣,王省身等.矿井火灾时期风流流动及通风系统变化的动态模拟.中国矿业大学学报,1995,24(3):19~23
73 蒋军成,陈全等.计算机在矿井风网优化调节计算中的应用.东北煤炭技术,1995,(1)
74 汤正仁.耗散结构理论的经济发展观.经济评论,2002,(2):32~35
75 张秀琨,鲍杰等.KHTG矿井火灾与通风管理系统的设计与应用.煤矿安全,2001,32(3)
76 刘泽功.计算机辅助分析矿井通风系统风流突变原因及确定事故发生位置.淮南矿业学院学报,1996,16(3):35~40
77 李兴东.井下火灾位置判定及其应用程序.山东矿业学院学报,1997,16(3):251~254
78 戚宜欣,王省身等.矿井火灾时期风流控制方法的计算机实现.煤矿安全,1993,(11)
79 谢之康,王省身等.矿井外因火灾计算机控制及有待解决的若干问题.中国安全科学学报,1998,8(1):64~68
80 李舒伶,王玉学等.矿井火灾时期风流控制系统的研究.辽宁工程技术大学学报(自然科学版),1999,18(2):125~127
81 李兴东.矿井灾变处理系统.黄金科学技术,1999,7(4):89~92
82 杨运良.矿井通风系统网路结构复杂程度的评价.煤矿安全,1998,29(1):32~34
83 史自强,史钟璋,汤晓丽.空气幕计算方法的实验研究.青岛建筑工程学院学报,2001,22(3):1~4
84 何嘉鹏,王东方,王克金.冷库大门的空气幕结构设计计算模型.南京建筑工程学院学报,1999,(2):48~52
85 何嘉鹏.冷库空气幕的计算方法.南京建筑工程学院学报,1992,(1):21~26
86 何嘉鹏.冷库大门流场分析.流体机械,1994,(2):58~60
87 何嘉鹏,宫宁生,龚延风等.剧院舞台的火灾流场分析.南京建筑工程学院学报,1995,(2):49~53

88 陈江平,冯欣,穆景阳.吹吸式非等温双层空气幕紊流特性数值分析.制冷学报,2001,(4):16～20

89 何嘉鹏,王东方,王健等.高层建筑防烟空气幕设计参数的数学模型.应用科学学报,1999,17(3)371～376

90 何嘉鹏,王东方,韩丽艳等.防烟空气幕二维数学模型.土木工程学报,2003,36(2):104～107

91 汤晓丽,史钟璋.横向气流作用下气幕封闭特性的理论研究.建筑热能通风空调,1999,(2):6～8

92 郭康宁.冷库门、空气幕存在的问题及冷藏技术.1993,63(2):24～25

93 汤晓丽,史钟璋.横向气流作用下气幕封闭特性的实验研究.建筑热能通风空调,1999,(3):1～5

94 龚红卫,唐晓亮,韩丽艳等.防烟气扩散与控制烟风洞实验.南京建筑工程学院学报,2002,(2):1～6

95 赵忠超,史自强.置换通风的数值仿真研究及其评价 .制冷与空调,2004,4(1):51～54

96 邢秀强,孙腾阳.气幕式排风柜极限流量比的实验研究.工业安全与防尘,1995,(3):22～24,33

97 邢秀强,孙腾阳.气幕式排风柜控制有害物理论的初步探讨.通风除尘,1995,14(1):36～40

98 林豹.射流作用下吸气流动临界射流速度的实验确定.沈阳建筑工程学院学报,1993,9(1): 7～13

99 林豹,于广荣.射流作用下吸气流场速度分布计算的研究.通风除尘,1992,11(2):1～6

100 蔡颖玲.大门空气幕计算方法的比较分析.郑州纺织工学院学报,1997,8(2):25～29

101 陈涛,梅秀娟,张文良.地下建筑中空气幕流量的计算.消防技术与产品信息,2004,(2):3～5

102 王从陆,吴超 .耗散结构理论在矿井通风系统优化中的应用.安全与环境学报,2003,3(3):62～64

103 易丽军,王英敏.矿用引射式射流风机.黄金,1994,15(9):19～22

104 易丽军,王英敏.引射式射流风机结构参数的研究.广西大学学报:自然科学版,1994,19(3):284～288

105 徐竹云,王英敏.无风墙辅扇通风过程的分析.东北工学院学报,1989,10(5):519～526

106 刘承恩.多台主扇联合作业的网络调节.煤矿安全,1980,(10):1～3

107 赵梓成,谢贤平.矿井通风理论与技术进展评述.云南冶金,2002,31(3):23～31,37

108 刘启觉,王继焕.射流空气幕诱导空气量的计算.通风除尘,1993,12(432),33～35

109 谢贤平,李怀宇.受控循环通风方法的研究与应用.有色矿冶,1995,11(1):36～41

110 徐竹云,王英敏.动压通风与K系列节能风机的应用.工业安全与防尘,1989,(2):1～4

111 董振民.无风墙机站设计参数的确定.冶金矿山设计与建设,1998,30(1):20～23

112 董振民.多级机站通风与节能.山东煤炭科技,1994,(3):18～21

113 董振民,蔡顺朔.多级机站通风系统中无风墙机站的应用实践.黑色金属矿山通讯,1991,(3):17~19
114 董振民,蔡顺朔.井下无风墙机站通风工业试验.金属矿山,1993,(7):30~35
115 付海亭,郭斯旭,石绍海等.矿山自然风压利用与探讨.山东冶金,2002,22(3):1~3
116 李剑锋.矿井可控循环风.矿业工程,2004,2(4):58~59
117 贺喜,彭担任.矿井局部通风的技术改造及应用.风机技术,2003,(5):49~50
118 刘振明,闫广祥.自然风压对矿井通风的影响分析.山西焦煤科技,2003,(6):1~2
119 周心权,吴兵等.矿井通风基本概念的理论基础分析.中国矿业大学学报,2003,32(2):133~137
120 赵梓成,谢贤平.矿井通风理论与技术进展评述.云南冶金,2002,31(3):23~31,37
121 孙英.近十年我国金属矿山通风系统的技术改造.金属矿山,1994,(5):25~29
122 祝怡斌,吴冷峻,徐立成.南京铅锌银矿通风系统优化改造.矿业快报,2001,367(13):12~14
123 刘承恩.分风理论与风网功耗.煤,2000,9(3):11~15
124 刘景秀.矿井通风系统风流状态变化规律探讨.金属矿山,1999,(6):22~24
125 秦宪礼,姚嵩.提高矿井通风能力的方法分析.黑龙江矿业学院学报,1998,8(2):8~12
126 王志会.井下采用主辅扇通风的实践.冶金地质动态,1998,(3):14~16
127 杨树民.矿井反风问题初析.江苏煤炭,1996,(1):50~51
128 张晋发.矿井通风系统的研究与实践.南方钢铁,1992,(2):25~27
129 王春秋,徐竹云.基于采空区或旧巷自净进行循环通风的可行性研究.工业安全与防尘,1997,(11):7~9
130 王春秋,徐竹云.利用采空区辅助实施受控循环通风方法的研究.有色矿冶,1997,13(3):54~56
131 徐竹云.两翼抽出系统回风角联巷道的调风特性.工业安全与防尘,1993,(7):22~24
132 徐竹云,王英敏.无风墙辅扇通风过程的分析.东北工学院学报,1989,10(5):519~526
133 程厉生,董振民.井下无密闭辅扇通风计算理论及引射器最优出口断面的确定.金属矿山,1981,(10):20~24,33
134 徐竹云,陈荣策.矿山空气幕的有效压力平衡原理及其应用.黄金,1988,9(1):4~9
135 徐竹云,陈荣策.矿用宽口大风量空气幕的设计计算.黄金,1989,10(1):27~31,39
136 徐竹云,周焕明.用WMI矿用空气幕在运输道上隔断风流.金属矿山,1990,(2):10~12
137 李雨林.几项值得推广的矿井通风新技术.有色金属:矿山部分,1992,(4):37~40
138 陆茂成 .铁路隧道运营通风应用空气幕的探讨.通风除尘,1995,(1):44~46
139 陈喜山,梁晓春,李杨.多级机站通风新模式和矿井通风技术的新进展.中国矿业,2002,11(5):13~15
140 陈喜山.试论深井通风部分污风循环利用的可能性.黄金,1998,19(12):19~22
141 陈喜山,鞠玉忠,张相军等.空气幕技术在阻断矿井漏风中的应用.工业安全与防尘,

2000,(10):22~24
142 郭斯旭,张玉利,庞曰宏等.矿用空气幕在矿井阻风中的应用.矿山环保,2003,47(4):12~14
143 郭斯旭,吴振坤.井下矿回风侧分区多级机站通风系统的研究与应用设计.矿山环保,2002,(5):3~8
144 刘荣华,王海桥,施式亮等.用空气幕阻止粉尘向采煤机司机工作区扩散的模拟实验研究.湘潭矿业学院学报,2000,15(3):17~21
145 王海桥,刘荣华.综采工作面隔尘空气幕模拟实验及应用研究.矿业安全与环保,2000,27(2):13~15
146 王海桥,施式亮,刘荣华等.综采工作面空气幕隔尘研究及应用.湘潭矿业学院学报,1999,14(1):11~15
147 施式亮,王海桥,吴中立.综采工作面隔尘空气幕纵向安装角合理确定的研究.煤炭学报,2001,26(2):164~167
148 王海桥,施式亮,刘荣华等.综采工作面司机处粉尘隔离技术的研究及实践.煤炭学报,2000,25(2):176~180
149 王海桥,刘荣华,陈世强.独头巷道受限贴附射流流场特征模拟实验研究.中国工程科学,2004,6(8):45~49,63
150 王海桥,施式亮,刘荣华等.独头巷道附壁射流通风流场数值模拟研究.煤炭学报,2004,29(4):425~428
151 王海桥,施式亮 .独头巷道射流通风流场 CFD 模拟研究.中国安全科学学报,2003,13(1):68~71
152 王海桥,李威松 .矿井主扇扩散器通风流场数值模拟研究及其应用.湘潭矿业学院学报,2002,17(4):9~11
153 刘荣华,王海桥等.压入式通风掘进工作面粉尘分布规律研究.煤炭学报,2002,27(3):233~236
154 刘荣华,王海桥.机掘工作面旋转射流通风理论探讨.中国安全科学学报,2002,12(2):76~79
155 曹新民.用均匀送风风幕代替局部排风的实践.通风防尘,1996,(1):42~46
156 刘河清,王海桥.用气幕阻止粉尘向采煤司机工作区扩散的分析.工业安全与防尘,1997,(11):3~6
157 程厉生.20 世纪 80 年代金属矿井通风技术的发展.煤矿安全,1993,(3):3~6
158 李雨林.几项值得推广的矿井通风新技术.有色金属:矿山部分,1992,(4):37~40
159 李总根.空气幕防排地下建筑物烟流的探讨.湘潭矿业学院学报,1998,13(1):61~64
160 靳自兵.气幕防排烟系统的设计探讨.消防科学与技术,1999,(4):32~33
161 赵千里,高春华,孙永川.空气幕代替风机站的研究与应用.矿业快报,2001,367(13):8~10
162 王海宁,刘同有,王五松等.金川二矿区大断面巷道空气幕技术研究.有色金属(矿山部

分),2000,52(1):33~36

163 王海宁,赵千里,高洁等.多机并联空气幕引射风流在金川二矿的应用研究.矿业研究与开发,2002,22(3):26~27

164 王海宁.矿用空气幕及在大断面巷道的应用研究.有色金属(增刊),2003,55:32~35

165 尹卫东,廖开明.空气幕技术在大压差大断面巷道通风中的应用.矿业快报,2001,366(12):16~19

166 王海宁,古德生,张红婴.多机并联空气幕引射风流及其应用研究.矿冶工程,2004,24(4):7~10

167 王海宁,张红婴.矿用空气幕引射风流在安庆铜矿的应用.有色金属(矿山部分),2004,56(3):39~40

168 王海宁, 姚维信,拜生学.多机并联增阻空气幕在龙首矿的应用研究 .有色金属,2004,56(2):107~108

169 王海宁,古德生.多机并联空气幕隔断风流的现场试验研究.中国矿业,2004,13(10):31~33

170 张红婴,王海宁.多机并联空气幕引射风流的现场试验研究.金属矿山,2004,(10):65~67

171 王海宁,吴超,古德生.多机并联增阻空气幕的现场应用研究.中南大学学报,2005,(2):307~309

172 王海宁.矿山高溜井多片式挡风板应用研究.金属矿山,2005,345(3):58~59,68

173 王海宁,刘辉,吕志飞等.MATLAB语言在风门空气幕理论模型中的应用研究.矿业安全与环保,2005,32(5):43~44,53

174 王海宁,吕志飞,石发恩.矿井通风系统分析评估方法及其应用.矿业工程,2005,3(3):50~51

175 王海宁,吴超.矿井通风网络优化软件及其应用.金属矿山,2004,(7)

176 Wang Haining. Application of Air Curtain on Mine Pollution Control. Proceedings of the 1st International Conference on Pollution Control and Resource Reuse for a Better Tomorrow and Sustainable Economy ,2005,(10):176~179

177 王海宁,张红婴.矿用空气幕特性试验与应用.煤炭学报,2006,31(5)

178 Wang Haining. Test of Air Curtain in Mine. 2006 International Symposium on Safety Science and Technology,2006,10

179 陈宁青,王海宁,张红婴.单机空气幕控制运输道风流反向的现场应用.金属矿山,2005,353(11):75~76

180 王海宁,李政.可控液体电阻启动调速器与主扇的节能运转.中国钨业,2006,21(1):43~45

181 东北工学院通风教研室.无风墙辅扇通风理论.采选资料,1976,3~4

182 中南矿冶学院等.空气幕生产试验报告 .中国金属学会全国金属矿山通风防尘专题学术会议论文,1956

183 秦红.空气幕常用设计计算方法应用与改进分析.暖通空调新技术，北京:中国建筑工业出版社,2002,1

184 王绍瑞.高层建筑中热空气幕计算方法的研究.2000 年全国暖通空调制冷学术年会论文集,2000

185 王海宁.矿用空气幕理论及其应用研究.中南大学,2005

186 徐竹云.矿山空气幕作用原理及应用研究.东北工学院,1984

187 汤晓丽.横向气流作用下气幕封闭特性的实验研究,青岛建筑工程学院硕士论文,1999:36～37

188 沈晋明.气幕洁净棚特性研究.中国建筑科学研究院硕士生学位论文,1981

189 Wang Y.J.Mining power consumption in multiple - fan networks by equalizing fan pressure. Int.J. Rock Mech.Min.Sci.1983,20,(4):171～179

190 Jerning.G.E.Air curtain in the 70's.Refrigeration and Air Conditioning,1970(3),93～99

191 He Jiapeng, Jiang Zhengliang. Calculation for the smoke - preventing air curtain in a high - rise building. Transactions of Nanjing University Aeronautics & Astronautics, 1997, 14 (1): 77～80

192 Tso.C.P, Yu.S.C.M.Experimental study on the heat and mass transfer characteristics in a refrigerated truck. International Journal of Refrigeration, 2002, 25(3): 340～350

193 Ramesh.K, Yeo.S.H, Z.W.Zhong and Sim.K.S.Coolent shoe development for high efficiency grinding, Journal of Material Processing Technology[J], 2001, 114(3): 240～245

194 M. Pich, Panneton. B.Field evaluation of air - assisted boom spraying on broccoli and potato. Transaction of the ASAE/American society of Agricultural Engineers, 2000, 43(4): 793～799

195 Learmonth .R.A.The use of air curtains.1970, (9):115～116

196 Hinkley P L. Some notes on the control of smoke in enclosed shopping centres. Fire Research No875, Fire Research Station. Boreham - wood England, 1971

197 He Jiapeng, Wang Dongfang. The analysis of flow field for smoke - preventing air curtain in the high - rise building. International Symposium Air Conditioning in High Rise Buildings. 北京:中国建筑工业出版社, 2000, 546～549

198 Grassmuck G. Applicability or air stopping and flow regulators in mine ventilastion. C. I. M. M. Bulletin, 1969, 62:1175～1185

199 Sheick AM; Grassmuck G. Testing Berry air curtains for stope ventilation of Opemiska. Canadian Mining ,1970, 91(5):52～53

200 Guyonnaud. L, Solliec. C, Dufresne de Virel. M, Rey. C. Design of air curtains used for area continement in tunnels. Experiments in Fluids, 2000(28):377～384

201 Liu R.H.Wang H.Q. Study on infection of diameter of dust on dust isolation efficiency of air curtain. LI S C, JIN G X QLAN Z M, ed. Progress in safety science and technology: Ⅱ. Beijing Chemical industry press, 2000

202 Rodi W. The calculation three – dimensional turbulent free jets. Durst F et al ed. in Turbulent Sheer Flow. Berlin: Springer, 1979

203 Haages F C, Stocer. W F. Heat transfer characteristics of air curtain. ASHRAE, Transaction, 1969, 75 Part Ⅵ, 153～166

204 Party J. Analytical design of an air curtain. Int J Modelling and simulation, 1995(15): 14～22

205 Brandon Field; Eric Loth . Measurements of air curtain entrainment. The 2001 ASME Fluids Engineering Division Summer Meeting (FEDSM 2001), Vol. 1 – Forums, New Orleans, Louisiana, USA, May 29 – June 1, 2001: 255～260

206 Kai Siren, Technical dimensioning of a vertically upwards – blowing air curtain – part Ⅱ. Energy and Buildings, 2003, 35(7): 697～705

207 Guyonnaud. L, Solliec . C. Mass transfer analysis of an air curtain system. 2nd International Conference on Advances in Fluid Mechanics, Udine, Italy, May 1998: 139～148

208 Kai Siren . Technical dimensioning of a vertically upwards – blowing air curtain – part Ⅰ. Energy and Buildings, 2003, 35(7): 681～695

209 Brake, D. J. Rick . Fan total pressure or fan static pressure: Which is correct when solving ventilation problems. Mine Ventilation Society of South Africa , 2002, 55(1): 6～11

210 Conn, John, W. Verakis, Harry, C. System design analysis for explosion protection of mine fans. Proceedings of the US Mine Ventilation Symposium , Jun 21 – 23 ,1993: 463～467

211 Kislig, R . E. Theoretical and critical analysis of the various methods of determining energy and pressure losses in shafts. Mine Ventilation Society of South Africa, 1999,52(4):134～143

212 Chao Wu. Mine Ventilation Network and Pollution Simulation. Lulea University of Technology, 1994

213 Jankowski J A, Colinet J F. Update on face – ventilation research for improved longwall – dust control. Mining Engineering, 2000,51(3):45～52

214 Gutzwiller, Les. ; Kuli; Thomas; J. Coal mine ventilation returns to centrifugal fans. Mining Engineering, 1999,51(9):34～36

215 Calizaya F, Mulyadi A, New P T. Freeport Mine ventilation system – basic requirements. Mining Engineering, 1999,51(8):54～58

216 New mesh systems add flexibility to ventilation controls and rib protection. Coal Age, 1996, 104(3):40

217 Mutmansky J M, Wang Aiping. Patterns of methane emission and their effects on mining costs in underground mining operations. Mining Engineering, 1999,51(1): 65～70

218 English L M, Wang Y J. Characteristic curves revisited: a more logical approach to determining operating points. Mining Engineering, 1998,53(3):65～68

219 Wang, Y J, Mutmansky Jan M. Modeling mine ventilation networks using five basic network elements. Mining Engineering, 1997,49(3):65~69

220 McDaniel K H, Wallace K G. Real time mine ventilation simulation. Mining Engineering, 1997,49(3):71~75

221 Wala A M, Stoltz J R. Thompson, E. Natural ventilation pressures in a deep salt mine－a case study. Mining Engineering, 2002,54(3):37~42

222 Fiscor, Steve. Modern diesels emit less and perform better. Coal Age, 1996,105(10):40~42

223 Rosiek F, Sikora M, Urbanski J. et al. Graphical representation and modeling of an airflow in ventilation network. Mining Science and Technology'99, p.47~50

224 Brake D J Rick . Fan total pressure or fan static pressure: Which is correct when solving ventilation problems. Mine Ventilation Society of South Africa 2002,55(1): 6~11

225 Marx W M. Providing an acceptable working environment in ultra deep mines. Mine Ventilation Society of South Africa,1998,51(2):57~60

226 Petrov N N. Methods of problem solution and technique development of mine ventilation. Fiziko－Tekhnicheskie Problemy Razrabotki Poleznykh Iskopaemykh No. 2 Mar－Apr 1994, p.117~127

227 Wala, Andrzej M. Teaching the principles of mine fire using an intelligent computer－aided instruction. Proceedings － Frontiers in Education Conference, 1996,3:1391~1396

228 Conn John W, Verakis Harry C. System design analysis for explosion protection of mine fans. Proceedings of the US Mine Ventilation Symposium Jun 21－23 1993, p.463~467

229 Spirko, Karel. Mathematical mòdel of heat and moisture transfer between airway walls and mine air and temperature distribution in airway walls under time variable mine air temperature and humidity. Proceedings of the US Mine Ventilation Symposium Jun 21－23 1993, p.171~176

230 Brunner D J., Miclea P C, McKinney D. et al. Examples of the application of computational fluid dynamics simulation to mine and tunnel ventilation. Proceedings of the US Mine Ventilation Symposium Jun 5－7 1995, p. 479~484

231 Wang Y J. Solving mine ventilation networks with fixed and non－fixed branches. Mining Engineering , 1990,42(9):1091~1095

232 Kislig R E. Theoretical and critical analysis of the various methods of determining energy and pressure losses in shafts. Mine Ventilation Society of South Africa, 1999, 52(4): 134~143

233 English L M, Wang Y J. Characteristic curves revisited: a more logical approach to determining operating points. Mining Engineering (Littleton, Colorado) 1998,50(3):65~68